LE MANUSCRIT DU MAÎTRE-ESPION

Leslie SILBERT

Roman traduit de l'anglais (américain) par
Philippe VIGNERON

City Editions
Roman

*Il faut être fier, hardi, plaisant, déterminé, et
poignarder de temps à autre quand l'occasion
se présente.*

Spencer le Jeune, in *Edward II* (Marlowe)

© **City Editions 2007 pour la traduction française**
© **2004 by Leslie Silbert**
First published by Atria Books, New York, NY. All rights reserved.
Published by arrangement with Linda Michaels Limited, international literary
agents. Titre original : *The Intelligencer*.

ISBN : 978-2-3528-8042-4
Code Hachette : 50 4700 6

Couverture : Davidpaire.com

Rayon : Roman / Thriller
Collection dirigée par Christian English et Frédéric Thibaud
Traduction de Philippe Vigneron

Catalogue et manuscrits : www.city-editions.com

Dépôt légal : premier semestre 2007
Imprimé en France par France Quercy - Mercuès - N° 70094/

Les personnages

Les personnages Élisabethains

* **Lee Anderson** — matelot pour la Muscovy Company
Richard Baines — espion dans la force de l'âge
* **Ambrosia Bellamy** — hôtesse dans une taverne
Sir Robert Cecil — dirigeant d'un réseau privé d'espionnage
Robert Devereux, comte d'Essex — dirigeant d'un réseau d'espionnage concurrent
Elisabeth I — reine d'Angleterre de la lignée des Tudor qui a régné de 1558 à 1603
* **Oliver Fitzwilliam** (Fitz Fat) — l'un des chefs des douanes de Sa Majesté
Ingram Frizer — homme d'affaires
Thomas Hariot — scientifique au service de Walter Ralegh
Thomas Kyd — dramaturge
Christopher Marlowe — dramaturge, poète et espion
Kit Miller — faussaire
Thomas Phelippes — chef du réseau d'espionnage du comte d'Essex
Robert Poley — chef du réseau d'espionnage de Sir Robert Cecil
Sir Walter Ralegh — courtisan, poète, explorateur
* **Teresa Ramires** — domestique au service du comte d'Essex
Nicholas Skeres — espion dans le réseau du comte d'Essex
* **Ned Smith** — Chef de l'Intendance de Sa Majesté
Richard Topcliffe — maître des supplices de la Cour
Sir Francis Walsingham — jeune cousin de Francis Walsingham

* À l'exception des noms précédés d'un astérisque, tous les personnages cités ici ont réellement existé. Ils occupent, dans ce roman, les mêmes fonctions qu'en 1593.

Les personnages Contemporains

Jason Avera — paramilitaire, ancien de la CIA, au service de Jeremy Slade

Hamid Azadi — l'un des dirigeants des services d'espionnage iraniens

Connor Black — paramilitaire au service de Jeremy Slade

Vera Carstairs — étudiante à Oxford

Edward Cherry — cadre supérieur chez Sotheby's

Alexis Cruz — directrice générale du Renseignement

Colin Davies — inspecteur de Scotland Yard

Luca de Tolomei — marchand d'art réputé

Peregrine James — marquise de Halifax

Khadar Khan — homme d'affaire établi à Islamabad

Surina Khan — le sœur de Khadar Khan

Max Lewis — expert en informatique au service de Jeremy Slade

Bill Mazur — détective privé à New York

Cidro Medina — financier

Donovan Morgan — sénateur américain, père de Kate

Kate Morgan — détective privée et espionne

Jack O'Mara — le meilleur ami de Kate

Hannah Rosenberg — marchand de livres rares

Andrew Rutherford — historien à Oxford

Jeremy Slade — directeur de l'Agence Slade

Hugh Synclair — inspecteur à Oxford

Adriana Vandis — colocataire de Kate à l'Université

1

Quoi, funestes étoiles, vous dresserez-vous contre moi ?
M'obligerez-vous à disparaître dans les airs
Sans laisser nulle trace de ma présence ici-bas ?
Non ! Je vivrai.
Barabbas, in *Le Juif de Malte* (Marlowe)

Southwark, Angleterre, mai 1593. Crépuscule

Le rendez-vous était fixé à la tombée de la nuit et, déjà, le soleil déclinait rapidement. Le jeune homme n'avait pas de temps à perdre. Pourtant, à mesure qu'il approchait de London Bridge, des bruits familiers retenaient son attention. Il ralentit le pas, tendit l'oreille, et reconnut les clameurs en provenance de l'arène où se déroulaient les combats d'animaux : l'ours enchaîné hurlant à chaque morsure des mâchoires canines, les jappements terrifiés des chiens balayés par ses puissants coups de griffe, les vociférations de la foule lançant des paris, excitant les bêtes…

Il s'immobilisa entre deux enjambées, la cuissarde noire hésitant à quelques centimètres du pavé, et mit à l'épreuve sa volonté. Il échoua.

Se détournant du sentier longeant la Tamise, il prit la

direction de l'arène. En chemin, son regard fut attiré par un tissu aux couleurs chatoyantes – l'auvent d'une échoppe qu'il n'avait jamais remarquée. Curieux, il approcha. De longues tresses écarlates surgirent de l'ombre, puis le visage noueux d'une vieille femme. Ses lèvres d'un rouge sang assorti à sa perruque flamboyante s'étirèrent dans un sourire. De prime abord, elle semblait être une simple vendeuse de jeux de cartes mais, après avoir examiné son client, elle produisit une petite pancarte révélant son commerce illicite : « Le Tarot de Grizel ».

La tenue débraillée du jeune homme et ses cheveux bruns détachés disaient assez qu'il n'avait rien d'un de ces officiels guindés de la ville.

Lançant quelques pennies sur la table de la voyante, il demanda :

— Dois-je parier sur l'ours ?

— Tu préfères que je lise l'avenir de l'ours plutôt que le tien ?

Il détourna le regard quelques secondes, comme s'il réfléchissait, puis, avec un sourire malicieux :

— Oui.

— Mieux vaudrait que tu t'intéresses à toi.

— Ma foi, c'est mon sujet de prédilection !

Il s'assit.

Elle plaça lentement les cartes froissées devant elle en les retournant sur la table. À chacun de ses gestes, quelques bagues mal ajustées glissaient sur ses doigts flétris.

Quand elle eut posé la dixième carte, elle leva la tête.

— Et si nous allions directement à la fin ? demanda le jeune homme. Je n'ai pas beaucoup de temps.

— Et si tu laissais Grizel en juger ? Pour commencer, je dois savoir à qui j'ai affaire.

À sa gauche, elle avait disposé cinq cartes en forme de croix celtique. Elle prit la carte centrale.

— Commençons par ton âme.

Elle la retourna, et posa un regard plein de révérence sur la figure d'un homme à cape et chapeau rouges.

— Le magicien. Manipulateur des forces terrestres. Il aime jouer des tours et créer des illusions. Doté d'une imagination fertile. Maître du langage, il jongle avec les mots en virtuose.

— Hum hum…

À ce commentaire inintelligible de son client, la diseuse de bonne aventure haussa un sourcil gris et vérifia à nouveau la carte. Puis, avec un haussement d'épaules, elle prit la carte au pied de la croix.

— Le moment présent. Tiens donc, le valet d'épées. Tu es d'une âme passionnée, n'est-ce pas, mon ami ? Toujours en quête, avide de mettre au jour des vérités ensevelies… Réjouis-toi : c'est justement ce qui t'attend aujourd'hui.

Le jeune homme se pencha sur le jeu avec intérêt.

— Belle dame, en vérité tu m'impressionnes.

Flattée, elle entreprit de retourner les autres cartes formant la croix.

— Le dix de deniers, à l'envers. Tu aimes jouer et prendre des risques, des risques parfois insensés. Avancer sur le fil du rasoir.

— Cela met du piquant dans ma vie… et quelques pièces sonnantes et trébuchantes dans mes poches.

— Influences extérieures, voyons voir… Trois d'épées. Un triangle dangereux, une adversité impitoyable. Deux puissances supérieures te menacent.

Elle leva les yeux et constata que son client était toujours aussi calme.

— Tu ferais mieux de prêter foi à ma parole, déclara-t-elle d'une voix sévère. Ce danger est bien réel, même si l'on peut y survivre.

— Des menaces, l'adversité… C'est là mon lot quotidien.

Il agita la main d'un geste dédaigneux.

— Peut-on voir la dernière carte, à présent ?

L'air bougon, la vieille femme se tourna vers la colonne de cinq cartes placée à sa droite. Retournant celle du haut, elle l'observa un instant, hésita, puis la lui montra. Un squelette, crâne au sol et os des orteils en l'air.

— Comment est-ce possible ? Placée à l'envers, la mort

annonce un danger imminent auquel il est possible d'échapper. Mais, dans la position de l'au-delà, elle signifierait... que tu vivras après ta mort ?

Perplexe, elle inclina la tête et examina le visage du jeune homme.

— J'admets que cela puisse paraître étrange, dit-il. Certes, on m'a plus d'une fois reproché de ne pas avoir les pieds sur terre, mais là...

L'expression renfrognée de la vieille femme fit place à un sourire édenté.

— Ah ! bien sûr. J'ai oublié à qui j'avais affaire, *Magicien.* Je comprends, maintenant. En fait, c'est ton art qui est appelé à survivre. Longtemps après ton dernier souffle.

Le jeune homme baissa la tête, humblement. Grizel l'ignorait, mais elle parlait au dramaturge le plus célèbre de tout Londres, un auteur dont la plume adroite avait accompli des prodiges sur bien des scènes de théâtre. Il était impressionné par l'instinct de la voyante. Soudain, sa mâchoire se crispa. *Malédiction !* La sombre pensée s'était à nouveau insinuée dans son cerveau – cette pensée qu'il n'avait cessé de repousser depuis des mois. Ces prodiges, serait-il capable d'en concevoir d'autres ? *Bien sûr que oui,* se raisonna-t-il. *Chaque chose en son temps.*

Son sourire malicieux réapparut.

— Belle dame, pourrais-tu me dire une seule chose que je ne sache déjà ?

Grizel tenta de froncer les sourcils, mais l'œil pétillant de son interlocuteur était irrésistible. Elle prit la carte située juste avant la plus haute sur la colonne de droite, lui jeta un coup d'œil puis la retourna d'un coup sec sur la table comme si elle lui avait brûlé les doigts.

— Que se passe-t-il ?

Elle posa une main triste par-dessus la carte.

— Sans l'intervention d'un ange, tu ne verras pas la prochaine lune.

Vaguement étonné, le jeune homme glissa sa main droite dans la poche de son pourpoint de soie.

— Rien ne vaut un deuxième avis. Particulièrement lors-que le premier annonce votre fin prochaine. Ne te méprends pas, j'ai beaucoup apprécié notre conversation, mais il est une autre dame que je consulte toujours lorsqu'il est question de mon destin.

Il sortit de sa poche une pièce d'argent.

— Si son visage à elle me sourit, alors je n'ai rien à redou-ter.

Il lança la pièce en l'air, qui tournoya plusieurs fois avant d'atterrir dans sa main gauche. Face.

— Eh bien ! Grizel, nulle inquiétude à avoir. La reine en personne m'annonce que tout ira pour le mieux. Et, en tant que Son Sujet respectueux, je suis tenu par l'honneur de faire prévaloir Sa parole sur la tienne.

Sur ce, lançant un baiser à la vieille femme, il quitta en souriant la table de la voyante et pressa le pas en direction de London Bridge. Tout en marchant, il inclina la pièce pour attraper le reflet orange du soleil couchant et regarda attentivement le visage métallique de la reine Élisabeth. Il lui adressa un clin d'œil et, comme toujours, elle y répondit ; il avait gratté un fragment d'argent sous son œil gauche, laissant apparaître une infime trace de métal noirci. Ce shilling anglais truqué, contenant plus d'argent d'un côté que de l'autre, il l'avait fabriqué lui-même l'année précédente, avec l'aide d'un associé, lors d'une mission clandestine aux Pays-Bas. *Le destin est capricieux. Mieux vaut façonner sa chance qu'espérer en elle.*

Pour lui, la chance sous toutes ses formes était une denrée précieuse. Après tout, il n'était pas simplement un dramaturge à la recherche de sa muse. Le jeune Christopher Marlowe était aussi un espion au service secret de Sa Majesté – un espion pourtant incapable de deviner que la vieille femme avait vu juste.

2

Londres, de nos jours. 20 h 20

La Daimler gris argenté se gara à l'entrée d'Eaton Square, dans Belgravia, cette enclave résidentielle privilégiée, située au cœur de Londres. Un jeune baron en sortit, boutonna sa veste de smoking puis se pencha pour prendre les roses à longue tige posées sur le siège avant. Après avoir adressé un signe de tête à son chauffeur, il avança d'un pas souple le long des façades blanches à colonnades bordant le parc.

Son chapeau, son foulard et ses gants n'avaient rien de surprenant par cette fraîche soirée de printemps. Pourtant, il ne les portait pas pour avoir chaud. Leur unique fonction était d'empêcher quiconque, plus tard, de le décrire – à supposer que quelqu'un se souvienne l'avoir vu dans le quartier, hypothèse très improbable. Un homme élégant marchant avec assurance dans les rues de Belgravia passait plus inaperçu qu'un soldat en tenue de camouflage rampant dans la jungle.

Quelques minutes plus tard, il s'arrêta devant la porte d'une maison de cinq étages sur Wilton Crescent, une rue qui tirait son nom de sa forme en croissant. La façade éclairée par une lanterne était elle aussi incurvée, et une cascade de lierre débordait de la terrasse. Feignant de frapper à la porte de la main gauche, il sortit discrètement de la main droite un petit pistolet à crocheter, manœuvre délicate, dissimulée par le bouquet de roses.

Il inséra dans la serrure la tige métallique fixée au canon du pistolet puis actionna délicatement la détente à plusieurs reprises pour faire jouer les goupilles. C'était un outil qu'il avait fabriqué lui-même, en noyer et en métal avec des incrustations de nacre. Il avait hésité à renoncer à ses vénérables accessoires de crochetage mais, en plein jour, il n'avait pas le temps de crocheter manuellement une serrure équipée d'au moins cinq goupilles. Avec ce pistolet, une opération de quinze minutes prenait juste quelques secondes. Et s'il considérait avec dédain cet outil très prisé des cambrioleurs débutants, il n'avait dans le cas présent pas eu le choix.

La serrure s'ouvrit.

Une fois dans le hall, il posa les fleurs, glissa le pistolet dans la gaine fixée à son biceps gauche puis se mit à marcher de gauche à droite en levant haut les bras. Des mouvements aussi gracieux que saugrenus, mais cette petite danse avait un but bien précis. Bientôt, un doux pépiement se fit entendre, et son poignet droit s'immobilisa pour laisser le détecteur électronique, implanté dans son bouton de manchette en platine, localiser l'emplacement du pupitre de sécurité caché. Quelques impulsions électromagnétiques basses fréquences plus tard, et l'alarme était désactivée.

Pour un maître ès cambriolage, pénétrer dans une telle maison était un jeu d'enfant, surtout lorsque son propriétaire, ayant emménagé récemment, n'avait pas encore eu le temps d'installer un système d'alarme sophistiqué. C'était comme demander à un tireur d'élite des commandos britanniques d'abattre à bout portant un obèse assis dans un fauteuil.

Le baron avait accepté la mission pour rendre service à un ami, le seul ami qui sache qui il était vraiment : un « Robin des Bois » des temps modernes. Pas par altruisme, d'ailleurs ; il avait tout simplement horreur des riches oisifs. Ses semblables, ses frères. Ces mêmes gens qu'il fréquentait dans les clubs très privés de Londres, les casinos de Monaco et les hôtels huppés de Portofino. C'était un traître silencieux à sa propre classe. Il dérobait leurs inestimables trésors, les écoulait discrètement au marché noir puis redistribuait les recettes aux organisations caritatives, qui auraient le plus révulsé ces donateurs involontaires. Grâce à son dernier cambriolage, un membre très conservateur du Parlement, connu pour ses opinions xénophobes, avait ainsi renfloué à son insu les caisses d'une clinique soignant les immigrés sans ressources. Il avait suffi au baron de s'emparer d'une statuette de Degas pendant que le député et sa femme jouaient aux cartes dans la pièce voisine.

C'était la première fois qu'il pénétrait par effraction dans une maison où il n'avait jamais été invité auparavant. Entrer à l'aveuglette était toujours une mauvaise idée, mais son ami connaissait bien le maître des lieux et avait réuni suffisamment d'informations pour lui garantir que le coup de ce soir ne présentait aucun risque. Aucune dalle sensitive n'avait encore été installée au sol, aucune caméra de surveillance, aucune cellule photoélectrique au niveau des fenêtres. Et le coffre se trouvait quelque part dans le bureau au troisième étage.

Il grimpa l'escalier, puis examina le mur extérieur du bureau – celui qui donnait sur la rue, le seul assez épais pour contenir un coffre-fort. Deux fenêtres de grande taille, rien derrière l'unique tableau. Il passa à l'examen du sol, en tapant du pied aux endroits stratégiques. Très vite, son oreille exercée détecta un son creux sous un coin du tapis de Shiraz aux motifs géométriques complexes.

À l'aide d'un coupe-papier pris sur le bureau, il souleva des lattes de plancher formant un carré d'environ 30 centimètres de côté. Le coffre était juste en dessous. Un modèle en acier vieux d'une dizaine d'années avec une serrure à combinaison Sargent & Greenleaf.

— Monsieur Sargent, monsieur Greenleaf, voyons ce que vous m'avez réservé cette fois-ci.

Il enfila ses gants, s'étendit par terre, sur le côté, puis posa une oreille contre la porte du coffre tout en tournant le cadran d'une main. En même temps, il caressait doucement de l'autre main la porte du coffre et tentait de sentir ou d'entendre les pistons de la serrure entrer en contact les uns avec les autres. De cette façon, il pourrait déterminer où, sur chaque roue, avaient été placées les encoches déclenchant le mécanisme d'ouverture.

Il fronça les sourcils. Sous ses doigts, une cacophonie. Trop de déclics. C'était de toute évidence un modèle résistant à une simple manipulation. Il était muni d'encoches supplémentaires destinées à brouiller les pistes, sans pour autant interférer dans le système d'ouverture.

D'un coup de tête, il se débarrassa de son chapeau qui roula sur le tapis.

— Chapeau bas, mes doux amis. Vous remportez le premier round. Mais le second, j'en ai peur, est pour moi !

Il se redressa et remonta la jambe droite de son pantalon. Une poche était fixée par un Velcro autour de son mollet. Il en retira plusieurs accessoires : une fine baguette en plastique dans une gaine chemisée en forme de V – une charge creuse tout droit sortie d'un laboratoire clandestin de Bratislava –, un détonateur digital, deux bobines de fil et une petite batterie fonctionnant au lithium. Il plaça soigneusement la tige de plastique le long du bord droit de la porte métallique, là où chacun des verrous s'encastrait dans le châssis. De cette façon, l'explosif détruirait les verrous sans affecter le contenu du coffre. Du reste, mieux valait éviter : l'objet qu'il recherchait était des plus inflammables.

Il inséra le détonateur, le connecta à la batterie et pressa l'interrupteur. Un compte à rebours de quinze secondes se déclencha. Il remit ses gants, effaça toutes ses empreintes sur la porte avec un mouchoir, recouvrit le trou dans le plancher avec sa veste puis fit rouler par-dessus un caisson à tiroirs. *Trois, deux...* Étouffée par la veste doublée en kevlar, la détonation fut presque inaudible.

Des filets de fumée montèrent en sinuant du sol lorsqu'il remit le caisson à sa place. Puis il s'agenouilla, regarda dans la cavité, prit la poignée de la porte du coffre et la tira avec précaution.

Elle s'ouvrit sur un vieux manuscrit relié en cuir, pas même roussi par l'explosion. Le baron savait par son ami qu'il avait disparu depuis plusieurs siècles, et avec lui un secret que sa famille semblait très désireuse de laisser enfoui. À tous les coups, quelque chose de passionnant. Il demanderait à son ami de lui raconter toute l'histoire avant de lui remettre le fruit de son larcin.

Il sortit le volume du coffre. Il était assez lourd, épais d'environ quatre centimètres, et le cuir était remarquablement souple pour un objet aussi ancien. Il remarqua qu'aucun titre ni ornement d'aucune sorte n'étaient visibles sur la couverture – hormis de simples rayures fines à la feuille d'or courant sur le pourtour des deux plats et sur les cinq nerfs apparents ornant le dos du volume. Il l'ouvrit, mais se reprit : il aurait tout le temps de le regarder plus tard.

Le manuscrit rangé dans son sac à dos noir, le baron se retourna et inspecta la pièce d'un coup d'œil circulaire. L'éclat du cristal retint son regard : des dizaines de carafes sur des étagères disposées en gradin garnissaient un mur, alignées en rang avec la solennité et la précision d'une chorale d'enfants. Après avoir reniflé leur contenu, il replaça délicatement chaque carafe, il se servit un verre. Rien – pas même l'urgence de la fuite – ne devrait pouvoir s'interposer entre un homme et un vieux cognac. Le petit exercice de ce soir avait été à périr d'ennui, mais le rafraîchissement était exceptionnel. Portant à ses lèvres le velours liquide, il savoura ce qui s'apparentait davantage à un doux baiser qu'à une gorgée.

L'interlude entre le connaisseur et le breuvage tourna court. De violents flashes de lumière rouge emplirent son verre, le baron aperçut par les fenêtres une lueur tournoyante, entendit le claquement de portières de voitures, des bruits de pas qui se rapprochaient, des sons étouffés.

Son front se plissa, stupéfait. Les vigiles, déjà ? Impossible. Il avait parfaitement désactivé le système d'alarme, il en était

sûr. Sans doute le problème venait-il de maisons voisines ——
une dispute conjugale, un enfant ayant déclenché l'alarme par
accident…

Une porte grinça doucement. Avec un sursaut, le baron
s'aperçut qu'il s'agissait de la porte arrière de la maison *où il se
trouvait*. L'endroit était cerné. Peu importe, il trouverait une
issue. Il en trouvait toujours.

S'efforçant de garder son sang-froid, il passa en revue toutes
les possibilités. Peut-être son heure avait-elle finalement sonné.
Peut-être, après toutes ces années, la police l'avait-elle rattrapé.
Elle l'avait suivi depuis chez lui, puis avait appelé du renfort.
Il avait toujours su que cela se produirait, un jour ou l'autre,
et avait déjà prévu sa fuite sous une nouvelle identité.

Par les toits : c'était la seule option possible. Il traversa la
pièce en direction de l'escalier quand de nouveaux bruits de
pas résonnèrent dans la maison. De l'étage supérieur et du
rez-de-chaussée. L'étau se resserrait. Bon sang, pensa-t-il. Il
allait devoir sortir par une des fenêtres et atteindre le toit par
l'extérieur. Il jeta un coup d'œil par la fenêtre : dans la rue,
deux hommes armés surveillaient le bâtiment. L'un d'eux
scrutait les étages. Le baron était piégé.

Pendant un instant, il demeura figé, hypnotisé par le bruit
inattendu de son destin marchant à sa rencontre. Il secoua la
tête, comprenant à quel point il avait sous-estimé ses adversaires.

Il s'assit dans un fauteuil en cuir près de la fenêtre et posa
son verre sur la table. Puis il retira son gant gauche, révélant
un énorme rubis taillé en cube. Du pouce et de l'index droits,
il ouvrit le joyau et contempla la petite alvéole emplie de
poudre – des cristaux extrêmement puissants obtenus à partir
de la salive du poulpe à ocelles bleus d'Australie. Le venin de
cette petite *créature couleur sable est cinq cents fois plus toxi-
que que le cyanure. Ayant décrété il y a bien longtemps qu'il
préférait mourir plutôt qu'atterrir en prison, il leva la langue,
plaça le rubis juste en dessous puis bascula la tête en arrière.
Les cristaux fondirent dans sa bouche et s'instillèrent pres-

que aussitôt dans le dense réseau vasculaire courant sous la langue. Quelques secondes plus tard – plus rapidement que si le baron se l'était injecté dans le bras –, le poison prit possession de son cœur.

L'amertume du goût le fit grimacer. Il avala une autre gorgée de cognac. Tout cela était parfait, songea-t-il : doux-amer, n'était-ce pas la saveur ironique de sa mort ? Le prince des monte-en-l'air célèbre dans toute l'Europe capturé lors d'un banal cambriolage. Malgré sa main tremblante, il leva son verre.

Son ultime toast. Ponctué par des coups de feu.

3

New York, le lendemain. 16 h 08.

Emmitouflée dans une serviette, Kate Morgan inspectait le contenu de son placard en fronçant les sourcils.

Elle avait un problème : elle avait rendez-vous avec un client dans vingt minutes et devait avoir l'air présentable mais, par cette chaude après-midi de printemps, elle devait aussi camoufler une marque très visible sur son cou. Comment porter un foulard par un jour pareil sans ressembler à une adolescente cachant un suçon ? Mission impossible.

Ah ! Voilà qui devrait faire l'affaire ! Elle sortit un pull sans manches à col cheminée, l'étendit sur son lit puis se frotta les cheveux avec sa serviette.

Le canon brûlant du pistolet, avec lequel on l'avait frappée au cou la veille au soir, avait laissé sur sa peau une trace assez effrayante, mi-ecchymose mi-brûlure. Kate avait eu de la chance, elle en était consciente : son agresseur avait tenté de lui broyer la trachée. Elle s'était détournée juste à temps et il l'avait ratée de quelques centimètres, se découvrant assez pour qu'elle lui assène un direct en plein visage. Une façon douloureuse mais efficace de mettre un point final à cette mission.

Son patron avait insisté pour qu'elle prenne au moins un

jour de repos le lendemain, mais une affaire urgente s'était aussitôt présentée – sous les traits d'un client que la vue d'une chair meurtrie et calcinée risquait d'indisposer.

Une fois enfilés soutien-gorge, culotte et petit haut moulant, Kate zippa la jupe de son tailleur à fines rayures. Elle donna un coup de peigne aux boucles rétives de sa longue chevelure tout en cherchant la bonne paire de boucles d'oreilles. Elle opta pour des perles – élégance et discrétion. Maquillage ? Une touche de rouge à lèvres. Elle sortit un tube de son préféré, le Brun angora de Guerlain, un brun rouge semé de paillettes dorées mettant en valeur ses cheveux sombres, ses yeux verts et sa peau olivâtre.

Puis elle boutonna sa veste et recula d'un pas pour vérifier le résultat dans la glace. Les mèches bouclées retombant sur ses épaules, elle pencha la tête sur sa gauche et inspecta la partie droite de son cou. Le col montant remplissait correctement sa fonction.

Bien, pensa-t-elle : *te voilà officiellement présentable.* Elle jeta un coup d'œil à sa montre. *Et te voilà aussi en retard. En route !*

C'est en prenant son sac qu'elle remarqua le dos de sa main droite. *Mince ! Je l'avais oubliée, celle-là. Bah, de toute façon je ne peux pas faire grand-chose.*

Comme d'habitude, lorsque le printemps bat son plein à New York, les touristes brandissant appareils photo et cornets de glace envahissaient les trottoirs de la 5ᵉ Avenue. Kate se fraya un chemin parmi la foule en direction de Central Park. Bientôt, le feuillage des chênes et des sycomores bordant le mur d'enceinte fut en vue, telle une vague de verdure mourant sur le rivage granitique de la métropole.

À un feu rouge de la 59ᵉ Rue, elle s'arrêta parmi un groupe de piétons. Le claquement des sabots, en provenance du hangar à attelages sur sa gauche, se mélangeait à la rumeur bruissante des conversations environnantes et aux klaxons infatigables des taxis. Elle songea avec mélancolie au t-shirt, au short et aux baskets qu'elle avait enfilés une heure plus tôt pour son footing puis retira sa veste de tailleur.

— C'est tout ? lui lança d'une voix graveleuse un coursier à vélo en passant devant elle.

— Pour le moment ! Mais plus tard, ce soir...

Devant son expression stupéfaite, elle lui envoya un baiser puis emboîta le pas à la foule et, tout en traversant, téléphona à son patron.

— Slade, dit-il.

— C'est Kate. J'ai fait un brin de toilette et je suis en route pour le *Pierre*. Qui dois-je rencontrer ?

— Cidro Medina. Étudiant d'Oxford métamorphosé en grand nabab de la finance. La trentaine, un play-boy mâtiné de roi Midas. C'est l'un de nos clients habituels en Europe – avec notre agence de Londres, surtout. Bref, notre homme dînait en ville l'autre soir et, de retour chez lui, a trouvé sa maison grouillant de flics, avec en prime un cadavre dans son bureau. Apparemment, le cambrioleur présumé en avait après un manuscrit du XVIᵉ siècle écrit dans un mystérieux langage, une antiquité découverte par hasard pendant des travaux de rénovation voilà un peu plus d'une semaine. Medina veut savoir de quoi il s'agit exactement et pourquoi quelqu'un a cherché à le lui dérober. C'est là que vous entrez en scène. Pas le genre de question qui intéresse la police, surtout quand le malfaiteur est déjà hors d'état de nuire.

— Pourquoi ne montre-t-il pas directement le manuscrit à un spécialiste dans un musée ? Ou dans une salle des ventes ?

— Il en avait l'intention. Mais l'un de nos hommes à Londres lui a parlé de votre parcours et il a décidé que vous feriez mieux l'affaire. Un expert en histoire de la Renaissance aurait sans doute plus de connaissances que vous, mais sans expérience dans l'investigation il sera incapable de faire coïncider ses recherches historiques et l'enquête policière. Vous seule saurez ajuster toutes les pièces du puzzle. Et comme Medina avait des affaires à régler à New York, il est arrivé par le premier vol ce matin.

— Compris. Je suis arrivée. Je vous rappelle dès que je sors.

L'intimité du salon de thé circulaire de l'hôtel *Pierre* frémissait à peine du murmure des conversations. Kate admira l'opulence pleine de goût du décor : des fresques associant des scènes classiques aux grandes figures de la société new-yorkaise des années 1960, des appliques dorées, deux larges escaliers circulaires et un vase gigantesque dont le bouquet dominait l'assistance. Neuf tables seulement étaient disposées dans la salle, accompagnées de fauteuils et de confidents.

Elle s'aperçut que ce décor élégant constituait le lieu idéal pour se lancer dans une énigme culturelle – un changement de rythme bienvenu après sa précédente mission. Non qu'elle préférât se tenir à l'écart du danger, mais il lui arrivait parfois de regretter son ancienne vie : un coin tranquille dans une bibliothèque aux étagères bien fournies, le confort de pouvoir s'immerger entièrement dans un autre lieu, une autre époque, l'excitation de dissiper une à une, à chaque page tournée, les brumes enveloppant un sujet passionnant... Passionnant pour Kate, en tout cas ; l'étudiante qui partageait sa chambre la menaçait avec une régularité inquiétante de la dénoncer à la brigade anti-premiers de la classe et si, les soirs du week-end, Kate annonçait son intention de rester travailler, son amie ripostait en mettant à fond du hard-rock norvégien.

Kate donna son nom au maître d'hôtel puis suivit son regard dans la direction de la table de son client. *Oh ! Mon dieu...* On n'aurait certainement pas pu dire que Medina était d'une beauté conventionnelle. Son nez était trop proéminent – il avait vraiment un profil de faucon – ; ses pommettes et son menton étaient assez affûtés pour être coupants ; ses lèvres trop pleines ; mais son visage, encadré par des cheveux blonds ébouriffés, retenait l'attention. Le genre de visage que l'on ne peut s'empêcher de regarder en se demandant ce qu'il peut bien dissimuler.

Kate traversa le salon en jetant un coup d'œil à la fresque peinte sur le mur derrière Medina : Vénus nue, debout sur un coquillage, une créature mi-homme mi-serpent lovée à ses pieds. *En voilà une qui ferait la paire avec mon nouveau client —même s'il rivalise sans problème avec un mannequin Versace...*

Elle regarda l'homme qui affichait l'expression habituelle de presque tous ses clients masculins lors d'un premier rendez-vous. D'abord, ils haussent les sourcils, agréablement surpris de se trouver face à une femme séduisante, puis leurs lèvres se serrent imperceptiblement tandis qu'ils prennent conscience de son âge étonnamment jeune.

Il se leva et tendit la main.

— Cidro Medina. Ravi de vous rencontrer.

Son accent venait tout droit d'une école privée anglaise, saupoudré d'une pincée d'espagnol.

— Je vous serrerais volontiers la main mais... j'ai eu un petit accident hier soir.

Medina lui lança un regard interrogatif.

Impossible d'y couper. Elle lui montra le dos de sa main droite. Une bosse violacée de la taille d'un gros grain de raisin couvrait deux phalanges.

— On dirait que votre *accident* a fait aussi des dégâts sur un visage, remarqua Medina d'un air étonné. J'ai peut-être l'air d'un enfant de chœur...

Ben voyons...

— ... mais je sais ce qui se passe quand on balance un coup de poing à main nue.

— Ah oui ? Dites-moi tout.

Il rit.

— Impressionnant. Titiller mon ego pour détourner la conversation. Bah, je ne vais pas insister avec mes questions. Mais je suis tout de même intrigué. Je ne savais pas que vous autres, enquêteurs en col blanc, étiez aussi rompus à la bagarre que des supporters de foot.

— Ce n'est pas le cas.

Kate disait vrai. Le cabinet d'investigations privé pour lequel elle travaillait – l'un des premiers à l'échelle mondiale –

servait en réalité de couverture à une unité d'espionnage américain.

Son patron, Jeremy Slade, ancien directeur-adjoint chargé des opérations à la CIA, avait choisi pour façade l'agence privée la plus proche possible de l'activité qu'elle dissimulait ; les meilleurs mensonges, il le savait, sont ceux qui flirtent au plus près avec la vérité. Seuls un petit nombre d'enquêteurs connaissaient la double nature des activités de l'agence ; ceux-là menaient de front leur travail officiel et des missions secrètes pour le compte du gouvernement. Kate faisait partie de ce petit groupe. Et c'étaient ces missions pour le gouvernement qui présentaient parfois un certain danger, quand elles ne devenaient pas carrément physiques.

Comme la jeune femme s'en était vite rendu compte, l'idée que les enquêteurs privés se fourrent toujours dans le pétrin relevait d'un mythe populaire.

— À vrai dire, nous nous bagarrons assez rarement. Presque jamais. Mais de temps en temps, si un client se montre vraiment, vraiment, trop agaçant...

Medina sourit.

— Votre agence de Londres m'a faxé votre biographie hier soir, mais on ne m'a pas dit que vous seriez d'une compagnie si plaisante.

Avec un haussement d'épaules, Kate prit place dans le fauteuil.

Medina s'assit à son tour et reprit :

— Je suis bluffé. Deux diplômes d'Harvard... Quand je pense que je n'ai même pas réussi à en décrocher un !

— J'ai appris ça. Quel dommage. On voit tout de suite que votre carrière en a souffert, ironisa-t-elle.

Flatté, il sourit à nouveau.

— Vous avez quitté l'université au beau milieu d'un cursus d'histoire de la Renaissance anglaise, c'est bien ça ?

Kate hocha la tête.

— Quel était votre sujet d'étude, au juste ?

— La curiosité. La quête de l'homme pour percer les secrets, découvrir un savoir interdit...

— Ah ?

— Je me suis aperçu que la première agence d'espionnage gouvernemental en Angleterre avait été fondée à peu près à l'époque où des Anglais cherchaient de nouveaux moyens de répondre aux mystères cosmiques – vous savez, les grandes énigmes divines – en montant des expéditions jusqu'aux confins de la planète et en tournant vers le ciel les premiers télescopes. Et tout cela dans une société où la curiosité n'était pas exactement considérée comme une qualité...

— C'est-à-dire ?

— Eh bien, vous savez, les théologiens du Moyen Âge condamnaient comme un vice toute curiosité trop poussée. Enquêter sur les mystères célestes était considéré comme une hérésie. De la magie noire. Cette conception a perduré chez les hommes d'Église les plus rigides du règne élisabéthain. Par conséquent, remettre en question l'existence de l'Enfer ou la place de la Terre au centre de l'univers pouvait entraîner de sérieuses complications avec le gouvernement. Bref, voilà pourquoi je voulais étudier ces sujets... Chercher à voir s'il était plus dangereux d'essayer de percer des secrets d'État ou des secrets divins.

— Passionnant. Mais pourquoi être entrée à l'Agence Slade ? C'est un choix plutôt imprévisible pour une érudite en herbe.

Kate détourna le regard un instant. Cela avait effectivement été un choix imprévisible, dicté par une situation imprévisible. Au beau milieu de son troisième cycle, elle avait été confrontée à un événement qui avait brisé son cœur et bouleversé sa vie. Mais Cidro Medina n'avait pas besoin de le connaître.

— C'est assez simple : j'ai décidé que je voulais agir sur le monde réel. Aider les gens à répondre à des questions importantes, résoudre leurs problèmes, les aider à retrouver ce qu'ils ont perdu... Comme vous le savez, Slade travaille beaucoup pour les entreprises, mais ce n'est pas mon domaine. Mes clients sont principalement des particuliers, je les assiste dans des affaires privées – des crimes jamais résolus par la police, ce genre de choses.

Elle sourit.

— Et maintenant… trêve de bavardage ! Racontez-moi un peu ce qui s'est passé chez vous cette nuit : le cadavre, le manuscrit mystérieux… Je suis impatiente d'en savoir plus.

— Très bien. Je viens d'acheter une maison que je fais actuellement rénover. Dans la City, près de Leadenhall Market.

— Pour y installer vos bureaux ?

Il hocha la tête tout en ouvrant sa mallette.

— Pendant des travaux de consolidation, les ouvriers ont découvert sous les fondations une sorte de cavité secrète.

Il feuilleta plusieurs documents avant de tendre à Kate un sac en velours épais renfermant un objet rectangulaire.

— Et voici ce qu'ils ont trouvé dans un coffret en métal scellé et parfaitement étanche – ce qui explique sans doute son parfait état de conservation.

Il referma sa mallette et la posa à ses pieds.

Kate sortit du sac un manuscrit. La couverture était sobre – noire et dorée sur tranche – et ne portant aucune mention de titre. Kate posa le manuscrit sur la table et, doucement, comme si elle caressait la joue d'un nouveau-né, passa un doigt sur la couverture.

— Le cuir est à peine fendillé, constata-t-elle, étonnée. Difficile de croire que ce manuscrit date du XVIe siècle…

Elle l'ouvrit, tourna la première page vierge et, pendant quelques instants, demeura figée, comme hypnotisée, devant les étranges symboles ésotériques se déployant sous ses yeux.

— La semaine dernière, je suis passé voir un de mes anciens professeurs à Oxford, intervint Medina. Andrew Rutherford, un historien. Je lui ai montré ma trouvaille. Il a réussi à dater le papier de certaines pages, mais il n'a rien pu tirer de l'écriture. Il a fait appel à un expert en alphabets anciens : pour lui, ces symboles n'ont rien d'alphabétique.

— Ce sont peut-être des nulles, murmura Kate en tournant une page qu'elle laissa levée.

— Pardon ?

— Approchez…

Medina se pencha par-dessus la petite table et, après une

fraction de seconde, la commissure droite de ses lèvres se creusa. Pas vraiment un sourire – juste un aperçu.

— Plus près du livre, insista Kate. Voilà... Que sentez-vous ?

Il arbora une mine déconfite.

— Je ne suis pas sûr d'avoir très envie de sentir quoi que ce soit. Ce truc est vieux de plusieurs siècles.

— Ayez un peu confiance dans l'étanchéité de ce coffret dont vous me parliez.

— D'accord. Alors je dirais... du cuir et, euh... une espèce d'odeur de vieux papier.

— Exact. Quoi d'autre ? demanda Kate en remuant la page sous le nez de Medina.

— De l'encre, je suppose ?

— Et ?

— Et... autre chose.

Il huma plus profondément.

— Du citron.

Kate se baissa pour prendre dans son sac une lampe de poche miniature. Puis elle retourna le manuscrit et fit jouer le puissant rayon lumineux sur la surface de la page qu'ils examinaient. Bientôt, entre les lignes de symboles tracés à l'encre, un chapelet de lettres apparut.

— Ça alors, souffla Medina qui se mit à lire à haute voix les caractères invisibles : *L'Anatomie des Secrets* par Thomas... qu'est-ce qui est écrit ? Philip... Phel...

— Phelippes, compléta Kate, abasourdie. Vous voyez les deux dernières lettres, ce *e* à l'envers et ce *s* à l'envers fermé par une boucle ? Elles sont caractéristiques de l'écriture élisabéthaine.

Les yeux écarquillés, elle reposa la page.

— Vous savez qui était Phelippes ?

Medina secoua la tête.

— Vous avez peut-être déjà entendu parler de Francis Walsingham, le légendaire « maître-espion » de la reine Élisabeth ? On le considère comme le fondateur de la première police secrète d'Angleterre, et Phelippes était son bras droit, son responsable des opérations. Walsingham l'avait surnommé « le Décrypteur» à cause de son habileté à décoder les messages. De nos jours, on se souvient surtout de Phelippes pour son rôle dans le piège tendu par Walsingham à Mary Stuart, reine des Écossais.

— Son nom sonne français.

— Oui. Il s'appelait en réalité Phillips. Il a dû le modifier pour lui ajouter un peu de panache.

Kate indiqua les symboles hiéroglyphiques.

— Durant la Renaissance, on appelait ces caractères rédigés à l'encre des *nulles*. Ils n'ont aucune signification particulière, leur seule fonction est de duper le lecteur. À l'époque, les codes et les clés de cryptage étaient cruciaux pour échanger des messages ayant trait à des opérations secrètes. Il en allait de même pour ce type d'écriture à base de jus de citron, de lait ou d'oignon... bref, de toutes les substances naturelles. Si quelqu'un fouillait dans les affaires de Phelippes, il ne tirerait rien de l'examen d'une page comme celle-ci. À moins de la passer soigneusement à la lumière d'une bougie...

Kate tourna la page suivante et la balaya avec sa lampe de poche. Cette fois, pourtant, l'examen ne révéla aucune lettre transparente. Elle observa la page de plus près. Elle était légèrement plus petite que la précédente, marquée de plis, les bords étaient d'un jaune plus foncé et l'écriture semblait de la main d'une autre personne. Kate se concentra ensuite sur les caractères : ils lui parurent plus simples que les nulles figurant sur la page de titre. L'un avait la forme d'un têtard, un autre évoquait la planète Saturne et ses anneaux, un chiffre 3 se voyait ajouter une boucle supplémentaire, un 8 était surmonté d'une petite queue en tire-bouchon.

— Je me demande si...

La voix de Kate se perdit tandis qu'elle inspectait les pages suivantes. Elles aussi étaient plus abîmées que la page de titre, couvertes de symboles plus simples dans différentes écritures, sans message écrit à l'encre sympathique.

Elle parcourut encore la cinquième page et hocha la tête :

— Mmoui... Je suis à peu près certaine qu'il s'agit bien d'un système de cryptage élisabéthain Je reconnais certains symboles. Tenez, celui-ci...

Elle montra à Medina un *o* surplombé d'une croix.

— ... je l'ai déjà vu utilisé pour désigner la France. Et celui-là, l'Espagne...

Le chiffre 4 tracé sur une courte ligne horizontale.

— ... et cette flèche orientée vers le haut, l'Angleterre.

En levant les yeux du manuscrit, Kate remarqua les coups d'œil furtifs d'une vieille femme grignotant des scones à la table voisine et le regard intrigué que lui jetaient deux hommes par-dessus leur tasse de thé.

À contrecœur, elle referma le manuscrit.

— Je crois que nous avons affaire à un recueil de rapports d'espionnage du XVIᵉ siècle, conclut-elle à voix basse.

— C'est curieux que mon professeur d'histoire n'ait pas...

— L'espionnage n'est pas une spécialité universitaire particulièrement courante, je crois.

— Hmmm... Quand bien même, je ne vois toujours pas pourquoi quelqu'un voudrait mettre la main dessus alors qu'il y a des objets de bien plus grande valeur dans la maison. J'avais laissé mes clés de voiture sur le guéridon dans l'entrée, à côté de boutons de manchette en diamants. Le voleur n'y a pas touché. Il ne devait pas être très malin...

Sauf si... Kate inspira profondément.

— Ce ne sont pas forcément des rapports d'espionnage comme les autres. Après la mort de Walsingham, en 1590, ses archives secrètes ont disparu, et les Elisabéthains – comme les universitaires actuels – soupçonnèrent Phelippes. Ces rapports avaient sans doute une grande valeur : comparés aux espions du réseau de Walsingham, les sbires de J. Edgar Hoover auraient pu aller se rhabiller. Secrets, scandales, manœuvres illicites... rien ne leur échappait. Ça a duré pendant des dizaines d'années. Et les archives de Walsingham n'ont jamais été retrouvées. Alors...

— Attendez, s'il vous plaît, on peut revenir un peu en arrière ? Pourquoi tant d'espionnage, à cette époque ?

— État de vos connaissances en histoire de l'Angleterre ?

— Une vraie catastrophe, reconnut Medina. Je suis moitié anglais, c'est vrai, mais j'ai grandi en Espagne… Sans compter que les livres et moi, cela fait deux…

— Eh bien, le gouvernement protestant de la reine Élisabeth Ire était menacé de tous les côtés par les catholiques. Les catholiques fomentaient sans cesse des complots, généralement avec des appuis intérieurs et à l'étranger, en particulier en Espagne. Le pape lui-même s'y est mis, en rédigeant une bulle ordonnant à ses ouailles de faire tout leur possible pour éliminer Élisabeth.

— Ils étaient donc nombreux à vouloir sa mort.

— Exact. Dans les années 1580, Walsingham parvint enfin à convaincre la reine d'investir de l'argent dans un puissant réseau d'espionnage. Ainsi, pour la première fois dans l'histoire de l'Angleterre, le Trésor royal puisa largement dans ses caisses pour financer les services secrets, permettant à Walsingham de mener des opérations de grande envergure. En compagnie de Phelippes, il mit en place un vaste réseau d'informateurs et d'espions – d'*intelligencers*, comme on les appelait alors. Au besoin, ses gens pouvaient recruter en usant de l'intimidation et de la menace, mais le plus souvent l'appât du gain suffisait. Très vite, Walsingham eut la réputation de pouvoir mettre la main sur n'importe quel traître – de quoi donner le tournis au sénateur McCarthy. Les hommes de Walsingham détenaient tellement d'informations compromettantes sur à peu près tout le monde qu'ils pouvaient à tout moment ruiner la réputation de n'importe qui.

— Charmant pays, ironisa Medina.

— Je sais. Quand on parle de l'Angleterre élisabéthaine, les gens voient tout de suite Shakespeare et les fastes de la cour. Mais sous le vernis étincelant, c'était un état policier effroyable. À l'époque, on ne s'embarrassait pas de présomption d'innocence : quand il était question de la sécurité de la reine, la suspicion avait force de loi. Sur une simple parole des espions – les pourfendeurs des secrets et des traîtres –, on pouvait donc se retrouver dans une salle de torture…

— Et vous dites que les rapports de Walsingham ont disparu à sa mort ?

Kate hocha la tête.

— Pendant plus de quatre siècles.

— Et vous pensez que...

— ... ce manuscrit pourrait prouver que Phelippes les a dérobés. Pendant des décennies, il a parcouru des tonnes de documents, a sélectionné les rapports les plus croustillants, les a fait relier... et voilà le travail ! *L'Anatomie des Secrets.* Un recueil d'informations aussi explosives pour l'aristocratie élisabéthaine que les dossiers de Hoover pouvaient l'être pour les politiciens américains. Ce manuscrit n'était certainement pas l'objet le plus coûteux chez vous, mais quelque chose me dit que notre voleur ne s'intéressait pas à sa valeur marchande.

— Comment cela ?

— N'importe quel spécialiste de la Renaissance rêverait de mettre la main sur un tel recueil. Publier un article dans une revue d'histoire lui assurerait la gloire académique... En même temps, les universitaires sont des êtres plutôt calmes, pas exactement habitués aux vols avec effraction ni à embaucher des pros du cambriolage...

Un moment, Kate resta le regard perdu dans le vide.

— Si ça se trouve, ce recueil contient encore une information menaçante pour quelqu'un, aujourd'hui. Par exemple, je ne sais pas... la preuve que l'ancêtre d'un duc actuel était une véritable ordure, au point que le duc serait renié par sa famille si la nouvelle était divulguée.

— Ce serait incroyable.

— À qui le dites-vous. Et dans la mesure où les personnes au courant de votre découverte sont très peu nombreuses, il ne devrait pas être difficile de...

Le serveur choisit cet instant pour poser sur la table une théière, deux tasses ainsi qu'un plateau d'argent dont les trois niveaux étaient garnis de pâtisseries et de sandwiches triangulaires.

Kate le remercia avant de se tourner vers Medina.

— Vous pouvez m'en dire plus sur le cambriolage ?

— Tout s'est passé en début de soirée, dit-il en tendant la main vers un petit chou à la crème en forme de cygne. La police pense qu'il est entré par une fenêtre de derrière. J'en avais laissé ouvertes quelques-unes en quittant Belgravia.

Kate connaissait bien le quartier : lors d'une mission, elle y était restée en planque toute une semaine. Situé à un jet de pierre de Buckingham Palace, il avait été bâti au début du XIXe siècle par des riches, pour les riches. L'endroit avait gardé son cachet très sélect, et accueillait de la même façon les vieilles fortunes et les plus récentes.

— Vous avez emménagé récemment ? demanda-t-elle en versant le thé dans sa tasse.

En mâchonnant, Medina confirma d'un signe de tête.

— En attendant qu'un système de sécurité complet soit installé, je paye un gardien pour occuper la maison en mon absence. Dès qu'il a entendu du bruit, il a appelé la police. La patrouille a mis du temps à arriver, mais ce n'était pas grave : après avoir fracturé mon coffre, le voleur a pris ses aises. Il s'est même servi un cognac, vous imaginez un peu ?

— Comment se fait-il qu'il soit mort ?

— Il était armé. En ouvrant la porte, mon gardien a vu un pistolet pointé sur lui. Il a aussitôt tiré, pour désarmer l'homme, mais vous savez, avec cet angle...

— La police a identifié le cambrioleur ?

— Pas encore.

— Ils n'ont pas fait de recherche sur ses empreintes digitales ?

— Si, ce matin. Ils n'ont rien trouvé.

Medina reprit sa mallette, dont il tira une liasse de Polaroid.

— Des clichés de la scène du crime.

Kate les passa en revue. La première photo montrait le voleur affalé dans un fauteuil, tête penchée sur l'épaule, le visage dans l'ombre, couvert de sang.

— *Joli*, le costume... Du sur mesure. Apparemment, de coupe anglaise. Cela pourrait nous aider à l'identifier.

— Bonne idée.

Kate examina les autres clichés.

— Et votre coffre... bon sang... Ce type est doué. Il a réussi à l'ouvrir en quelques minutes ?

— Facile.

À droite du coffre, Kate remarqua des lamelles de bois à peine noircies.

— Il a dû se servir d'une charge creuse. Pas évident à dénicher.

— Qu'est-ce que c'est ?

— Un morceau de plastique gainé de métal permettant des explosions localisées et mieux contrôlées. Apparemment, il en a utilisé une pour faire fondre les verrous métalliques de la porte. Vous vous rappelez le vol 103 de la PanAm[1] ? C'est grâce au même genre de matériel de haute technologie – un minuteur fabriqué en douze exemplaires seulement par un artificier suisse – que la CIA a pu retrouver la trace des terroristes libyens. Oui, cela ne devrait pas être trop difficile d'identifier notre homme.

— Et le mobile ? Cela n'avait pas vraiment l'air d'intéresser l'inspecteur. Entre nous, il a plutôt un sale caractère.

— Je suppose que la réponse se trouve quelque part dans *L'Anatomie des Secrets*. La seule chose, et cela me fait mal de le dire, c'est qu'un manuscrit pareil – du XVIe siècle, et unique en son genre – devrait être gardé dans un musée, dans une salle avec un éclairage et un taux d'humidité appropriés. Il doit aussi exister une loi en Angleterre obligeant à confier à une institution culturelle particulière ce genre de découverte. Je ne sais pas ce que vous avez l'intention de...

— Croyez bien que je détesterais heurter l'universitaire qui est en vous, mais j'espérais que vous ne verriez pas d'inconvénient à laisser les bureaucrates en dehors de tout ça pendant quelques jours. Le coffret étanche est là-haut, dans ma cham-

---

1- Le 21 décembre 1988, le vol 103 de la PanAm reliant Francfort à New York explose au-dessus du village écossais de Lockerbie, tuant 259 passagers et 11 personnes au sol. Sans jamais reconnaître sa culpabilité, la Lybie a fini par proposer, en accord avec l'ONU, de verser 2,70 milliards de dollars aux familles des victimes à titre de dédommagement. (*NdT*, ainsi que les suivantes.)

bre, et puisque le manuscrit y est resté pendant quatre cents ans...

— Marché conclu ! s'exclama Kate en riant. Si je scanne toutes les pages dans la nuit et si je range sagement le manuscrit dans sa boîte, ma conscience survivra. Mais dites-moi, tout de même, pourquoi cette histoire vous...

— ... intéresse ?

— Oui. D'après ce que j'ai cru comprendre, vos centres d'intérêts sont ailleurs.

— Pour être franc, c'est la chose la plus excitante qui me soit arrivé depuis un certain temps. D'accord, quand on sait que je passe mon temps à jongler avec des chiffres, ce n'est pas très difficile.

Il marqua une pause, sans se départir de son sourire en coin.

— Et puis, qui pourrait réprimer l'envie de jouer les détectives amateurs en compagnie d'une femme aussi irrésistible que vous ?

Pour le plus grand plaisir de Medina, Kate haussa les épaules en levant les mains. Mais en son for intérieur, elle restait bouche bée. Le mot *irrésistible* ne lui serait jamais venu à l'esprit pour se décrire. À ses yeux, elle avait suffisamment de charme pour pouvoir en jouer de temps à autre, mais elle ne se sentait pas belle au point d'en souffrir. Si nécessaire, elle pouvait très bien se fondre dans le décor et passer inaperçue.

Elle prit un calepin dans son sac.

— Votre professeur, le Dr Andrew Rutherford, j'aurai besoin de l'appeler.

Elle consulta sa montre : en Angleterre, il était 22 heures passées.

— Demain à la première heure, je suppose. J'aimerais savoir à qui il a montré votre manuscrit pour commencer à dresser la liste de toutes les personnes qui en connaissent l'existence. Vous pouvez me donner son numéro ? Et je peux garder les photos ?

— Oui, et oui.

Tout en recopiant le numéro figurant dans le carnet d'adresses de son téléphone, Medina poursuivit :

— Vous savez, j'étais déjà impressionné par votre profil avant de vous rencontrer. À présent, je le suis encore plus ! Il est évident que vous êtes à la hauteur. Pourtant, je reste perplexe sur un point. Un point important.

— De quoi s'agit-il ?

— Je ne peux pas m'empêcher de me demander si je peux vous faire confiance. Soyons réalistes : les espionnes peuvent être des créatures très dangereuses. Tenez, prenons quelques-unes de vos illustres collègues : Dalila, Mata Hari…

Kate prit sa cuillère et, s'en servant comme d'un micro :

— Note pour moi-même : le client semble très au point sur l'histoire des espionnes à la cuisse légère. M'a très vite classée dans la même catégorie.

L'œil pétillant, Medina leva sa tasse.

— À vous ! En espérant que vous ne connaîtrez pas leur sinistre destin.

Dalila était morte lors de l'effondrement du temple de Dagon, mais Mata Hari ? *Ah oui, c'est vrai : peloton d'exécution.*

Kate s'enfonça dans son fauteuil, bras croisés.

— Et vous prétendez avoir de terribles lacunes en histoire ?

— Oui. Mais j'en connais un rayon sur les femmes à la cuisse légère.

— Ça, Cidro, je n'en doute pas.

De retour sur la 5ᵉ Avenue, en route pour prendre le train interurbain et rendre visite à une libraire spécialisée dans les livres rares, Kate s'efforçait d'effacer le sourire qui refusait obstinément de disparaître de son visage. Depuis qu'elle avait quitté Medina, son visage semblait doté d'une vie propre.

Si elle avait vu juste, Thomas Phelippes – un homme qu'elle avait le sentiment de connaître par cœur – avait bel et bien fait relier les secrets les plus piquants découverts par Walsingham. Et, songea-t-elle avec un frisson d'excitation, ils étaient introuvables depuis la Renaissance !

Phelippes avait vécu près de Leadenhall Market, là où Medina faisait aménager ses nouveaux bureaux. À l'époque, les cachettes dans les bâtiments n'avaient rien d'inhabituel. Certaines, les « trous de prêtre », servaient aux riches catholiques à dissimuler ces moines indispensables à leur mode de vie. Lors du grand incendie de Londres en 1666, la cachette avait dû être ensevelie sous les gravats et la cendre. Jusqu'à aujourd'hui.

Kate serra son sac contre elle. Elle se sentait comme une maniaque du complot qui aurait mis la main sur le journal intime de Lee Harvey Oswald. La clé de dizaines d'énigmes se trouvait peut-être quelque part dans ces pages codées : le premier amour de la reine Élisabeth a-t-il vraiment tué sa femme en la poussant dans les escaliers ? Élisabeth a-t-elle eu autant d'amants qu'on l'a prétendu ? Mary Stuart est-elle derrière le meurtre du premier mari de la reine et le complot visant à éliminer Élisabeth ? Et Shakespeare a-t-il vraiment écrit les pièces qu'on lui a attribuées ?

Quand elle avait terminé ses études, Kate n'aurait jamais rêvé d'être celle qui, un jour, décrypterait *L'Anatomie des Secrets* de Phelippes – ni même que le manuscrit finirait par être découvert. Et elle s'était encore moins attendue à voir son amour pour la Renaissance et la littérature jouer un tel rôle dans sa carrière. Elle n'aurait pas pu se sentir plus enthousiaste. Alors d'où venait cette vague nervosité venant assombrir son humeur ?

Un coup brutal dans son épaule droite. Elle saisit son sac à deux mains et fixa la personne qui venait de la bousculer en passant, puis se détendit. C'était l'une de ces blondes typiques de la jungle urbaine : ongles irréprochables, visage marqué par une expression de suffisance qu'aucune actrice ne saurait imiter et pensées irritées aussi prévisibles que la couleur de ses racines. Quelques secondes plus tard, les pas rapides de la femme se transformèrent en un piétinement impatient : devant elle déambulaient deux vieilles dames voûtées, bras dessus-bras dessous. Kate écouta en souriant les jurons proférés à mi-voix par la blonde. C'était sans doute l'une de ces

New-Yorkaises pour qui marcher lentement aux heures de pointe est un péché capital.

Mais le cœur de Kate continuait de s'emballer, et ce n'était pas à cause du manuscrit. Elle s'arrêta pour discuter avec Blake, le superbe jeune vigile en faction devant la joaillerie Harry Winston. Par chance, il n'était – exceptionnellement – pas entouré de touristes empressées.

— Quelqu'un de bizarre sur mes arrières ? lui demanda Kate.

Le regard de Blake flotta quelques instants au loin, puis :

— Humm… Un type entre deux âges, cheveux poivre et sel – pour ce qu'il en reste –, en train de faire les cent pas derrière une poubelle sur le trottoir d'en face. Il vient juste de regarder dans ta direction. Ah, un autre type aussi, qui t'a inspectée des pieds à la tête en passant près de toi. Sa copine a fait pareil, mais je ne crois pas que ce soit important. Sinon, d'autres personnes viennent d'entrer dans les magasins.

Kate n'avait vu personne en particulier, mais elle s'était sentie suivie. Elle avait reçu un entraînement spécial pour détecter d'éventuelles filatures mais, quand elles étaient bien faites, elle devait s'en remettre à ce qu'elle ressentait.

Tout en feignant de s'intéresser aux bijoux en vitrine, elle écoutait le vigile.

— Je parie sur Poivre-et-Sel. Tu veux prendre la sortie de derrière ?

Dans l'une des réserves du magasin, une porte dérobée donnait sur un réseau abandonné de tunnels de chantier. Lors d'une précédente affaire, Kate avait mis au jour le système de détournement de fonds imaginé par un employé d'Harry Winston. Pour la remercier, le gérant du magasin lui avait donné carte blanche pour utiliser cette issue de secours chaque fois qu'elle le souhaiterait. Pour Kate, c'était comme un passage secret en plein centre-ville.

— Pas aujourd'hui, merci. Je suis curieuse de savoir ce qu'il veut.

— Il y a comme une auréole au-dessus de ta tête. Tu as rencontré quelqu'un, finalement ?

— Non, juste un client. Plutôt agréable à regarder, mais pas mon type. Tu sais, le genre riche-et-blasé, avec un regard qui dit « tout le monde me veut et je le sais bien ».

— Je vois, soupira Blake. Très agaçant. Il joue dans *ton* équipe, au moins ?

— Je crois bien avoir vu notre maillot dans son vestiaire... Je te tiens au courant.

Kate reprit sa marche, s'arrêtant ici et là pour permettre à l'inconnu de garder un contact visuel. Levant les yeux vers les arbres perchés sur la façade en escalier de la Trump Tower, elle se demanda si elle ne devenait pas paranoïaque. *Bah, il y a un moyen très simple de s'en assurer.* Un bus bleu et blanc de Manhattan venait juste de s'arrêter à sa hauteur. Kate pressa le pas comme si elle voulait monter à bord puis jeta un coup d'œil furtif derrière elle.

L'homme que Blake lui avait décrit était en train de héler un taxi.

Ainsi il la suivait *vraiment.* Kate consulta sa montre avant de se remettre à marcher, comme si elle venait de changer ses projets. Quelques immeubles plus bas, elle entra dans le Banana Republic du Rockefeller Center. À l'abri derrière les vitrines en verre fumé du magasin, elle put voir que son poursuivant se trouvait exactement là où elle l'attendait.

Dans la cabine d'essayage, Kate sortit de son sac une perruque et une minijupe en Lycra. Puis elle retira son tailleur qu'elle roula et rangea dans son sac. Elle sortait rarement sans emporter quelques accessoires de déguisement élémentaires. Ses faux cheveux blonds lui arrivaient aux épaules – même son propre père, un jour, ne l'avait pas reconnue. Elle ajusta sa perruque puis enfila la minuscule jupe – rien à voir avec celle de son tailleur, qui s'arrêtait très rigoureusement aux genoux.

Après avoir remplacé son rouge à lèvres sombre par un rose fluo, Kate aborda un client qui venait de régler ses achats et lui proposa 20 $ s'il acceptait de sortir du magasin à ses côtés. Il passa le bras autour de ses épaules et ils quittèrent ensemble le Rockefeller Center avant de se fondre dans la foule. Au final, il refusa l'argent.

L'homme aux cheveux poivre et sel et au ventre de buveur de bière surveillait l'entrée de Banana Republic, de l'autre côté de la rue. Des touristes sortant de la cathédrale Saint-Patrick venaient par intermittence obstruer son champ de vision. *Si cette fille est comme ma femme, elle va rester là-dedans pendant des heures...* Il regarda sa montre : vingt minutes seulement s'étaient écoulées. Peu importe, il devait être prêt quand elle sortirait. C'était l'endroit idéal pour passer à l'action : les trottoirs étaient bondés.

Sans quitter des yeux la vitrine du magasin, il palpa dans la poche intérieure de sa veste sa lame de rasoir, puis fut pris de panique : la lame avait disparu ! Et son portefeuille aussi ! En vingt-cinq ans passés à New York – quinze ans de police, dix comme détective privé –, il avait arrêté des centaines de truands mais on ne lui avait jamais rien volé... *Bordel.*

Quelqu'un lui tapota l'épaule.

— Excusez-moi, monsieur... dit une voix timide. Vous pourriez me dire où se trouve...

C'est quoi, cet accent ? Italien ? Il se retourna. Ah ! Une jolie petite touriste perdue dans la grande ville. Carte dépliée entre les mains et regard implorant. Bien sûr, il pourrait lui donner un ou deux renseignements mais il *travaille.*

— Désolé, mademoiselle. Je ne peux rien pour vous, là.

— En fait, je crois bien que si.

Il fit un pas en arrière, troublé. Les traits de la jeune femme s'étaient brusquement durcis, sa voix était directive et sûre d'elle, sans aucune trace d'accent. Elle lui tendit son portefeuille. Il se mordit les lèvres. Malgré les cheveux, la tenue et le maquillage, il la reconnut : c'était sa cible.

— Bill Mazur, commença Kate. Viré de la police parce que vous aviez un peu trop sympathisé avec les dealers du quartier.

Avant de lui rendre ses papiers, elle avait jeté un coup d'œil à son permis de conduire puis appelé l'agence en donnant son nom. Les informations n'avaient pas tardé à arriver.

— Qui vous a engagé pour me suivre ?

Mazur se détourna pour faire signe à un taxi, mais Kate bondit sur lui et, le bloquant par le bras, l'obligea à se tourner vers elle.

— Vous ne m'avez pas répondu.

Mazur se débattait, maugréant, pour desserrer la prise de Kate.

— Oh ! J'oubliais, dit-elle d'un air faussement sincère en lui tendant la lame de rasoir. Les types comme vous ont besoin de *ça* pour bien faire leur boulot…

Une expression embarrassée traversa le visage de Mazur. Kate pinçait un nerf au niveau de son poignet qui l'empêchait de prendre la lame – elle tomba sur le trottoir.

— Répondez à ma question et vos petits copains de la police n'apprendront jamais que vous vous êtes fait piéger par une fille deux fois plus jeune que vous.

D'un geste brutal, Mazur se dégagea et recula, l'air hargneux.

— Je ne sais pas qui vous êtes ni de quoi vous parlez !

Mais Kate avait un dernier atout dans sa manche : une autre information communiquée par son collègue de l'agence.

— Comment va votre petit garçon ? Il est bien chez vous, à Carroll Street, en ce moment ? Je vais peut-être envoyer quelqu'un voir si tout se passe bien…

Quelle menace se cachait derrière cette remarque ? Mazur l'ignorait, mais il préféra capituler.

— Je ne sais pas qui est ce type. Il ne m'a pas dit son nom. J'ai juste reçu mes ordres par mail, il y a quelques heures. Il m'a indiqué l'endroit où je devrais déposer votre sac une fois que je vous l'aurais piqué. Et il a payé en une fois, cash : quand j'ai quitté mon bureau, il y avait une enveloppe devant la porte.

— Il vous a dit ce qu'il cherchait, précisément ?

— Un truc à propos d'un livre.

— Son adresse mail ? demanda Kate en tendant à Mazur son calepin et un stylo.

Après avoir écrit l'adresse, Mazur fit signe à un taxi.

— Je vous recontacte si j'ai d'autres questions ! lança Kate tandis qu'il montait dans la voiture.

Puis, lisant ce qu'avait écrit Mazur :

— Le type se fait appeler « Dragon de Jade » ? murmura-t-elle.

Elle composa sur son téléphone portable le numéro de Medina et le prévint que quelqu'un en avait toujours après son manuscrit. Quelqu'un qui, à l'évidence, avait aussi engagé le cambrioleur. Il lui fallait donc redoubler de vigilance. Kate lui proposa un garde du corps, précaution sans doute inutile mais ce n'était pas absurde, compte tenu de la situation.

Malgré tout, la jeune femme considérait toujours sa nouvelle affaire comme une mission présentant peu de risques. Certes, il y avait bien eu deux tentatives de vol, mais le danger devait s'arrêter là. Après tout, il ne s'agissait que de ragots et de trahisons vieilles de quatre cents ans.

Deux jours s'écoulèrent avant qu'elle comprenne combien elle se trompait.

Oxford, Angleterre. 23 h 02.

Sac à dos sur l'épaule, Vera Carstairs sortit de la bibliothèque presque déserte de Christ Church. L'heure de la fermeture approchait et, comme toujours, elle était parmi les dernières étudiantes à partir. Dehors, elle s'adossa contre l'une des colonnes corinthiennes et, fermant ses yeux endoloris, se laissa envelopper par l'air tiède de la soirée.

Soudain, elle sursauta.

Deux étudiants brandissant des objets roses non identifiés passèrent devant elle en courant à toute vitesse, soulevant de la poussière à chaque foulée tandis qu'ils traversaient Peckwater Quad. À la façon dont ils slalomaient et trébuchaient, Vera conclut qu'ils ne venaient sûrement pas de passer des heures à bûcher leurs cours. Ils disparurent dans Kilcannon Passage. Leur emboîtant le pas, Vera ne tarda pas à entendre des vociférations d'ivrogne résonner dans le passage aux murs de pierre.

— Eh bien, imbéciles ! Prenez place !

Mon dieu, qu'est-ce qui se passe encore ? pensa-t-elle.

Elle traversa le passage et émergea dans Tom Quad – pour s'arrêter net devant un spectacle aussi bizarre que ridicule. Des étudiants se faisaient face en joignant leurs mains au-dessus de leur tête de façon à former des arches. D'autres étudiants en tenue marron faisaient des galipettes à travers ces arches après avoir été frappés sur les fesses par... *qu'est-ce que c'est que ce truc ?* Vera chaussa ses lunettes. *Des flamants roses en plastique ?*

Aussitôt, elle comprit : elle assistait sans doute à une mise en scène d'*Alice au pays des merveilles*, et plus précisément de la partie de croquet de la reine. Dans le livre, les boules étaient des hérissons, les maillets des flamants roses vivants et les joueurs étaient la reine de cœur et sa cour. Justement, se demanda Vera, où est la reine ? La réponse lui sauta vite aux yeux : un gros garçon blond dont le torse nu était orné d'un gigantesque cœur tracé au rouge à lèvres se mit à trépigner en hurlant : « Qu'on lui coupe la tête ! Qu'on lui coupe la tête ! » Le coupable bascula alors la tête en arrière et un autre joueur vint faire couler sur son cou le contenu d'une tasse en plastique.

Vera se rappela que Lewis Carroll avait enseigné les mathématiques à Christ Church. Cette scène devait donc être une sorte... d'hommage ? *C'est le terme qu'ils doivent utiliser, en tout cas.*

C'était la première année que la jeune fille passait à Oxford. Elle s'était très vite rendu compte que ses camarades étaient particulièrement doués pour inventer des raisons, toutes plus nobles les unes que les autres, de se saouler à mort et de multiplier les âneries. Elle aperçut dans un coin deux hérissons en pleine séance de roulage de gamelles. Sur le terrain, un autre venait de percuter une arche humaine qui, après moult vacillements, s'écroula en un amas désarticulé de bras et de jambes.

C'est alors que le roi – un grand gars décharné nommé Will

portant une couronne en papier – s'approcha de Vera. Elle sentit son estomac tressaillir : elle était raide dingue de lui depuis le début de l'année.

— Tu veux jouer ? J'ai besoin d'une boule.

Il lui indiqua un garçon en tenue marron poursuivant une fille en bikini blanc.

— Mon hérisson est occupé à essayer de se taper le lapin blanc.

Elle lui montra une fenêtre allumée au-dessus d'une voûte de pierre de l'autre côté de la cour.

— C'est que... comme il est là ce soir, j'avais l'intention d'aller le voir et...

— Le professeur Rutherford ! Je l'aurais parié...

Il roula des yeux.

— Tu sais, il n'y a pas que le travail dans la vie.

— Peut-être, mais je n'ai pas encore trouvé le bon angle pour mon devoir. Ce week-end, je serai plus disponible.

Elle attendit quelques secondes, espérant qu'il lui proposerait une sortie.

— Salut Will ! lança une fille en justaucorps noir.

Son visage était orné de fines moustaches et son serre-tête agrémenté d'oreilles de velours.

— Ça te dirait de tromper la reine, ce soir ?

Vera s'efforça de cacher sa contrariété. Isabel Conrad était à tomber, avec des seins comme des obus, et dès qu'un garçon plaisait à une de ses amies, elle ne pouvait pas s'empêcher de lui mettre le grappin dessus – ou, du moins, de l'étourdir suffisamment pour qu'il n'ait plus d'yeux que pour elle. Pour une raison qui échappait à Vera, Isabel avait besoin d'avoir à ses pieds tous les garçons de Christ Church.

Mais Will, ignorant la question d'Isabel, regarda Vera et dit :

— Je n'aime pas du tout sa mine. Néanmoins, j'autorise l'animal à me baiser la main, s'il le désire.

Vera éclata de rire. C'était l'une de ses répliques favorites d'*Alice*. Pourtant, son sourire s'effaça : dans le livre, le chat du Cheshire décline l'invitation du roi, mais Isabel attrapa Will par la main, le renversa par terre et, à la plus grande joie du garçon, se jeta sur lui.

Vera soupira, et repartit en direction du bureau de son professeur. Elle avait envie d'écrire un devoir qui l'impressionnerait vraiment, peut-être même l'intriguerait – au moins un petit peu. Il lui avait tant appris... Parfois, elle était prise pour lui d'un sentiment de gratitude presque accablant. Elle espérait qu'il lui proposerait d'entrer pour bavarder autour d'un verre de porto, comme la dernière fois. Cela avait duré jusque tard dans la nuit...

Elle monta l'escalier en colimaçon jusqu'au troisième étage. De la cour lui parvenaient des éclats de voix.

— Quoi ? Les tonneaux sont vides ? Je voudrais voir ça ! Leigh, Conrad, fermez la marche ! Tous au pub ! Soldats, en avant !

Les rires et les cris des joueurs de croquet s'évanouirent tandis que Vera parvenait devant la porte du bureau du professeur. Elle frappa doucement. Pas de réponse. *Il doit être en train de téléphoner.*

Elle tourna les talons, prête à rebrousser chemin, mais une odeur la retint. Une odeur curieuse.

— Professeur Rutherford ? appela-t-elle d'une voix timide. Professeur Rutherford ?

Toujours pas de réponse. Ce n'était pas son genre de faire le mort, pensa Vera. Pas même s'il était en plein travail sur son nouveau livre. Il était trop gentil pour ça. Et s'il était rentré chez lui ? *Peut-être mais... il n'oublie jamais d'éteindre la lumière quand il part.*

La porte n'était pas fermée. Vera la poussa et entra d'un pas hésitant. Elle regarda vers le bureau et, pendant quelques secondes sa vue se brouilla. Tout devint gris, comme si la pièce s'emplissait de fumée artificielle – cette fumée qu'on utiliserait dans une mise en scène de *Macbeth*. Déstabilisée, Vera secoua la tête et cligna des yeux.

Enfin, la fumée se dissipa. Et, à nouveau, la jeune fille vit le professeur Rutherford effondré sur son bureau.

À l'arrière de sa tête, des mèches de cheveux blancs semblaient collées par une substance brun foncé, substance qui s'était répandue par terre, formant une large flaque, et avait éclaboussé le mur de derrière.

En comprenant qu'il s'agissait de sang, Vera se mit à hurler.

4

Hélas ! Je ne suis qu'un érudit, comment aurais-je de l'or ?
Ramus, in *Le Massacre à Paris* (Marlowe)

Southwark, mai 1593. Au crépuscule.

Se frayant un chemin à travers la foule affairée et bruyante de la rive sud de la Tamise, Marlowe parvint à l'entrée de London Bridge. Plus d'une dizaine de têtes coupées avaient été plantées sur des piques surplombant le passage voûté. Il reconnut les visages : il voyait ces têtes depuis maintenant plusieurs mois, certaines depuis presque un an.

Cuites dans de l'eau salée, elles restaient assez bien préservées.

— Messires, le bonsoir, dit-il en les saluant d'une discrète révérence. L'un de vous serait-il tenté par une partie de dés ?

Au même moment, une jeune catin aux seins proéminents tira sur sa manche. Il secoua le bras pour se dégager des doigts crasseux, et fronça les sourcils en remarquant une gouttelette écarlate sur l'épaule nue de la femme. Il dégagea ses cheveux de sa nuque, cherchant une blessure, mais il n'y en avait aucune. Prenant le geste de Marlowe pour celui d'un client potentiel désireux d'inspecter la marchandise, la prostituée ferma les yeux et offrit maladroitement sa bouche.

Marlowe toucha la gouttelette et porta l'index aux narines de la femme.

— Tes lèvres ont une odeur de cuivre, déclara-t-elle, sa voix à moitié couverte par les cris des poissonniers, des marchands et de gamins harcelant un couple d'étrangers.

— Je suis impressionné.

— Mon père était forgeron, expliqua-t-elle en ouvrant les yeux. Qu'est-ce que c'était ?

— Du sang.

Il lui montra la tache couleur rubis sur son doigt puis, voyant son air inquiet :

— Pas le tien, rassure-toi. Un ange dans le ciel a dû s'écorcher le genou, à moins que le décorateur de la ville soit à nouveau à l'œuvre...

Elle suivit son regard jusqu'à la voûte. Une tête fraîchement coupée venait d'y être installée.

— Pauvre homme, lui lança-t-elle, avec une tristesse apparemment sincère. Je prierai pour toi.

Marlowe se dit qu'elle devait être arrivée depuis peu en ville. Pour la plupart, les Londoniens étaient habitués à cette vision macabre. Elle s'éloigna, et il se demanda combien de temps mettraient les rues de Londres à émousser sa capacité à la compassion.

Après avoir donné une tape à la main un peu trop fureteuse d'un pickpocket, il regarda à nouveau cette tête, la seule qui eût encore des yeux. Certains traîtres étaient tout simplement décapités. Dans ce cas, leur visage était presque toujours calme, résigné. D'autres avaient moins de chance. Celui-ci avait probablement été émasculé vivant avant que la hache fracasse sa nuque. Les traits de son visage étaient crispés par la douleur, remplissant l'air de hurlements muets.

— Cachais-tu un prêtre sous ton plancher, l'ami ? demanda-t-il d'une voix douce. Tu as l'air trop intelligent pour avoir comploté contre la reine...

Un homme le bouscula en jurant d'une voix râpeuse. Marlowe jeta un coup d'œil au vendeur d'eau marchant d'un pas lourd, un tonneau arrimé à son dos, puis se retourna vers le visage empalé.

— Mais où es-tu, maintenant ?

Il passa sous la voûte et avança sur le pont. De chaque côté se dressaient de hautes maisons à colombages habitées par de riches marchands dont les échoppes étaient situées au rez-de-chaussée et les appartements dans les étages supérieurs. Malgré l'éclat encore vif du soleil couchant, le passage creusé d'ornières était plongé dans l'obscurité : au-dessus des passants, les étages de chaque maison avançaient en saillie, jusqu'à se toucher, et le linge pendu entre les fenêtres achevait d'obstruer le ciel, à quelques interstices près.

Arrivé au milieu du pont, Marlowe descendit un escalier conduisant au fleuve. Il prit place dans une embarcation en bois tournée vers l'est et donna trois pennies au batelier.

— Greenwich Palace, annonça-t-il en s'allongeant sur un vieux coussin.

La rame commença à fendre l'épaisse couche de détritus recouvrant la surface de l'eau. Accoudé au plat-bord, Marlowe observait les pics des clochers des églises rapetisser à mesure que la barque avançait.

Les hautes bâtisses amassées sur les berges de la Tamise cédèrent bientôt la place à des quais épars, des arbres et des champs. La ville ravagée par la peste était loin à présent.

Une nouvelle mission, songea Marlowe. Une fois encore, le monde deviendrait son théâtre secret, une scène sur laquelle allait se jouer une pièce bien réelle, où le danger serait palpable – et dont le dénouement restait à écrire. *Acte I, scène 1. Marlowe entre.*

À Greenwich, la silhouette mince de Thomas Phelippes se détachait au bord de l'embarcadère. Il guettait l'arrivée de Marlowe derrière ses petites lunettes à monture métallique.

Ses cheveux blond foncé étaient tirés derrière ses oreilles, et sa barbe clairsemée cachait à peine les cicatrices de variole qui grêlaient son visage.

Le batelier interrogea du regard Phelippes, puis la sentinelle sur la berge : tous deux hochèrent la tête. Autorisé à débarquer, Marlowe quitta la barque et suivit Phelippes de l'autre côté du palais. La cour de la reine, toujours en déplacements, était présente ce soir-là, et l'élégante bâtisse à tourelles résonnait de musiques, de rires et de bavardages bruyants. Après avoir été contrôlés par une autre sentinelle, ils furent suivis à distance par un garde à cheval tandis qu'ils traversaient d'immenses étendues de pelouses impeccablement entretenues, laissant derrière eux le vacarme des festivités.

Marlowe suivait Phelippes en silence. Il savait depuis longtemps que le petit homme détestait les bavardages oisifs. Ils s'étaient rencontrés en 1585, alors que Marlowe étudiait à Cambridge. C'était aussi l'époque où il écrivait *Tamerlan le Grand*, la pièce qui, deux ans plus tard, triompherait sur la scène londonienne. Cet hiver-là, Phelippes était entré en contact avec lui. Il lui avait demandé s'il connaissait le nom de sir Francis Walsingham, le secrétaire d'État. Marlowe avait acquiescé. Les couloirs de l'université bruissaient de rumeurs concernant le célèbre et redouté maître-espion, cet homme dont l'esprit brillant avait déjoué d'innombrables tentatives de meurtre visant la reine.

Phelippes se présenta à Marlowe comme le bras droit de Walsingham, et lui expliqua qu'il pouvait gagner beaucoup d'argent s'il acceptait de devenir espion pour le compte des services secrets nouvellement créés.

Est-ce qu'il était intéressé ? *Oh, oui.*

Phelippes lui avait alors expliqué qu'il y avait à Cambridge un représentant infiltré des catholiques, ennemis de l'Angleterre. Une menace invisible, avait-il ajouté avec un sifflement. Ce prêtre se dissimulait sous l'apparence d'un étudiant protestant et recrutait parmi leurs rangs des garçons prêts à traverser la Manche pour entrer au séminaire catholique de Reims, en France. Or, c'était précisément à Reims que se trouvait le quartier général des catholiques anglais en exil, à Reims que le duc de Guise ourdissait un complot pour assassiner Élisabeth afin que sa nièce Marie, reine des Écossais, monte sur le trône d'Angleterre. Des espions anglais avaient déjà infiltré le séminaire afin de recueillir des informations précises sur le plan du duc. À présent, Walsingham voulait qu'un étudiant mette au jour le réseau des catholiques clandestins de Cambridge.

Marlowe se sentait-il capable de mener à bien cette mission ?

Autant demander si Londres pue par grande chaleur. Non seulement il s'en sentait capable, mais il savait que cela ne lui coûterait aucun effort. Pendant son enfance à Canterbury, il avait joué dans de nombreuses pièces pour la King's School, mais les talents, qu'il avait acquis à cette occasion, ne lui seraient même pas utiles pour cette mission : jouer un rebelle, un révolté, un sympathisant catholique dans un contexte où il était bien vu de défier le gouvernement et sa politique répressive ? Phelippes aurait aussi bien pu lui proposer de l'argent pour enfiler ses propres chaussons.

Marlowe hocha la tête d'un air pensif, puis déclara que c'était une perspective très excitante, à un petit détail près.

— Ma dévotion réelle, absolue et infatigable pour le Très Saint Père de Rome.

Phelippes, qui savait que sa nouvelle recrue avait la manie de plaisanter aux plus mauvais moments, lui répondit par un sourire.

Marlowe ne sourit pas.

Il y eut un silence, le visage de Phelippes s'assombrit. Alors, Marlowe se fendit d'un large sourire et lui tendit la main. Phelippes la serra, et ainsi débuta la vie secrète de Christopher Marlowe, *intelligencer*.

Bien sûr, l'argent était une motivation importante pour Marlowe, fils de cordonnier et étudiant sans le sou qui n'avait jamais pensé à exercer d'autre métier que celui de poète. S'il était confiant dans son talent, il savait aussi qu'un esprit débordant de vers joliment tournés ne suffisait pas pour remplir une bourse. La perspective de jouer le rôle du chevalier intrépide au service secret de Son Altesse Royale n'était pas non plus pour lui déplaire.

Certes, depuis plusieurs années, il considérait avec cynisme la façon dont le pays était gouverné – n'avait-il pas vu condamnés à la pendaison une demi-douzaine d'hommes innocents ? –, mais il avait décidé de se laisser bercer par une vision plus idéalisée de la réalité.

Après tout, à quoi rimait la vie si on ne l'assaisonnait pas de folles rêveries romantiques ?

Le pari de Phelippes se révéla très fructueux. Contrairement à des dizaines d'espions avant lui, Marlowe n'eut aucune difficulté à infiltrer le réseau de catholiques clandestins de l'université. Son succès parvint rapidement aux oreilles de Walsingham et, à la plus grande surprise de Marlowe, le vénérable maître-espion convoqua bientôt sa jeune recrue prometteuse. Dans sa demeure londonienne au bord de la Tamise, Walsingham le félicita pour l'excellent service qu'il avait rendu à la reine et au pays. Souhaitait-il continuer à travailler pour lui tout en poursuivant ses études ?

Marlowe acquiesça.

— Voilà qui est sage, dit Walsingham. Voyez-vous, les livres ne sont rien d'autre que des lettres mortes. C'est en voyageant et en accumulant de l'expérience – en traquant la fourberie de l'homme ici et par-delà nos frontières – que *vous* leur insufflerez la vie et qu'*elles* vous donneront accès au véritable savoir.

— Ainsi qu'à quelques bonnes pièces de théâtre. D'ailleurs, je viens de commencer ma deuxième.

— Ah, c'est vrai ! se rappela Walsingham en leur servant un verre de Madère. Un poète du Bankside [1]... Cela pourrait nous être utile, à l'occasion.

Marlowe était ravi. Ce n'était pas tous les jours que l'un des hommes les plus puissants d'Angleterre le félicitait et l'encourageait.

— Consacrer sa vie à déterrer les secrets enfouis est la plus

---

1- Le quartier des théâtres du Londres élisabéthain, où se trouvaient notamment le théâtre du Globe de Shakespeare et le théâtre de la Rose, première salle du Bankside.

noble des missions, reprit Walsingham. Le pouvoir appartient à ceux qui cherchent.

Inspiré par ces paroles, Marlowe se dévoua de plus en plus à son activité d'espion, ce qui faillit lui coûter son diplôme.

Il interprétait avec une telle conviction son rôle de catholique que le directeur de l'université, le soupçonnant de trahison, finit par envisager son expulsion.

Le Conseil Privé de la reine dut intervenir de toute urgence, et Marlowe put quitter Cambridge en 1587, son diplôme en poche et son *Tamerlan* enfin achevé.

Phelippes s'arrêta près de bancs suffisamment éloignés du palais pour éviter les promeneurs ivres ou les couples à la recherche d'un lieu où abriter leurs étreintes. Marlowe s'assit et remarqua qu'ils étaient à quelques mètres du fameux chêne de la reine, dont le tronc recelait une cavité dans laquelle, disait-on, la reine Élisabeth aimait à se cacher lorsqu'elle était enfant.

— Je vous ai réservé un lit pour la nuit dans la pension au bord du fleuve, commença Phelippes. Et, pour commencer...

Il plongea la main dans un petit sac en cuir et en retira plusieurs pièces.

Marlowe les empocha après les avoir soupesées – un poids très agréable, songea-t-il. Cet argent, il le savait, ne venait plus de Francis Walsingham : ce dernier était mort trois ans plus tôt, et la reine avait depuis laissé vacant le poste de secrétaire d'État – autant dire l'homme qui détenait les clés du royaume. La monarque se plaisait à susciter la compétition entre ses courtisans, et cette stratégie se révélait payante.

Deux rivaux de longue date luttaient férocement pour accéder à cette fonction tant convoitée, ce qui permettait à la parcimonieuse reine d'obtenir, sans débourser une fortune, des informations de premier ordre de la part de ces deux réseaux d'espionnage mis en concurrence.

L'un de ces courtisans – le nouveau patron de Phelippes – était Robert Devereux, le superbe et extraordinairement populaire comte d'Essex. Un homme aussi apprécié par la roture londonienne qu'adulé par les dames de la cour. Chaque fois que Marlowe avait vu Essex faire son entrée au théâtre de la Rose, la salle avait tremblé sous les applaudissements.

La reine Élisabeth, disait-on, était tout aussi fascinée par lui. À 27 ans, il était son cadet de plus de trente ans, mais elle lui avait accordé les appartements jouxtant les siens à Greenwich Palace, et tout le monde savait ce que *cela* signifiait. Essex n'était apparu sur l'échiquier de l'espionnage que très récemment, après avoir compris que fournir à la reine des informations stratégiques était le meilleur moyen de rester dans ses faveurs – meilleur, même, que réchauffer son lit, une tâche à laquelle, Marlowe en était sûr, le galant comte devait exceller : le récit des exploits sexuels du jeune aristocrate avait fait le tour de la ville. Apparemment, il était très généreux, et des plus experts, avec ses conquêtes.

Le rival d'Essex dans la lutte pour le siège de secrétaire d'État était sir Robert Cecil, fils du conseiller le plus écouté de la reine. Ce petit homme bossu et renfrogné, qui naviguait dans les sphères de l'espionnage depuis de nombreuses années, était en tous points l'opposé d'Essex. Là où celui-ci se montrait impétueux et bavard, Cecil était astucieux, patient et silencieux. Au caractère émotif et chaleureux d'Essex répondait l'esprit impitoyable de Cecil. Depuis la mort de Walsingham, Marlowe avait joué des deux côtés de la barrière, acceptant des missions des deux réseaux. Il savait qu'il jouait ainsi avec le feu, mais d'autres espions faisaient de même – et, plus encore, il n'aurait pour rien au monde cédé sa place aux premières loges pour assister à la rivalité des deux courtisans.

— Eh bien, qu'avez-vous à me proposer cette fois-ci... Tom ? demanda Marlowe, qui savait combien Phelippes détestait entendre ses hommes l'appeler par son prénom.

Ce dernier serra les lèvres, ravalant une réprimande.

Parfait. Tu as encore besoin de moi.

— Un problème délicat vient de se déclarer, et j'ai pensé que vous étiez tout désigné pour le résoudre. Des rumeurs circulent à propos d'une de vos nouvelles publications...

Marlowe afficha une expression à peine déguisée d'innocence.

— Je ne vois pas du tout à quoi vous faites allusion.

— Si, vous le voyez très bien ! s'exclama Phelippes avec un accent de dégoût. Il s'agit de ce ramassis d'obscénités…

Marlowe avait traduit un recueil d'élégies érotiques signées du poète romain Ovide. La littérature licencieuse étant interdite en Angleterre, il avait fait imprimer le volume aux Pays-Bas.

— Je pourrais vous dénoncer aux autorités...

— Si vous pouviez prouver mon implication.

— … mais puisque, à l'évidence, vous avez fait passer clandestinement ce torchon dans ce pays, j'en ai déduit que vous aviez certaines connexions répugnantes qui pourrait nous être utiles dans une affaire de la plus haute importance.

— Et si j'accepte de vous aider ?

— En cas de succès, je vous payerai mieux que je ne vous ai jamais payé. Au moins le double de ce que vous rapportent vos petites pièces ridicules.

Marlowe leva les sourcils. Phelippes lui promettait plus de 20 livres.

— Et ce que vous appelez mes « connexions répugnantes » ? Comment puis-je être certain que vous ne vous servez pas de moi pour remonter jusqu'à elles ?

— L'affaire dont je vous parle est suffisamment cruciale pour que je ne perde pas mon temps avec une bande de trafiquants de livres.

— Quand bien même…

— Je n'ai pas l'intention d'arrêter les bâtards qui vous servent d'amis. Eux aussi peuvent m'être utiles dans cette affaire, et dans d'autres à venir. Vous n'avez pas d'autre choix que me faire confiance. Et, j'insiste, votre rétribution sera considérable. Marché conclu ?

— Oui.

Pour le moment.

Phelippes se pencha et, tout près du visage de son interlocuteur, chuchota :

— Avez-vous entendu parler de la Compagnie moscovite ?

— Très peu, mentit Marlowe.

— Nommée ainsi en raison de son monopole commercial avec la Russie. Elle a été fondée il y a quarante ans par un groupe de riches négociants et de courtisans royaux bien décidés à trouver un passage au Nord-Est vers l'Orient – une route maritime que nul en Europe n'avait encore découverte, sur laquelle les Anglais pourraient exercer leur contrôle et leur domination. Une route qui nous garantirait l'accès direct à toutes les richesses de l'Orient, à l'abri des vaisseaux pirates infestant la Méditerranée.

Pendant un moment, Phelippes joua avec sa maigre barbe.

— Force est de reconnaître que les marchands de la compagnie ont échoué dans cette quête. Ce qui ne les a pas empêchés de nouer des relations fort lucratives avec le tsar, en échangeant par exemple des produits anglais contre des fourrures ou de l'huile... Le tsar a même accepté plusieurs fois, contre une part de leurs profits, de les laisser traverser son pays pour voyager de Moscou en Perse – en suivant la Volga jusqu'à Astrakhan, puis en traversant la mer Caspienne avant de poursuivre jusqu'à Bokhara. Là, ils échangeaient de la laine anglaise contre des pierres précieuses, de la soie, des épices. Mais, depuis la conquête turque, il y a vingt ans, cette route est devenue infranchissable. Et les marchandises exotiques n'ont plus jamais transité par la Compagnie moscovite.

Phelippes marqua une nouvelle pause puis, après avoir à nouveau regardé autour d'eux :

— Toutefois, en deux occasions, des pierres en provenance du Moyen-Orient sont apparues au Royal Exchange, à Londres, peu de temps après l'arrivée à Deptford d'un navire de la compagnie. Des rubis, des diamants, des perles... dont aucun n'est mentionné dans les livres de la compagnie, privant ainsi les actionnaires, en particulier la reine, de tout profit.

— Faire commerce sous pavillon royal et voler la reine sous son nez... Très audacieux. Je suppose que l'ancienne route de Moscou en Perse est rouverte ? Cette route terrestre dont vous parliez ?

Phelippes secoua la tête.

— Non. Elle est toujours bloquée par les Turcs.

Dans ce cas, comment les marchands de la compagnie avaient-ils pu mettre la main sur les pierres précieuses ? N'était-il pas vraisemblable d'imaginer que des Anglais les avaient dérobées à des navires portugais, sans en avertir ensuite les douanes ? Ou que la Compagnie du Levant – autre compagnie anglaise ayant le monopole du commerce le long des côtes orientales de la Méditerranée – se cachait derrière cette manœuvre ?

Marlowe remarqua une lueur inhabituelle dans le regard de Phelippes. Certes, ses yeux brillaient toujours lorsqu'il parlait d'espionnage, mais cette fois ils s'étaient véritablement embrasés. *Qu'est-ce qu'il est en train de... ah ! c'était donc ça...*

— En fait, vous soupçonnez des marchands de la Compagnie moscovite d'avoir enfin trouvé ce passage au Nord-Est ? Et de taire leur découverte pour reprendre leur commerce en secret ?

— C'est l'une des multiples possibilités... mais, vous l'imaginez aisément, elle mérite qu'on s'y attarde.

Oui, Marlowe l'imaginait parfaitement. Une telle découverte aurait des répercussions extraordinaires pour l'Angleterre, aussi bien en termes de prestige que sur le plan financier. Les Espagnols et les Portugais avaient brillamment exploré et colonisé le Nouveau Monde, et la fierté nationale anglaise s'en trouvait meurtrie. Mais Marlowe savait que le bien du pays n'occupait pas le premier rang des préoccupations de Phelippes.

— Essex compte-t-il parmi les actionnaires ?

— Oui.

— Alors, si ce trafic était prouvé, il empocherait d'agréables bénéfices ?

— Naturellement, répondit Phelippes d'une voix posée.

— Et si c'est lui qui est à l'origine du démantèlement du trafic, si c'est grâce à lui que la reine apprend l'existence d'une route maritime secrète vers l'Orient, alors...

Phelippes eut un sourire de chat jouant avec une souris.

Je vois. Si les soupçons de Phelippes se révèlent fondés et si la mission est couronnée de succès, Essex va acquérir un pouvoir immense à la cour, et peut-être accéder enfin au rang de secrétaire d'État.

Et Phelippes, bien sûr, se trouverait juste à ses côtés.

— Votre informateur au Royal Exchange, a-t-il vu qui vendait les pierres ?

— Le représentant d'une compagnie de négoce hollandaise inconnue. Simple tour de passe-passe, selon moi. Un paravent habilement décoré pour dissimuler la véritable source. C'est à vous qu'il revient de la découvrir.

Marlow acquiesça.

— Une dernière chose, Kit, ajouta Phelippes. Soyez discret.

— Certainement.

Phelippes se leva.

— J'espère avoir prochainement de vos nouvelles.

— Vous en aurez, répondit Marlowe en s'allongeant sur le banc.

Il observa du coin de l'œil le petit homme s'éloigner furtivement entre les arbres et ajouta :

— Du moins, celles qu'il me plaira de vous donner...

5

Avec son étroite façade gris perle et son toit à pignon gris anthracite, cet hôtel particulier de l'East Seventies n'avait rien de remarquable. C'était une bâtisse d'allure proprette et vieillotte. Aucun passant n'aurait pu deviner que chacune de ses fenêtres était striée de signaux de brouillage électronique. Ils empêchaient toutes les vibrations de l'air, provoquées par la voix humaine, d'être enregistrées par d'éventuels micros directionnels.

Kate entra dans le hall et s'avança vers les portes chromées des ascenseurs. Le portier, un homme massif à l'air timide, leva les yeux, lui adressa un rapide signe de tête puis se replongea dans sa lecture. Comme d'habitude, la couverture de son livre de poche avait été découpée.

— *Une passion ardente* ? *L'Étreinte du chevalier* ? Qu'est-ce qui est au programme, aujourd'hui ?

L'homme rougit.

— C'est plus fort que vous, vous ne pouvez pas laisser tranquille un pauvre homme sans défense !

Jusqu'à présent, il avait réussi à cacher sa passion pour les romans à l'eau de rose. Seule Kate avait percé son secret.

— Vous avez intérêt à allonger du cash, Jerry, sinon toute l'agence saura bientôt que vos couvertures manquantes sont ornées de bellâtres torse nu...

Deux portraits dans un cadre doré étaient accrochés aux parois de l'ascenseur – un couple victorien qui, jadis, avait habité cet hôtel. Le bureau de Kate était au cinquième étage, mais ce n'est pas là qu'elle se rendait. Son patron lui avait envoyé un message : il convoquait une réunion.

Elle pressa le bouton du deuxième et la cabine commença à s'élever. Alors, tout en regardant les yeux de la femme au portrait, Kate appuya sur un coin du cadre décoré. Un rayon laser bleu jaillit de l'œil droit de la femme et balaya le fin réseau de vaisseaux sanguins de la rétine de Kate, pendant qu'une caméra en circuit fermé placée dans l'œil gauche comparait le visage de Kate à celui des photos répertoriées dans une base de données. Le coin du cadre, qu'elle continuait de presser, transmettait au système de surveillance les paramètres de son empreinte digitale.

Un instant plus tard, la cabine s'immobilisa, mais la porte coulissante resta fermée. C'est le miroir du fond de la cabine qui pivota, révélant un étroit couloir.

Toute la façade arrière des bureaux de l'Agence Slade était constituée d'un faux mur, dissimulant à chacun des cinq étages un espace de 60 mètres carrés non répertorié dans les plans d'urbanisme de la ville. Le bâtiment étant encadré sur ses trois côtés par les immeubles voisins, cette incohérence spatiale était impossible à détecter depuis la rue. Le patron de Kate, Jeremy Slade, avait aménagé cette cachette en centre de commandement à partir duquel il dirigeait les opérations menées pour le compte du gouvernement.

Sur le chemin de la salle de réunion, Kate passa devant la cuisine et entendit un sifflement caractéristique. Elle s'arrêta et vit Slade debout devant la machine à café. Il était en train de faire mousser son lait, un art culinaire où il excellait. Il avait atteint une telle maîtrise que Kate avait fait circuler un mémo interne dans lequel elle recommandait son immédiate rétrogradation du rang de « barbouze en chef » à celui de « responsable officiel du cappuccino ».

Concentrés sur sa tâche, les yeux aux orbites profondes de Slade semblaient plongés dans l'ombre. Quarante-cinq ans, culminant juste sous le mètre quatre vingts, il avait des cheveux foncés et des yeux marron qui paraissaient noirs sous ses sourcils épais. Les gènes d'une grand-mère indienne et dix ans passés au soleil du Moyen-Orient avaient donné à sa peau une teinte sombre et cuivrée. Sa condition physique était remarquable ; seules les pattes d'oie creusées au coin de ses yeux trahissaient son âge.

Slade avait été pendant douze ans officier du renseignement pour la CIA, collectant des informations et planifiant des missions périlleuses dans des pays souvent ravagés par la guerre, mais il ne s'était aventuré que très récemment dans une cuisine. Depuis, il s'était métamorphosé en un cordon bleu, ce qui comblait ses employés car, quoi qu'il décide de faire, Jeremy Slade le faisait à la perfection.

Après son diplôme de lettres classiques obtenu à Princeton, il avait gravi un à un les échelons pour finir directeur adjoint des opérations – le poste le plus important dans la hiérarchie des services secrets de la CIA – avant son départ. Toujours habillé avec goût, même dans ses tenues les plus détendues, il avait cet humour nonchalant qui, lorsque les circonstances l'exigeaient, cédait la place à une froide efficacité. Pour Kate, voir ce gentleman-espion sanglé dans un tablier de cuisine valait tout l'or du monde.

Elle l'avait rencontré trois ans plus tôt. Son père, à contre-cœur, les avait présentés l'un à l'autre. Kate entrait alors dans sa deuxième année de doctorat, peu après la mort soudaine de son fiancé. Étudiant lui aussi en doctorat, il était parti pour un trekking dans l'Himalaya. Un soir, alors qu'il était assis autour d'un feu de camp, il avait été tué, ainsi que les deux touristes allemands qui l'accompagnaient, lors d'une attaque à la grenade par des militants pakistanais.

Ravagée par le chagrin, Kate avait sombré dans une dépression pendant de longs mois. Mais, avec le temps, elle avait pris conscience d'une chose : seule *une partie* de sa vie était à jamais révolue, celle qui la voyait épouser l'homme qu'elle aimait et fonder une famille.

Elle annonça à son père, sénateur américain siégeant à la Commission d'enquête du Sénat sur le Renseignement, qu'elle comptait présenter sa candidature au Département des opérations de la CIA. Non pour assouvir une soif de vengeance ; elle voulait simplement éviter à d'autres gens de voir leur vie devenir aussi cauchemardesque que la sienne. Son père accueillit la nouvelle avec compréhension, mais mit tout en œuvre pour la dissuader. Lui qui avait perdu sa femme quelques années auparavant, il ne pouvait accepter l'idée qu'il arrive quoi que ce soit à son unique enfant. Mais la décision de Kate était prise : le sénateur Morgan dut s'y plier et lui arrangea un rendez-vous avec Slade à New York.

Après tout, pensait-il, si sa fille avait l'intention de quitter le monde universitaire pour travailler dans la sphère du renseignement, mieux valait que ce soit avec un homme de confiance que dans une bureaucratie tentaculaire où les erreurs et les fuites étaient inévitables.

Slade avait, en effet, quitté la CIA parce qu'il en avait eu assez de satisfaire les caprices d'hommes politiques dont les motivations lui semblaient la plupart du temps douteuses. Toutefois, sa récente reconversion dans le privé était un subterfuge. Slade continuait de rendre compte à la directrice générale du Renseignement (qui supervisait l'ensemble des réseaux d'espionnage américain et de la CIA), et sa petite équipe secrète agissait exclusivement sous cette double tutelle. Cet arrangement profitait aux deux parties : la directrice du Renseignement pouvait lancer des opérations délicates en court-circuitant la procédure de validation habituelle, et Slade pouvait se consacrer à sauver des vies en dehors de toute pression politique.

En entrant pour la première fois dans le bureau de Slade, Kate n'avait pu s'empêcher d'être impressionnée. Dans son adolescence, elle avait dévoré des romans d'espionnage peuplés de sinistres malfrats en costume sombre et de super-espions à la James Bond, bref de tous ces personnages que la culture populaire recycle à l'infini. Mais Slade était réel. Un agent des services secrets en chair et en os. Quelqu'un qu'elle avait imaginé bien des fois, mais qu'elle n'avait jamais eu l'occasion de rencontrer.

Ils s'accordèrent tout de suite. Après un entretien de deux heures et un examen de ses états de service, Slade lui proposa un emploi d'enquêtrice privée dans sa nouvelle société. Des bureaux venaient d'ouvrir dans plusieurs grandes villes à travers le monde. À New York, dix enquêteurs venant du journalisme ou de la police avaient déjà été recrutés. Kate pouvait commencer à travailler avec l'un d'eux sur une affaire en cours, pendant que Slade se chargerait de la former aux techniques du renseignement. Quand il l'en estimerait capable, il lui confierait sa première mission gouvernementale. Il ajouta que les compétences de la jeune femme étaient aussi convaincantes, sinon plus, que celles de n'importe quelle jeune recrue de la CIA. Et puis, il la *sentait* bien, ce qui à ses yeux était le plus important.

Kate accepta la proposition sur-le-champ. Elle était reconnaissante à Slade de lui donner une raison de se lever chaque matin et un travail tellement prenant qu'il ne lui laisserait pas le temps d'être triste. L'arrière-boutique de l'Agence Slade n'avait peut-être aucune existence officielle, mais Kate s'y était sentie chez elle dès qu'elle en avait franchi la porte.

Elle suivit l'étroit couloir jusqu'à la salle de réunion. À l'exception du matériel informatique, l'endroit ressemblait davantage à la bibliothèque de J.P. Morgan [1] qu'au centre de commandement d'une agence de renseignement. Les murs étaient garnis d'étagères en bois sculpté, deux escaliers en fer forgé montaient en spirale jusqu'à l'étage supérieur et un immense tapis turc recouvrait le sol. Plusieurs fauteuils et canapés en cuir chocolat complétaient l'ameublement.

Assis à une table ronde au centre de la salle, Max Lewis,

1- J.P. Morgan (1837-1913) était un banquier et homme d'affaires américain célèbre, entre autres, pour sa passion des livres.

l'expert ès ordinateurs, s'activait sur un portable. Sa silhouette se découpait crûment sur les couleurs assourdies de la pièce : T-shirt rouge vif, oreilles percées de petits anneaux d'or, dreadlocks fraîchement teints en blond peroxydé – une couleur qui se mariait parfaitement, songea Kate, avec la teinte cuivrée de sa peau.

Max avait fait ses débuts dans l'Agence Slade presque en même temps que Kate. Une licence de l'université de New York en poche, il avait postulé à son premier emploi d'une façon peu orthodoxe : après avoir piraté la base de données la mieux protégée de la CIA, il avait copié une dizaine de fichiers qu'il avait joints à son CV et envoyés par mail à la directrice générale du Renseignement.

Impressionnée par son talent autant que par son culot, cette dernière avait, le jour même, soufflé son nom à Slade.

— Alors, ça s'est passé comment avec Bill Mazur ? C'est bien ton vieux manuscrit qui l'intéressait ?

— Exact. Merci encore pour les infos de dernière minute.

Max hocha la tête.

— Apparemment, quelqu'un lui a envoyé son ordre de mission par e-mail, en signant « Dragon de Jade ».

Kate fouilla dans son sac à la recherche de l'adresse mail.

— Tiens… Tu peux voir si cela mène à quelqu'un ? Et tu peux aussi me faire quelques agrandissements de ces photos ?

Elle lui donna les clichés que lui avait remis Medina.

— Pas de problème, répondit Max en les glissant dans sa poche de chemise. Et maintenant, parle-moi un peu de ce Medina. Gemma, la standardiste du bureau de Londres, dit qu'il est « appétissant ». Alors ? Toi qui l'as vu, qu'est-ce que tu en as pensé ?

— Je n'ai pensé à rien. J'ai juste prié pour ne pas trébucher pendant qu'il me regardait traverser la salle du restaurant.

Max rit.

— Je m'apprêtais à aller voir une amie libraire spécialiste en bibliophilie qui pourrait m'aider à authentifier le manuscrit, quand j'ai reçu le message de Slade. Qu'est-ce qui se passe ?

Kate s'assit à côté de Max.

— Cruz a appelé. La mission concerne le monde de l'art.

Alexis Cruz, directrice générale du Renseignement, ne décrochait son téléphone qu'en cas de missions extrêmement urgentes et extrêmement confidentielles, ou si Slade avait dans son équipe un agent dont le profil correspondait parfaitement à la situation. Ce qui était le cas cette fois-ci.

— Rien de sérieux, expliqua Max. Juste une menace secondaire à neutraliser en Europe. Approche-toi… Je vais te présenter ton nouvel ami.

Kate se pencha sur l'écran d'ordinateur où Max venait de lancer un petit film. Deux hommes d'une quarantaine d'années déjeunant ensemble dans un restaurant. L'un du Moyen-Orient, l'autre de type caucasien.

— Je crois bien avoir déjà vu celui de gauche, commenta Kate en scrutant les traits familiers de l'Oriental – cheveux noirs coupés court, ossature délicate du visage rasé de près, grands yeux d'un marron profond.

— Hamid Azadi. L'un des principaux dirigeants de la Vevak, le ministère iranien du Renseignement et de la Sécurité. Sans doute le responsable du contre-espionnage.

— Et ce film… il a été tourné par l'agence ?

— Oui. Il y a deux semaines, à Dubaï. Pas de son, malheureusement. Le restaurant était bruyant et ils étaient trop éloignés de la fenêtre.

— Qui est l'autre type ?

— Luca de Tolomei. Marchand d'art milliardaire. Tu connais ?

— Oui, dit Kate en regardant le profil de Tolomei, son long nez droit, sa mâchoire saillante et ses longs cheveux gris argent tombant sur ses épaules. On dit qu'il trafique parfois sur le marché noir.

— En effet. Jusqu'à présent, on le considérait comme inoffensif…

— Mais ?

— Cet après-midi, nous avons enregistré un virement de 11 millions de dollars sur un compte d'Azadi au Lichtenstein.

Émis par Tolomei. À l'agence, le drapeau rouge a tout de suite été hissé.

— 11 millions… répéta Kate.

— J'ai vérifié l'itinéraire moi-même. Je n'ai jamais vu de l'argent blanchi autant de fois. La somme a fait le tour des îles, une vraie croisière : Chypre, Antigua, l'île de Man…

— Et la question, j'imagine, c'est : qu'est-ce que Tolomei a acheté à Azadi, et quand ?

— Tout juste. Si Azadi veut refourguer un truc bien dégueulasse à des terroristes, Luca de Tolomei est l'homme de paille idéal. Un riche marchand d'art catholique ? C'est la couverture rêvée.

— Mais l'Iran *donne* chaque année des armes au Hezbollah et au Hamas, sans compter des centaines de millions de dollars. Ils ne les font pas *payer*.

— Alors c'est peut-être une manœuvre en solo et Azadi fait du business pour son propre compte en vendant à un groupe non financé par l'Iran. Il a pu, par exemple, mettre de côté du gaz neurotoxique. Et puis, quel employé du gouvernement n'aurait pas envie de se sucrer de temps en temps ?

— Possible. Mais j'ai du mal à me représenter le mauvais garçon de Sotheby's frayer avec des terroristes. Je verrais plutôt Tolomei achetant des antiquités perses au marché noir. Les transactions se chiffrent parfois en dizaines de millions de dollars. Quelqu'un a même failli débourser plus de 40 millions de dollars pour la première momie de la civilisation perse.

— A failli ?

— C'était une fausse : les Perses ne pratiquaient pas la momification. Peut-être Azadi est-il en relation avec un réseau de trafiquants d'antiquités – ou, encore mieux, de faussaires. Pour tromper les collectionneurs du Grand Satan, tu vois le genre ?

— Ce pourrait être ça, intervint Slade en entrant dans la salle de réunion. Mais nous devons en être sûrs.

Il posa un plateau de cappuccinos sur la table. Chaque tasse était surmontée d'un joli dôme de mousse saupoudré de cannelle.

Kate prit une tasse et avala une gorgée de café.

Slade haussa un sourcil.

Elle porta une main à son cœur comme si elle avait la nausée, puis sourit.

— Patron, vous vous êtes surpassé.

Il prit un siège et s'assit, un sourire creusant ses fossettes.

Kate se tourna à nouveau vers l'écran de l'ordinateur.

— Que savons-nous sur Tolomei, en dehors de son amitié pour Azadi ?

— Pourquoi dites-vous ça ? demanda Slade. Ces deux-là n'ont jamais été vus ensemble auparavant.

Kate pressa une touche sur le clavier de l'ordinateur et le film repartit. Quelques secondes plus tard, elle indiqua un geste révélateur.

— Là ! Tolomei pousse un cendrier vers Azadi avant même qu'il ait sorti ses cigarettes… Et ici, regardez : Tolomei arrête de manger, regarde autour de lui et Azadi demande quelque chose au serveur avant que Tolomei ait dit quoi que ce soit. Le serveur leur apporte du poivre. Azadi n'a pas demandé de sel – il savait ce que Tolomei voulait. Ils connaissent trop bien les habitudes de l'autre pour être de parfaits étrangers.

— Max, dit Slade, montrez-lui ce que vous avez trouvé tout à l'heure.

— Pas grand-chose.

Une série de photos s'afficha sur l'écran.

— Cela a pris du temps parce que notre homme… eh bien, il est un peu comme cette momie persane : c'est un faux. J'ai fouillé à gauche à droite et j'ai découvert qu'un Luca de Tolomei était mort il y a vingt ans dans un asile de dingues privé. Ses parents n'ont jamais voulu reconnaître qu'il était là – ils prétendaient qu'il était parti vivre à l'étranger – et aujourd'hui ils sont morts, eux aussi. Apparemment, notre homme a endossé cette identité aux alentours de 1991.

— Bon choix pour un fantôme, commenta Max en regardant Kate.

Elle acquiesça. Les fausses identités les plus crédibles étaient

Dumont a raison

Mario Dumont a cent fois raison.

Après un épisode de portes ouvertes et fermées, Pauline Marois hérite de la mise en scène d'une pièce injouable.

De René Lévesque à André Boisclair, tous les chefs du PQ s'y sont cassé les dents de toutes les façons possibles et imaginables. Aujourd'hui, après un épisode presque bouffon de portes ouvertes et fermées, d'entrées côté cour et de sorties côté jardin, Pauline Marois hérite donc de la mise en scène de cette pièce injouable, portant inlassablement donnée sur le boulevard de la Péquisterie.

//////////////////////////

Avec le temps, il est devenu lumineux que le problème existentiel du Parti québécois est insoluble : les Québécois ne veulent pas de la sécession. Et ils ne consentent à voter PQ ou à voter « oui » en proportion appréciable que lorsque le projet est, soit mis en veilleuse, soit à ce point édulcoré qu'on peut le confondre avec une proposition de fédéralisme renouvelé.

Or, cela ne changera pas.

faire, on feint d'ignorer se faiblesses génétiquemen programmées. Et dans le pronostics jovialistes, on [cesse de prévoir que, oui, [parti pourra encore une fo se remettre sans médicatio lourde.

Or, cela n'arrivera pas.

Les militants péquiste ont fait une grave erreu il y a 18 mois, en préférai André Boisclair à Paulin Marois, celle-ci ayant sur celui-[des avantages – en termes d'apt tudes, d'expérience, d'intelligenc politique, d'image populaire – qu crèvent les yeux aujourd'hui. E dépit de quoi elle ne fera pas d miracle, elle non plus.

Pauline Marois n'a en réali qu'un seul scénario en mai C'est celui qui donne au PQ u rôle clair, défini, d'une scrupuleuse honnêteté intellectuell d'une totale transparence dan ses convictions. Indépendantis presse et abonné à la gauche cla sique? Les plus zélés militants d parti seront à l'aise avec cette positon, et il y aura de la noblesse la défendre. Autonomiste et réfo miste? Ces voies-là sont encor brées, certes, mais pas toujour assez intelligemment balisées.

En somme, un seul fait e maintenant avéré: le Parti qué bécois ne peut plus monter deu pièces à la fois sur les mêm planches. Cela ne conduit qu des bides.

celles d'individus réels qui étaient morts en silence ou avaient un jour quitté leur maison sans laisser de traces.

— Ce type possède un *palazzo* à Rome et un château médiéval rénové à Capri, poursuivit Max.

— Sans blague ? plaisanta Kate. Un méchant qui vit à Capri ? Tu parles d'un cliché...

— Comment ça ? demanda Max.

Slade s'éclaircit la gorge. Kate reconnut le signal : son patron s'apprêtait à exhumer une information de sa culture classique.

— Tacite, historien romain du IIe siècle après Jésus-Christ, décrit Capri comme un lieu de débauche où l'empereur Tibère passait son temps en orgies secrètes, ou à tramer des complots. On raconte qu'il envoyait chercher dans tout le pays des garçons et des filles adeptes de rites surnaturels pour qu'ils les exécutent sous ses yeux, dans des grottes ou des clairières.

— Impressionnant, murmura Max.

— Il abusait aussi d'enfants. Il jouait au nourrisson et les obligeait à... euh... lui donner le sein.

Max fronça le nez.

— Waouh... bienvenue chez les tarés !

— Il faisait jeter les traîtres du haut d'une falaise et ceux qui ne se fracassaient pas sur les rochers en contrebas étaient déchiquetés à l'aide de gaffes...

— Je crois que je vais revoir mon palmarès. Cette mort-là entre directement en quatrième position.

Max tenait à jour un classement des pires façons de mourir. La tête du classement n'avait pas changé depuis plusieurs mois, Kate en savait quelque chose : c'est elle qui, un dimanche, lors d'un brunch au Bloody Mary, lui avait raconté comment, sous le règne de la souveraine qui avait donné son nom au cocktail, les « hérétiques » protestants brûlaient si lentement sur le bûcher – certains bourreaux stupides utilisant du bois vert et du jonc humide – qu'une femme enceinte avait accouché pendant son supplice et vu son bébé mourir dans les flammes.

— Ces derniers siècles, conclut Slade, cette île enchanteresse est restée célèbre pour des pratiques qui auraient fait rougir les habitants de Sodome et Gomorrhe.

— Bref, intervint Kate, nous voici devant un milliardaire qui fait affaire avec l'un des plus puissants truands de cette planète et nous ne savons même pas qui il est vraiment ?

— Ce qui ne va pas durer, répondit Slade. Max va faire des miracles, passer en revue les associés de Tolomei. Vous, vous irez enquêter en Europe...

— Et vos agents à Rome ? Ils pourraient entrer dans son *palazzo*, poser quelques micros...

— Kate, un milliardaire en cheville avec des types du calibre d'Azadi vit dans des lieux équipés des meilleurs systèmes de sécurité. Entrer par effraction chez lui nécessiterait des semaines de surveillance et de planification. Qui sait si nous disposons d'autant de temps ? Sans compter que, dans le cas présent, la manière forte n'est pas forcément une bonne idée. Ce type n'est pas du genre à garder tous ses secrets dans de petits coffrets métalliques.

— Oh, je vous vois venir, répondit Kate d'un air narquois.

Les yeux de Max pétillèrent.

— Pour entrer dans la tête d'un homme, inutile de faire appel à des commandos en combinaison noire avec lunettes de vision nocturne. Il suffit d'une fille canon montée sur talons aiguilles.

Slade ponctua la remarque d'un de ces sourires fugaces, puis ses traits retrouvèrent leur gravité.

— Ce qui n'empêchera pas nos agents de Rome d'utiliser leurs micros directionnels et de mener leur propre enquête. Mais, si bons soient-ils, ils n'approcheront pas Tolomei de front. L'homme serait capable de voir clair dans leur jeu. Mais pas dans le vôtre.

Téhéran, Iran. 3 h 05.

Au même moment, Hamid Azadi, chef du contre-espionnage de la Vevak, était seul, dans sa maison du quartier chic de Gheitarieh, au nord de Téhéran. Assis à son bureau, il fredonnait une chanson en savourant son moment préféré de la semaine, ces quelques minutes d'une satisfaction pure.

Ce moment ne se produisait jamais le même jour, jamais à la même heure, mais une fois par semaine, sans faute, Azadi s'autorisait ce plaisir. Durant ces précieuses minutes, il se sentait tel Sisyphe soufflant en haut de sa montagne, s'adossant à son rocher et dégustant un Glenmorangie de trente ans d'âge *on the rocks*.

Azadi ouvrit le tiroir fermé à clé de son bureau. C'était un tiroir à dossiers, rempli aux deux tiers. Il repoussa les dossiers sur leurs glissières et inséra la pointe d'un coupe-papier à la jointure du panneau avant et du fond du tiroir. Il parvint à soulever suffisamment le panneau de caoutchouc noir pour y glisser la main et sortir d'une petite cachette un mince téléphone satellite. Un téléphone réservé à ce moment privilégié.

Il alluma l'appareil, activa le système de cryptage et composa un numéro.

Une voix familière répondit et Azadi récita les treize chiffres qu'il connaissait aussi bien que son propre nom. Son mot de passe. La voix lui posa ensuite plusieurs questions auxquelles Azadi fournit les réponses qui changeaient en fonction du jour de la semaine.

— Parfait. En quoi puis-je vous être utile ce soir, monsieur ?

— J'aimerais un état de mon compte, s'il vous plaît, répondit Azadi d'une voix calme.

— Treize millions et deux cent mille dollars. Désirez-vous une autre information ?

— Pas aujourd'hui.

L'argent, qu'il gardait dans cette discrète banque privée du Lichtenstein, était son sésame pour le paradis, pour une nouvelle vie sans privations et sans peur. Plusieurs décennies plus tôt, pendant la dernière année de son cursus universitaire, Azadi avait choisi d'atteindre les plus hauts échelons du ministère du Renseignement et de la Sécurité car peu d'autres options s'offraient à un Iranien intelligent et ambitieux. Et puis, il l'admettait volontiers, il avait été pris d'une fièvre patriotique lorsqu'il avait vu ses frères renverser le chah corrompu et sa police secrète, et avec eux leurs avides alliés impérialistes.

À l'époque, la guerre contre l'Irak faisait rage et lorsqu'il avait pu goûter à sa première mission d'espionnage et déjouer les plans de cette ordure de Saddam, il avait eu la certitude d'avoir enfin trouvé sa vocation.

Pourtant, au fil des ans, il en était arrivé à haïr les mollahs qui dirigeaient l'Iran à coups de fouet. Ils s'étaient révélés encore plus brutaux que le chah et sa police : ils recouraient sans cesse à la torture, aux assassinats, et orchestraient des massacres dans le monde entier. Finalement, Azadi avait pris sa décision : il partirait. En réalité, il n'avait pas le choix. Pour lui, le compte à rebours avait commencé.

L'argent était donc sa priorité. Aussi, quand il avait rencontré quelques années auparavant Luca de Tolomei et entendu sa proposition, il n'avait pas mis longtemps à se laisser convaincre. Ils avaient rapidement noué une relation professionnelle extrêmement lucrative, et le compte secret d'Azadi dans cette banque du Lichtenstein avait été régulièrement approvisionné. Mais son grand coup avait été leur dernière transaction. Un pactole aussi énorme qu'inattendu. Il savait que ce qu'il proposait avait de la valeur, mais pas que de Tolomei lui proposerait une telle somme : 11 millions de dollars ! Qu'Allah soit loué pour ce marchand d'art et ses inépuisables comptes en banque !

Enfin, Azadi avait amassé suffisamment d'argent pour s'enfuir. En outre, Tolomei, à présent un ami sûr, avait eu la bonté d'assortir leur marché de deux bonus : des faux papiers d'identité sous plusieurs noms et un rendez-vous avec l'un des meilleurs chirurgiens esthétiques des États-Unis, qui lui offrirait non seulement un nouveau visage mais aussi une nouvelle race.

L'évasion d'Azadi devait être réalisée avec d'infinies précautions. La Commission des opérations secrètes enverrait à ses trousses un commando de tueurs et Azadi ne voulait pas passer le restant de ses jours à jeter des regards craintifs par-dessus son épaule ou à inspecter sa voiture avant de prendre le volant.

Il s'installerait à Key West, une petite île au large de la Floride. Là-bas, lui avait-on dit, les hommes pouvaient s'embrasser dans la rue sans craindre le fouet. Il pourrait même emmener son amant chez lui sans risquer d'être condamné à mort par lapidation...

Mer Méditerranée. 1 h 16.

Le navire battait pavillon russe. Son nom était le *Nadezhda*. Deux cent quarante pétroliers fendaient les flots de la Méditerranée cette nuit-là, mais celui-là n'était pas comme les autres : il appartenait à un membre de la *mafiya* russe, et sa cargaison de pétrole n'était qu'une couverture pour le transport de produits de contrebande.

Pendant les années 1990, le pétrole lui-même était une marchandise de contrebande. Le *Nadezhda* opérait principalement dans le golfe Persique, transportant des barils de brut du port irakien de Umm Qasr vers les Émirats Arabes Unis en violation de l'embargo imposé par l'ONU après l'invasion du Koweit par l'Irak. Les patrouilles de la Force internationale d'interception maritime se multipliant dans le golfe, le commandant du *Nadezhda* avait adopté la méthode de tous les trafiquants de pétrole d'Irak : il avait versé des pots de vin à la marine iranienne en échange de faux certificats d'origine pour sa cargaison. Cet arrangement avait été des plus profitables puisque les navires russes n'étaient presque jamais contrôlés.

Pourtant, au début des années 2000, un pétrolier russe se livrant au même trafic avait été inspecté et des échantillons de sa cargaison envoyés à un laboratoire spécial. Là, des biomarqueurs et des tests de chromatographie gazeuse avaient révélé que le pétrole provenait d'un puits irakien. Quand la Force internationale d'interception maritime avait décidé de confisquer non seulement la cargaison de pétrole, mais aussi le navire, le propriétaire du *Nadezhda* avait décidé de mettre un terme à ces opérations.

À présent le navire transportait réellement du pétrole iranien. Presque 5 000 tonnes. Mais deux compartiments secrets aménagés au point le plus bas de sa coque, accessibles seulement à des plongeurs, contenaient de l'héroïne afghane et des missiles Stinger pour le Hezbollah.

Après avoir quitté le port iranien de Bandar Abbas dix jours plus tôt, le *Nadezhda* était passé par le détroit d'Ormouz et avait mis le cap au nord vers le canal de Suez. Il était passé de la mer Rouge à la Méditerranée la veille au soir.

Sur le pont avant, le jeune officier de navigation faisait les cent pas. Il n'arrivait pas à dormir. Jamais il ne s'était senti aussi nerveux. Lorsqu'ils avaient traversé une tempête sur la mer Rouge, il avait eu des haut-le-cœur jusqu'à la dernière goutte de pluie. Lors du chargement à Bandar Abbas, lui et trois hommes d'équipage avaient reçu l'ordre de charger dans la cabine du commandant une mystérieuse caisse en bois. Le commandant leur avait demandé de faire très attention en la manipulant, comme si elle contenait de la porcelaine... ou une bombe atomique. En disant cela, il leur avait adressé un clin d'œil. Que signifiait ce clin d'œil ? S'agissait-il vraiment d'une bombe, ou le commandant s'amusait-il simplement à leur faire peur, peut-être pour impressionner sa nouvelle petite amie ?

Le regard perdu vers le ciel, l'officier priait pour qu'ils déchargent rapidement cette caisse menaçante. Cela ne saurait tarder, lui avait dit le commandant. En tout état de cause, le déchargement se produirait bien avant l'arrivée à destination, il y aurait un transfert en pleine mer, après quoi l'officier pourrait enfin trouver le repos.

Il continuait d'observer les étoiles, sans savoir qu'il regardait droit dans l'œil électronique d'un oiseau de 150 mètres de long et d'une valeur d'un milliard de dollars – un satellite espion américain flottant à 200 kilomètres au-dessus de sa tête. Le Keyhole KH-12 était équipé de caméras électro-optiques haute résolution prenant des photos de la Terre par sections de plusieurs centaines de kilomètres carrés, et capable de repérer des objets d'une dizaine de centimètres.

L'officier de navigation ne savait pas non plus que le KH-12, évoluant sur une orbite héliosynchrone, passerait au-dessus de la même zone la nuit suivante et collecterait des images du navire déchargeant sa mystérieuse caisse. Car peu importe la vitesse du *Nadezhda* le lendemain, peu importe les conditions météorologiques, le transfert en haute mer n'échapperait pas au regard inquisiteur du satellite.

6

Nul ne m'admire autant que ceux qui me haïssent.
Machiavel, in *Le Juif de Malte* (Marlowe)

Londres, mai 1593. La nuit.

La longue barque d'apparat glissait en silence sur la Tamise. Le fleuve était calme. Tout Londres, ou presque, avait sombré dans le sommeil.

Droit devant, la Tour. Épais murs de pierre à créneaux. Parfaitement lisses, à l'exception des meurtrières. Combien d'yeux épiaient derrière ces fissures sombres ? se demanda le batelier. Pouvaient-ils voir son visage malgré l'auvent ? Il baissa un peu plus son chapeau.

La barque vira brusquement à bâbord pour entrer dans un étroit passage au milieu de Tower Wharf, longeant une succession de portes en bois treillissées jusqu'à la sinistre porte en arche connue sous le nom de Traitor's Gate.

La puanteur soulevait le cœur. Les détritus et les eaux usées récoltés en aval du fleuve s'amoncelaient dans les douves et pourrissaient. Le batelier porta à son nez un flacon en argent délicatement ouvragé et huma longuement, emplissant ses narines du riche parfum des clous de girofle.

Dans la pénombre glauque au pied de St. Thomas' Tower, la barque s'arrêta le long d'un chemin pavé parallèle aux douves. Un homme corpulent aux cheveux blancs se tenait sur le bord, six grandes caisses en bois entassées à côté de lui. Le vieillard et le batelier se saluèrent d'un signe de tête. À l'aide de gaffes et de cordes, deux rameurs s'efforçaient de maintenir la stabilité de l'embarcation pendant que d'autres transportaient les lourdes caisses à bord, l'une derrière l'autre sous l'auvent.

Bras croisés sur la poitrine, le batelier les observait d'un air approbateur. Toute l'opération, malgré la pleine lune, disparaissait dans l'ombre de St. Thomas Tower. Et si quelqu'un avait voulu signaler l'arrivée et le départ de la barque, il aurait eu le plus grand mal : elle n'avait pas de nom et ses hommes d'équipage ne portaient pas d'uniforme distinctif.

Quand le chargement fut terminé, le batelier entreprit d'examiner chaque caisse. Il fit ouvrir la première, et son regard s'arrêta sur un canon à trois bouches datant d'Henri VIII.

Quelle merveille. Il caressa le bronze froid et lisse.

La deuxième caisse contenait deux canons pivotants – semblables à ceux équipant les vaisseaux militaires –, la troisième de la poudre à canon et la quatrième des boulets en plomb. Dans les deux dernières, les armes préférées du batelier, tout droit sorties de l'Armurerie royale de White Tower : des pistolets à rouet en laiton et noyer. Ces armes anciennes avaient sans nul doute été importées d'Allemagne voilà bien des années. Il distinguait sur plusieurs canons le poinçon de Dresde et de Nuremberg. Se saisissant de l'un de ces pistolets, il pivota vivement et pointa l'arme sur le visage d'un des rameurs.

Le pauvre bougre faillit rendre son dîner sur-le-champ.

Le batelier éclata de rire et replaça l'arme dans sa caisse. Puis, se redressant, il alla serrer la main du vieil homme sur le quai.

— Nous nous reverrons bientôt.

Sur un signe de tête, les marins repoussèrent la barque sur le fleuve. Elle s'éloigna vers l'est, en direction de Deptford.

Assis dans son siège capitonné, le batelier jouait avec les pointes de sa moustache. Il venait de dévaliser brillamment l'armurerie de la reine pour le compte de son maître. En d'autres termes, son maître, quoique de façon indirecte, volait la reine. Eh bien ! Il volerait son maître à son tour. Quand les marins déchargeraient la cargaison, il subtiliserait une dizaine de pistolets qu'il cacherait sous les coussins de son fauteuil. Mentir aux menteurs, duper les dupeurs. Telle était la règle du jeu.

De retour à Tower Wharf, l'homme aux cheveux blancs regarda la barque d'apparat se fondre dans la nuit. Ses poings serrés tremblaient. Il ignorait à qui appartenait la barque sans nom, et où elle acheminait son chargement mortel. Tout ce qu'il savait, c'était qu'il ne pouvait plus mettre un terme à ce trafic.

Ned Smyth était le chef de l'Intendance de Sa Majesté et de l'Armurerie royale de White Tower. Le mystérieux batelier l'avait approché six mois plus tôt, en lui expliquant qu'il travaillait pour l'un des capitaines de frégate de la reine aux Pays-Bas. Il lui avait alors montré une demande écrite de livraison d'armes. La lettre semblait officielle, et le temps que Smyth s'aperçoive qu'il avait été trompé ––que le document était un faux et que le capitaine de frégate n'existait pas –, la cargaison avait déjà été livrée.

Smyth était piégé. Il ne pouvait pas alerter la reine car il n'avait aucun moyen de prouver qu'il avait agi en toute bonne foi : le batelier fourbe avait repris la fausse lettre. Pour aggraver la situation, ce chien enragé avait menacé Smyth, s'il refusait de coopérer et de lui remettre d'autres armes chaque fois qu'il le lui demanderait, d'aller voir la reine pour l'accuser de vendre des armes de l'Armurerie royale pour son compte.

Comment Smyth pourrait-il se défendre ? L'inventaire révélerait la disparition des armes.

Il remonta le quai d'un pas hargneux, une partie de lui désirait ardemment se confesser et implorer le pardon royal, mais il savait que c'était trop tard. Il venait juste de commettre sa troisième trahison. En outre, s'il craignait de voir sa déloyauté éclater au grand jour, il craignait encore plus le batelier. Il était évident que cet homme était capable de tuer quiconque se placerait en travers de son chemin.

L'esprit encombré de cette sombre pensée, le fidèle serviteur de la reine sortit de la Tour par le portail ouest et rentra à son domicile. Personne ne l'arrêta. Personne ne demanda à vérifier son identité. Tous les gardes connaissaient Smyth depuis des années, et sa réputation d'intégrité rendait toute question superflue. Même au beau milieu de la nuit.

Décidément, le batelier avait soigneusement choisi son complice.

Greenwich. La nuit.

Longtemps après le départ de Thomas Phelippes, Marlowe resta sur le banc de bois près de Greenwich Palace. Si les soupçons de Phelippes étaient fondés, si des hommes de la Compagnie moscovite avaient bien découvert une route maritime vers l'Orient, alors que pouvaient-ils échanger contre ces pierres précieuses ? Certainement pas de l'argent anglais – l'Extrême-Orient n'en avait que faire. Sans doute détournaient-ils des produits exportés par la compagnie, du tissu de laine vraisemblablement. À moins qu'ils utilisent une autre monnaie d'échange, d'une autre provenance ?

Nos armes sont bien plus sophistiquées que tout ce qu'ils ont en Orient, pensa Marlowe. Les hommes de la compagnie facilitaient-ils les massacres qui ensanglantaient les régions les plus lointaines du globe ?

Marlowe était l'un des rares Londoniens à savoir que, plusieurs années auparavant, des directeurs de la compagnie avaient organisé un trafic de surplus d'armes anglaises à bord de leurs vaisseaux.

Même Phelippes ignorait que, depuis presque vingt ans, le responsable des entrepôts de la compagnie à Londres était un cousin éloigné de Marlowe. Fonctionnaire loyal grassement payé pour se taire, Anthony avait un jour commis l'erreur de se vanter de détenir l'un des plus stupéfiants secrets de la compagnie, un secret qu'il avait promis de ne jamais divulguer. Grave erreur, en effet, car Marlowe était incapable de ne pas chercher à percer ce mystère, même si on ne le payait pas pour ça. À la seconde où Anthony avait prononcé cette phrase, son secret s'était retrouvé aussi en sécurité qu'un lapin piégé par un chien affamé.

Soucieux de lui donner le temps d'oublier leur conversation, Marlowe avait laissé plus d'un mois s'écouler avant de partir à l'assaut du silence résolu et tenace d'Anthony. Son plan était aussi simple qu'élégant : en une nuit, une prostituée maligne et une modeste armada de bocks de bière suffiraient à desserrer les lèvres de son cousin.

Cette nuit remontait à sept années, époque où Marlowe étudiait encore à Cambridge. Il était venu passer deux jours à Londres et avait retrouvé Anthony dans une taverne très fréquentée de Southwark. Là, il lui avait posé des questions sur à peu près tous les sujets *sauf* la Compagnie moscovite, feignant de s'en désintéresser totalement. Enfin, lorsque Anthony avait atteint ce degré d'ébriété où les marmonnements remplacent la parole, Marlowe avait pris congé – pour se dissimuler aussitôt derrière un épais pilier en bois. Était alors entrée en scène la séduisante et habile jeune femme qu'il avait payée pour se glisser auprès de son cousin et lui murmurer à l'oreille quelques formules irrésistibles apprises par cœur.

Après quoi, il lui avait suffi de poser quelques questions.

— J'ai entendu dire que tu avais un travail *très* important... avait-elle commencé avec force battements de cils.

— Ah, mais ça... ça, je ne peux pas... avait bafouillé Anthony en rougissant.

— On dit que tu travailles avec d'autres hommes *très* puissants... Des hommes qui ont toute la confiance de la reine... C'est vrai ?

— Eh bien... euh...

Elle posa une main sur son genou.

— ... oui, c'est vrai.

— Oh ! Comme tu embrases mon imagination ! Et… est-ce que c'est dangereux ?

Elle remonta la main sur la cuisse d'Anthony.

— Oh oui. Tu n'imagines pas… oh mon dieu !

Elle lui caressait l'intérieur de la cuisse, à présent.

— Hmmm ?

— Tu n'as pas idée.

— Oh, j'aimerais tellement le savoir…

Elle se pencha tout contre Anthony et lui suçota le lobe de l'oreille. L'homme, qui s'efforçait de déboutonner son pantalon d'une main, semblait ravi.

— Eh bien, on pourrait dire que…

Il fit une pause, cherchant la formulation adéquate. Il baissa les yeux et les mots lui vinrent tout de suite.

— … que j'ai tenu le destin de villes entières *entre mes mains*.

La prostituée lâcha un petit cri de stupeur, puis chuchota :

— Et moi, tu crois que tu peux me tenir dans tes mains ?

Elle tira le bras apparemment inerte d'Anthony et l'obligea à poser sa main sur ses seins.

Il commença à les tripoter maladroitement, en essayant de les pincer.

— Hmmm… gémit-elle en feignant d'atteindre l'extase, raconte-moi… raconte-moi tout.

Anthony ponctua d'un rot son signe de tête.

— J'aimerais bien, mais je ne peux pas. Tu comprends, je…

— Oh, mais si ! Des hommes au pouvoir immense, des hommes qui affrontent le danger… Oh, sens comme mon cœur bat la chamade ! Mes genoux tremblent…

Avec un ronronnement, elle enfourcha Anthony et, les jambes serrées autour de sa taille, lui donna un aperçu de ses tremblements.

— Je suis désolé, mais…

— Si tu étais vraiment un de ces hommes, un homme dangereux et intrépide, je ne te demanderais pas un *penny*…

Ah ! Le coup de grâce. Non content d'être avare de paroles, Anthony était aussi incroyablement avare tout court. *Voilà qui devrait le convaincre de sauter le pas.*

L'intuition de Marlowe se révéla payante : cette nuit-là, Anthony raconta à la prostituée tout ce qu'il savait du trafic secret de la Compagnie moscovite et, dès qu'il se mit à ronfler, la jeune femme, ravie de gagner pour une fois de l'argent tout en restant habillée, répéta tout à Marlowe.

Pendant des dizaines d'années, dit-elle, la compagnie avait ravitaillé en armes Ivan, le tsar de toutes les Russies. C'est grâce à elles qu'il avait pu perpétrer ses terribles massacres.

— Qui est dans le coup ?

Elle lui donna les noms d'un riche négociant et d'un membre très important du gouvernement, morts depuis longtemps. Marlowe ne cilla pas. Mais quand elle nomma le troisième homme, un homme toujours en vie, Marlowe resta bouche bée. Il s'agissait de sir Francis Walsingham, son mentor et son modèle. Avec un haut-le-cœur, il se rappela ce que des témoins oculaires lui avaient dit des massacres d'Ivan : leur sauvagerie et leur ampleur dépassaient l'entendement.

Selon les aveux éthyliques d'Anthony, fournir Ivan en armes était le seul moyen de garantir le monopole de la compagnie dans son commerce avec la Russie, et ce monopole était trop rentable pour y renoncer. Et puis, la production d'armes en Angleterre n'était-elle pas largement excédentaire ?

Naturellement, les États baltes avaient haï la reine Élisabeth, qui armait le bras de leurs voisins sanguinaires. Elle avait réfuté leurs accusations mais, pour adoucir les alliés de l'Angleterre, avait proclamé officiellement qu'un tel commerce était interdit. Ce qui n'avait pas empêché le trafic de se poursuivre. Anthony n'avait pas précisé, malgré les habiles questions de la prostituée, si c'était avec le consentement secret de la reine.

Cette nuit-là, Marlowe était reparti vers son auberge en jurant à haute voix. Les meurtres et les massacres pouvaient certes attirer la foule dans les théâtres, pour autant il ne voulait pas y prendre part dans la vraie vie. Il avait envisagé de quitter son poste auprès de Walsingham. Puis il avait décidé de rester, mais en menant ses missions à sa guise, en faisant ce qu'il pensait juste.

C'était un équilibre délicat à maintenir – satisfaire ses employeurs et agir selon ses propres principes –, mais il y était parvenu tant bien que mal. Pour la reine et pour un pays qu'il avait parfaitement conscience d'idéaliser. C'était absurde, il le savait, et dangereux. Promis à une fin cruelle. Mais n'en allait-il pas ainsi de la vie ?

Aujourd'hui, certains hommes de la compagnie devaient manigancer un autre trafic. Qui ? Marlowe comprit qu'il y avait des dizaines de possibilités : sans doute la plupart des hommes les plus riches et les plus puissants de Londres avaient-ils partie liée avec la compagnie, que ce soit comme actionnaires ou comme responsables. Si une minorité d'entre eux avaient, de fait, relancé le trafic d'armes pour acheter des biens venus d'Orient, comment les identifier ? Désormais, tous leurs prédécesseurs étaient morts.

Marlowe savait qu'il n'aurait plus l'occasion d'obtenir par la ruse des informations auprès de son cousin. Sept ans s'étaient écoulés, mais chaque fois qu'Anthony apercevait le visage de Marlowe, il prenait un air renfrogné – quand il ne posait pas la main sur la poignée de son épée. *Je n'aurais pas dû le taquiner dès le lendemain matin, en lui rappelant par le menu comment je m'étais joué de lui...*

Soudain, il s'aperçut qu'Essex, actionnaire de la compagnie, pouvait très bien être impliqué lui aussi. Et que si Phelippes avait fait appel à lui, c'était pour voir si Essex et les autres conspirateurs protégeaient efficacement leur trafic.

Il ruminait cette hypothèse lorsque des cris distants firent vibrer l'air paisible du soir. Curieux, Marlowe se leva et avança en direction du vacarme, d'un pas rapide mais silencieux, dissimulé par l'épais rideau des arbres.

Les cris provenaient de l'étage le plus élevé de l'aile sud du palais. L'étable lui donnerait une vue imprenable sur l'étage en question, mais comment escalader ces hauts murs glissants ?

Il remarqua une petite fenêtre juste sous le niveau du toit. Il entra dans le bâtiment, passa devant le palefrenier endormi et prit une échelle. Il monta jusqu'à la fenêtre et, prenant appui sur le rebord extérieur, grimpa sur le toit.

Immédiatement, ses yeux se plantèrent sur deux silhouettes se découpant devant la fenêtre d'une échauguette érigée au sommet de l'aile sud. Un homme et une femme. Tous les deux paraissaient assez grands, l'homme large d'épaules et robuste, la femme mince et légèrement courbée, vêtue d'une robe volumineuse. Ses lourdes anglaises serpentines virevoltèrent quand elle gifla l'homme et se mit à marteler son torse.

Il partit brusquement.

— Robert ! Robert, reviens tout de suite ! cria-t-elle.

Ébahi, Marlowe comprit qu'il assistait à une scène entre Élisabeth et Essex... la reine et son jeune amant ! Elle disparut quelques instants du champ de vision de Marlowe, qui ne quittait pas des yeux l'échauguette. Soudain, un éclair d'argent, puis un autre. Des lambeaux de rideau de mousseline flottèrent dans l'air, et la reine apparut à nouveau devant la fenêtre, brandissant une épée. Le col de sa robe, incrusté de diamants, étincelait à la clarté lunaire.

Le visage blême de la reine était crispé par la colère et sa perruque rouge sombre était légèrement de travers. Pour la deuxième fois de la journée, Marlowe sortit sa pièce truquée et la tint à la lumière.

Vous êtes plus solennelle sur un penny que dans votre chambre, n'est-ce pas ma reine ?

Il regarda vers la fenêtre et constata que les traits du visage d'Élisabeth s'étaient apaisés. Seules les traînées noires striant son épais fard plâtreux trahissaient sa détresse. Elle disparut à nouveau et, un instant plus tard, les ornements sinueux d'une douce musique se firent entendre dans ses appartements.

Sans doute un consort de musiciens que je ne vois pas d'ici, songea Marlowe en observant une silhouette évoluant au son délicat d'un luth. Ses mouvements passaient d'une fluidité plaisante à une sécheresse presque violente.

Durant une fraction de seconde, Marlowe reconnut le visage : c'était celui de la reine, et elle dansait seule.

Marlowe regarda en contrebas et examina la pente du toit au sommet duquel il était juché. Puis, gonflant sa poitrine, étendant les bras et relevant légèrement le menton, il remua délicatement les pieds, dansant une pavane hésitante, quoique gracieuse, avec sa souveraine.

Soudain, Essex surgit dans la pièce, attrapa la reine par les épaules et l'embrassa avec fougue.

— Pardon, messire, mais je vous prie de ne pas nous interrompre, le réprimanda à mi-voix Marlowe.

Élisabeth repoussa Essex et lui montra du doigt la porte. Son courtisan parti, penaud, elle resta immobile. Les musiciens s'étaient tus.

Sur le toit de l'étable, Marlowe esquissa une révérence. *Ma reine ?* demanda-t-il.

Dans le palais, la musique reprit et la souveraine entama une nouvelle danse, rejoignant sans le savoir Marlowe dans une gaillarde pleine d'entrain.

Robert Devereux, second comte d'Essex, franchit le lourd portail de Greenwich Palace puis dévala les marches de l'embarcadère où l'attendait son bateau.

Conscients de l'humeur lunatique de leur employeur comme du caractère tempétueux de sa relation avec la reine, les marins avaient préféré dormir à bord plutôt qu'au palais. Essex les tira sans ménagement de leur sommeil. D'un pas maladroit, chacun alla prendre place à son poste et commença à ramer.

Trop furieux pour s'asseoir, Essex arpentait l'embarcation.

— Maudites promesses ! maugréait-il. Et maudit soit Cecil, cette créature pathétique !

En longeant la ville endormie de Deptford, Essex distingua une autre embarcation – une barque d'apparat presque aussi grande que la sienne – s'amarrer au flanc d'un quai à l'abandon. À son bord, il distingua de grandes caisses en bois. *Un riche Londonien fuyant la peste qui s'était récemment déclarée en ville, transportant pour l'été ses biens les plus précieux dans sa propriété à la campagne ?* Essex constata que la barque ne portait pas de nom, et que son équipage n'était vêtu d'aucune espèce d'uniforme reconnaissable. Les marins semblaient habillés de leurs vêtements habituels. Essex fronça les sourcils. Un homme capable d'acheter une telle embarcation n'avait-il pas envie d'être reconnu du monde entier ? *Comme c'est étrange.*

Essex laissa ses pensées retourner vers la reine. Avec quelle verve elle avait chanté les louanges de son ennemi, ce soir ! Une fois encore, elle avait refusé de le nommer, lui, Essex, secrétaire d'État ; une fois encore elle lui avait laissé entendre qu'il devait lui prouver sa supériorité sur Robert Cecil. Pourquoi refusait-elle de voir qu'un homme d'action, un homme qui avait croisé le fer avec l'ennemi sur le champ de bataille, était plus apte à remplir cette fonction qu'un écrivaillon timoré ?

Essex reprit ses jurons et son va-et-vient.

Vingt minutes plus tard, il se tenait dans le vaste hall de son manoir à Londres. Devant lui, fixée par des clous à une planche de bois, une toile sur laquelle était peint un portrait. Il prit une dague et, la tenant par la pointe, la lança vers le portrait. Violemment. La poignée heurta la toile fripée, la dague tomba sur le sol dallé dans un bruit métallique.

Fils de catin ! Que ton âme de bossu pourrisse en enfer !

Le souffle lourd, il essaya encore une fois. La deuxième dague écorna l'oreille droite de Robert Cecil, se fichant en vibrant dans la planche.

Ça ne suffit pas. Durant de longues minutes, Essex fixa les yeux honnis, les sombres demi-lunes gravées sous les paupières.

Puis il lança une troisième dague. Parfait. *Bientôt...*

7

New York, de nos jours. 20 h 33.

K ate visait sa tête. Il se rapprocha. Elle bloqua l'en-
chaînement rapide de ses deux directs, pivota sur
son talon gauche et, levant le genou droit, lança son
pied en avant.

Juste avant le contact, Slade attrapa sa cheville et, malgré la
sueur sur sa peau, la maintint fermement en l'air.

— Les yeux, Kate ! Qu'est-ce que je vous répète sans arrêt ?

— C'est vrai... Je peux récupérer ma jambe ?

— Jusqu'à la prochaine fois.

À nouveau sur ses deux pieds, Kate jeta ses gants et lissa ses
cheveux en arrière avant de les nouer en queue de cheval.

— Vous savez, si vous n'étiez pas mon vénérable aîné, une
légende vivante dans le monde de l'espionnage et, je dois l'admettre, mon héros personnel...

Elle avança vers Slade.

— Eh bien, si ce n'était pas le cas, alors je vous dirais qu'un
jour, je vous botterai le cul.

— J'attends, répondit Slade en lui décochant un sourire.

Il se retourna et alla chausser dans un coin du ring ses
sandales Nike. Puis, après avoir pris son sac de sport :

— Cela fait un moment que je vous attends.

Kate pratiquait les arts martiaux depuis son adolescence. Au lycée puis à l'université, elle avait même donné des cours de kick-boxing pour gagner un peu d'argent de poche, mais elle n'atteignait pas encore le niveau de Slade. Elle observa le dos de son patron, tout en muscles et taillé en V, moulé dans son T-shirt bleu.

— La vérité, chef, c'est que je retiens mes coups. Pour épargner encore un peu votre ego, vous comprenez, mais...

— Trop aimable.

Slade fouilla dans son sac de sport, en tira une bouteille d'eau et la tendit à Kate. Elle but quelques gorgées puis ramassa ses affaires. Peu après, ils sortaient de la salle de gym et marchaient dans l'air frais du soir.

— À propos du dossier Medina... Vous prenez l'avion pour Londres demain, je crois ?

— Oui. Sans doute par le dernier vol, répondit Kate. J'ai rendez-vous demain matin avec un de mes contacts pour préparer ma rencontre avec Tolomei, ensuite...

— Le type de Sotheby's ?

— Oui. Ensuite, en fin d'après-midi, je fais un point avec Medina sur l'avancée de notre enquête.

— Vous vous en sortez, de ce jonglage ? Si vous n'aviez pas le profil parfait pour ces deux missions, croyez bien que...

— Eh ! Ce n'est pas du jonglage lorsque l'on n'a que deux balles...

Slade sourit, puis regarda ostensiblement la blessure au cou de Kate.

— Gardez bien le contact cette fois-ci, compris ? Vous n'auriez jamais dû partir seule l'autre soir. Si j'avais su...

— OK, chef. Compris, chef, répondit Kate d'un ton badin.

Slade s'arrêta et lui fit face.

— Je suis sérieux, Kate. Vous avez failli vous faire tuer.

— Je sais. Je serai prudente.

— C'est ce que vous dites à chaque fois.

— Si ce n'était pas vrai, vous ne pourriez pas dire « à chaque fois ».

Slade soupira.

— Oh, allons ! Vous savez que je vous obéis toujours, chef. Vous parlez à quelqu'un qui sauterait d'une falaise pour vous suivre.

— Un point pour vous.

Elle lui donna un petit coup de poing sur l'épaule.

— Et je sauterais encore autant de fois que vous me le demanderez.

— Ce ne sera pas nécessaire, dans l'immédiat. En attendant, j'ai un tas de linge sale de la taille du Texas et une paire de chaussures qui auraient bien besoin d'un petit coup de...

— Bonne nuit, chef !

Quarante minutes et une douche rapide plus tard, Kate se retrouvait à Greenwich Village, dans l'odeur de renfermé flottant dans une librairie mal éclairée tenue par une amie de longue date. Un doigt tortillant une mèche échappée de son chignon grisonnant, une antique paire de lunettes à monture dorée arrimée sur son nez, Hannah Rosenberg inspectait la reliure du manuscrit de Medina.

— Oh ! Les coutures sont magnifiques... cuir noir du Maroc, très cher à l'époque... ce type de dorure était une nouvelle technique très à la mode dans l'Angleterre des Tudor...

Kate devait s'obliger à ne pas retenir son souffle.

— Et le papier ?

Hannah ouvrit le volume et le feuilleta, s'arrêtant çà et là pour étudier certaines pages à la lumière d'une lampe à faible voltage.

— Hmmm...

Elle alla chercher un stylo lumineux à fibre optique, chaussa une paire de lunettes teintées et reprit son examen.

Sachant que l'opération pourrait durer assez longtemps, Kate se leva et alla regarder les livres anciens rangés dans les bibliothèques vitrées qui tapissaient les murs de la boutique.

— Tu veux bien me servir un verre de vin ? demanda Hannah.

— Pas de problème, dit Kate.

Hannah habitait l'appartement situé juste au-dessus de la librairie. Lorsque Kate en redescendit avec deux verres de Merlot, la libraire lui annonça :

— Bonne nouvelle, ma chérie : selon moi, ta théorie est exacte.

— C'est-à-dire ?

— Eh bien, tout d'abord, le papier et l'encre correspondent tous les deux exactement à la période. Ce sont bien des pages écrites sur différentes sortes de papier du XVIe siècle, par plusieurs scripteurs différents. Ces papiers proviennent de toute l'Europe et presque aucune page ne vient de la même rame que la suivante. C'est extrêmement inhabituel pour un manuscrit relié, même pour un recueil de lettres. En page titre, nous avons un lin florentin assez épais, un peu spongieux, avec un filigrane en usage dans les années 1590. La page suivante est un papier chiffon anglais de mauvaise qualité, beaucoup plus ancien, de plusieurs dizaines d'années sans doute. La troisième est un parchemin vénitien, lui aussi bien plus ancien que la page titre.

Kate s'installa sur le tabouret à côté d'Hannah et se pencha sur le manuscrit, curieuse.

— Et plus on avance, plus le papier est récent, n'est-ce pas ?

Hannah hocha la tête.

— D'une façon générale, tout le recueil paraît assemblé de façon chronologique. Mais j'aurais encore besoin de quelques jours pour dater chaque page avec précision.

— Eh bien... j'ai besoin de garder le manuscrit mais...

— De toute façon, ma chérie, ce serait plus logique de commencer par décrypter le contenu.

— Tu as raison.

— Dans l'immédiat, on peut exclure l'hypothèse d'un faux moderne. Les gens fabriquent des faux pour gagner de l'argent, et un manuscrit pareil... avec autant d'auteurs et de papiers différents... oui, fabriquer un faux pareil serait un vrai cauchemar ! Ça prendrait un temps incroyable, ça coûterait trop cher…

Hannah plongea la main dans la poche de sa robe en lin noir et en sortit un paquet de chewing-gums à la nicotine.

— Maintenant, reprit-elle en mâchonnant, si on parvenait à convaincre un acheteur qu'il s'agit du recueil des rapports disparus de Walsingham, cela vaudrait quand même le coup, je suppose. Un article unique en son genre, d'un intérêt historique majeur, écrit à la main… Hmm… ça irait chercher dans les deux millions de dollars. Mais si ton client avait vraiment dans l'idée de s'enrichir, il aurait confié son manuscrit à une salle de ventes ou à quelqu'un comme moi. Pas à toi.

Kate acquiesça.

— Il n'a pas besoin d'argent, de toutes façons. Il est juste curieux de savoir pourquoi quelqu'un veut mettre la main sur son livre. À propos, voyons si c'est bien Phelippes qui a écrit la première page.

Kate tira de son sac à dos un dossier et en sortit plusieurs feuilles. À l'université, elle avait obtenu une bourse d'études pour aller en Angleterre faire des recherches sur l'espionnage durant l'ère élisabéthaine Après des semaines passées dans différentes bibliothèques et centres d'archives, elle était revenue avec des dizaines de documents copiés sur microfilms. Certains étaient écrits de la main de Phelippes. Elle donna les feuilles à Hannah.

— Peux-tu comparer les écritures ?

— Tu es certaine que Phelippes ne faisait pas appel à un secrétaire ?

— Certaine. Si ces rapports sont bien ce que nous pensons, alors ce recueil aurait été son bien le plus précieux, quelque chose qu'il aurait jalousement gardé, sans jamais le montrer à personne.

Hannah plaça les quatre feuilles devant elle, tout autour du manuscrit, qu'elle ouvrit à la page titre. L'œil rivé à sa loupe, elle examina tour à tour tous les échantillons d'écriture.

— Cela colle parfaitement. Et tu sais comme moi que la graphie élisabéthaine est à peu près impossible à imiter.

Elle leva les yeux vers Kate.

— Je ne peux pas le garantir à 100 % – personne dans ce métier ne le peut –, mais je pense que c'est bien Phelippes qui a écrit cette page. C'est aussi lui qui a constitué ce recueil de... euh... documents codés et qui les a fait relier par un artisan londonien. Quant à savoir si les autres pages proviennent des dossiers disparus de Walsingham... eh bien, c'est à toi de le prouver.

Elle referma le volume et le rendit à Kate. La jeune femme s'apprêtait à le ranger dans son coffret gris quand Hannah l'interrompit.

— Attends une minute... Je peux le revoir ?

Hannah reprit le livre et examina de près le second plat de couverture. Lentement, un sourire apparut sur son visage.

— Quoi donc ?

— On dirait que le travail du relieur a été interrompu, déclara Hannah en posant le manuscrit et en plaçant la lampe directement sur le second plat.

— Tu vois ces motifs à peine ébauchés ? demanda-t-elle en désignant les deux coins inférieurs. Trois dans ce coin-ci, deux dans l'autre ?

— Oh ! oui. Comment ai-je pu passer à côté ? murmura Kate.

Cinq rosettes semblables à fleurs vues de profil avaient été légèrement imprimées dans le cuir noir, laissant des motifs en creux presque indiscernables.

— À l'époque, un relieur habile, un artiste comme celui qui s'est occupé de ce volume, réalisait des ornements bien plus élaborés. Je suppose qu'il avait commencé à dessiner quelque chose d'assez sophistiqué – trois rosettes dans chaque coin, sans doute un grand motif au centre, davantage de filets, le tout doré à la feuille... mais il n'en a pas eu le temps.

— Parce que Phelippes était pressé de cacher son livre ! s'exclama Kate. Dès que la disparition des dossiers de Walsingham aurait été découverte, Phelippes aurait été parmi les principaux suspects. Je parie qu'il a caché son recueil dès qu'il a été achevé, car il se doutait que ses appartements seraient fouillés. À moins que...

Kate se mordit les lèvres. Les hypothèses se bousculaient.

— Il ne l'a peut-être pas fait relier tout de suite. Il a très bien pu garder tous les dossiers de Walsingham, pour menacer des gens ou les faire chanter. Et puis, un jour, il a eu peur que ces gens cherchent à détruire les preuves qu'il avait contre eux, *alors* il est allé voir un relieur.

— Les deux scénarios sont plausibles.

— Tu sais, Hannah, je me demande... non, impossible.

— Quoi ?

— Oh, je me faisais un film... Je me demandais si la raison pour laquelle Phelippes s'est dépêché de cacher le manuscrit avait un rapport avec la raison pour laquelle quelqu'un, aujourd'hui, essaye de le récupérer... Mais c'est absurde, n'est-ce pas ?

À trois pâtés de maisons de sa station de métro, dans l'East Midtown, Kate tourna dans sa rue. Sa maison, dont la façade en grès rouge était peu à peu recouverte par le lierre, était située à une centaine de mètres de l'East River. Kate était impatiente de se lancer dans le décryptage de *L'Anatomie des Secrets*. Elle gravissait l'escalier de marbre lorsque son téléphone portable vibra. Max.

— J'ai fait des recherches sur l'adresse mail que tu m'as donnée, tu sais, ce Dragon de Jade ? Impossible de remonter une piste complète – le type a utilisé plusieurs remaileurs [1] anonymes. Par contre, j'ai réussi à pirater l'ordinateur de Bill Mazur et j'ai pu lire les mails provenant de Dragon de Jade. Il a envoyé son premier message ce matin dans lequel il proposait à Mazur, contre 2 000 $, de réserver sa journée pour une mission non précisée. Mazur a répondu qu'il acceptait. Puis, pendant que toi et Medina discutiez au *Pierre*, Dragon de Jade a envoyé un autre mail indiquant le type de mission et le lieu : Mazur était censé voler ton sac et le laisser dans une consigne à Penn Station.

1- Sites Internet permettant de créer anonymement des adresses mail.

— Donc, il devait déjà avoir envoyé quelqu'un pour filer Medina, attendant le meilleur moment de voler le manuscrit. Pendant notre rendez-vous au *Pierre*, il s'est aperçu que Medina et moi parlions du manuscrit, et a dû penser que je repartirais avec. Bref, que j'étais une bonne poire.

— Oui. Et il s'est servi de Mazur comme d'un fusible au cas où les choses tourneraient mal. Tu n'as aucune idée de l'identité de ce type, ce Dragon ?

— C'est le même homme qui a envoyé un cambrioleur chez Medina. En dehors de ça, je ne sais rien. J'imagine que c'est un riche Anglais qui a beaucoup à cacher... ou à perdre.

— Quoi par exemple ? Un titre de noblesse ?

— Possible. Si cela signifie aussi des biens mobiliers, ou des terrains... La noblesse a tendance à perdre de son pouvoir, ces derniers temps. Cela me rappelle une histoire que j'ai lue il y a quelque temps : un propriétaire terrien écossais voulait vendre une chaîne de montagnes sur l'île de Skye pour plus de 15 millions de dollars. La démarche a entraîné une levée de boucliers de la part de la population, mais un tribunal a décrété que l'homme était bien le propriétaire des montagnes en vertu de documents datés des XVe et XVIIe siècles. Imagine que notre manuscrit contienne des preuves invalidant un droit de propriété de cette ampleur... Quelqu'un se donnerait du mal pour le voler, ça ne fait aucun doute.

— Tout juste. Eh, et s'il y avait un lien avec le gouvernement ou avec l'Église ?

— Tout ce qui serait en rapport direct avec Élisabeth n'aurait plus aucune valeur puisque la lignée des Tudor s'est éteinte avec elle. Mais une controverse religieuse... hmm... intéressant.

Max prit sa voix sombre de conspirateur.

— Il y a peut-être un passage sur un saint qui aimait les petits garçons, et un des gros bonnets du Vatican est prêt à tout pour étouffer le scandale...

— Comme si ça pouvait scandaliser qui que ce soit, l'interrompit Kate d'un ton narquois. De toute façon, je te tiens au courant.

— Tu as déjà décrypté quelques pages ?

— J'allais m'y mettre, dit-elle en ouvrant la porte d'entrée.

— Génial. À demain matin, alors. Et fais attention à toi, Kate. Je ne sais pas qui en a après ce bouquin, mais ça m'étonnerait qu'il renonce.

Kate lui souhaita bonne nuit puis alla chercher dans le réfrigérateur une canette de soda light. Elle s'installa dans le salon. Hormis deux murs tapissés de livres, la pièce ressemblait à un harem ou à une fumerie d'opium. Murs et plafond peints en rouge, fenêtres drapées de voilages à reflets dorés, table basse en bois exotique cernée de coussins turcs et posée sur un antique kilim hérité de sa grand-mère. Les retours de canapé, aux pieds sculptés en forme de cobra, venaient d'Afrique, et les abat-jour des lampes avaient été conçus par un vieil artisan florentin à partir de motifs médiévaux ; on y apercevait des créatures surnaturelles, des dragons à visage humain et à chevelure blonde... La décoration de la pièce s'était enrichie au fil des voyages de Kate et, malgré son éclectisme, le résultat était réussi. En tout cas à ses yeux. Un invité avait un jour soupçonné son décorateur d'abuser de substances illicites...

Kate s'installa dans le canapé et ouvrit son sac à dos noir. Banal en apparence, il s'agissait en réalité d'une housse renforcée pour ordinateur portable avec alarme intégrée. Elle sortit le manuscrit de son coffret et l'ouvrit à la cinquième page, celle dont elle avait reconnu l'écriture.

Selon les standards actuels, la plupart des codes et des chiffres de l'ère élisabéthaine seraient considérés comme extrêmement rudimentaires. À la base, ils sont tous fondés sur le remplacement de lettres et de noms propres par des signes, noms et mots inventés. Ainsi, le père de Robert Cecil et principal conseiller de la reine utilisait les symboles du zodiaque pour désigner divers monarques européens et autres personnages politiques importants. Un autre courtisan préférait se servir des jours de la semaine.

L'écriture dont Kate s'occupait à présent était entièrement composée de motifs inventés. Comme elle l'avait déjà dit à

Medina, elle en reconnaissait trois, utilisés pour représenter l'Angleterre, la France et l'Espagne. Mais où les avait-elle déjà vus ? Après quelques minutes passées à fouiller dans sa mémoire, elle se rappela : une clé de chiffrage qu'elle avait étudiée aux Archives nationales de Londres.

Elle passa au peigne fin l'un de ses classeurs à tiroirs et finit par trouver le bon dossier. Grâce à la copie microfilmée du code, elle parvint à déchiffrer deux autres symboles sur la page : un croissant de lune barré d'une ligne indiquait le roi Philippe II d'Espagne, deux lettres « c » adossées et séparées d'un trait vertical représentaient le pape.

Ces cinq symboles étaient disposés sur la page de façon isolée. Tous les autres formaient des groupes. Elle en conclut que chaque symbole représentait une lettre anglaise et que les groupes formaient des mots. Elle passa la page dans le scanner intégré de l'ordinateur, puis lança son logiciel de décryptage.

Décoder les dix pages suivantes ne fut pas aussi simple. La procédure était même carrément lente et fastidieuse, mais il en fallait plus pour décourager Kate.

Quelques heures plus tard, elle était plongée jusqu'au cou dans des histoires croustillantes de magouilles et de meurtres remontant à la Renaissance. Elle était au paradis. Pendant ce temps, son père, lui, était en enfer.

Washington D.C. 1 h 24.

Sur les hauts de Georgetown, la lune éclairait une maison simple quoique imposante, tout en brique blanche. Au quatrième étage, le sénateur Donovan Morgan était assis dans son bureau. Seul. Toutes lumières éteintes. Il fixait d'un regard hébété l'écran de son ordinateur où tournait en boucle pour la septième fois une mauvaise vidéo en noir et blanc. Elle été arrivée dans sa boîte mail un quart d'heure plus tôt.

Le jeune homme est assis par terre dans une cellule de prison, tête baissée sur son torse. Son corps maigre est couvert d'ecchymoses. Sur ses plantes de pied, des plaques de sang coagulé striées de zébrures blanches suintantes. Des traces de piqûre sur ses bras laissent deviner qu'il a reçu de multiples injections de penthotal ou d'une autre substance similaire. Un gardien entre dans la cellule en vociférant. L'homme lève le visage vers lui, son œil ouvert est vitreux, l'autre est fermé par une boursouflure de chair sombre.

D'une main tremblante, Morgan déplaça le curseur de la souris sur le bouton « stop » du lecteur et la scène se figea.

C'est son visage, cela ne fait aucun doute, pensa Morgan en scrutant les traits de cet espion qu'il connaissait bien. Mais était-ce un vrai film, ou le visage avait-il été scanné sur une vieille photo et incorporé dans la scène ? Ils disaient qu'il avait été tué pendant l'opération. Ils se trompaient donc ?

L'espion avait participé à une mission dont Morgan, alors président de la Commission d'enquête du Sénat sur le Renseignement, était parfaitement informé. Mais elle avait échoué et l'homme avait disparu. Nul ne savait ce qu'il était devenu, jusqu'à ce que sa mort soit finalement confirmée en haut lieu. Était-il possible qu'il soit encore en vie ?

Cet espoir fugace s'estompa. Même si leur espion avait survécu à sa capture, il avait dû être exécuté après avoir subi les tortures les plus atroces. Des tortures pires que la mort. Morgan se sentait responsable, submergé par la culpabilité. Il cliqua sur le bouton « lecture » et regarda le gardien agripper le bras osseux du prisonnier, le forcer à se lever puis le traîner, titubant, hors de sa cellule.

Fin du film. Morgan s'enfonça dans son fauteuil et le fit pivoter pour regarder par la fenêtre. La lune étonnamment brillante faisait scintiller les gouttes de rosée suspendues aux feuilles de son orme. Mais Morgan ne les voyait pas. Les images, qui hantaient son esprit, avaient comme voilé ses yeux. Il n'avait plus touché à un verre d'alcool depuis cinq ans mais… bon sang, qu'il avait soif !

Il composa le numéro de Jeremy Slade.

— Je dois te voir. C'est à propos d'Achéron.

8

Votre marchand machiavélique vide nos caisses
Vos usuriers avides nous saignent à blanc
Vos artistes et vos artisans nous harcèlent sans cesse
Tels des Juifs, vous nous dévorez lentement.
Puisque sourde aux paroles, aux intimidations
Votre engeance gangrène notre corps souffrant
Jusque dans vos temples nous vous égorgerons
Aucun massacre à Paris n'aura fait couler tant de sang.
Placard anonyme, signé « *Tamerlan* »

Londres, mai 1593. La nuit.

Un moment, l'espion tapi dans l'ombre scruta la rue à la recherche d'un passant. Personne. Parfait. Il continua.

Sa destination apparut bientôt : une petite église où se réunissaient les immigrants hollandais, ces chiens avides volant le travail des honnêtes citoyens anglais. Plaqué au coin d'une maison, il jeta un coup d'œil sur le parvis. Nulle âme qui vive. Il avança.

Il tira de son pourpoint un rouleau de parchemin qui pesait dans sa main aussi lourd que l'acier. S'il était pris, son employeur lui tournerait le dos et ce serait la prison assurée.

Les doigts tremblants, il déroula le poème et le cloua à la porte de l'église.

Ces vers menaçant de mort les immigrants de Londres frapperaient de terreur les Hollandais. Et ils plongeraient aussi, il le savait, Kit Marlowe dans un déluge d'ennuis. Car ce poème haineux signé « Tamerlan » contenait d'autres références aux pièces de Marlowe. Les autorités en concluraient certainement que le célèbre dramaturge avait une influence désastreuse sur la société et n'était en réalité qu'un mécréant soufflant au peuple des idées de meurtres et de violence.

Aussitôt les yeux de l'espion se fixèrent sur ses vers préférés. Incapable de résister à l'envie de les lire une dernière fois, il murmura : « *Jusque dans vos temples nous vous égorgerons / Aucun massacre à Paris n'aura fait couler tant de sang.* » Excellent, pensa-t-il avec fierté.

Le Massacre à Paris, la nouvelle pièce de Marlowe à propos du massacre des protestants français lors de la Saint-Barthélemy en 1572, avait été donné au théâtre de la Rose cet hiver, juste avant qu'une épidémie de peste n'oblige les théâtres à fermer leurs portes. La référence au titre de Marlowe n'échapperait à personne : *Le Massacre à Paris* avait été la pièce qui avait attiré le plus de spectateurs cette année et, l'espion devait bien l'admettre, elle était vraiment magnifique : une série de scènes de meurtre qui portait les nerfs à incandescence.

L'espion ignorait pourquoi son employeur voulait à ce point la perte de Marlowe, mais ce poème y contribuerait certainement. Depuis plus d'un mois, d'autres placards anti-immigrants, tous anonymes, étaient apparus dans la ville, et le Conseil Privé avait formé une commission spéciale de cinq hommes afin de démasquer les coupables. S'il y avait bien une chose que le gouvernement voulait éviter, c'était de nouvelles émeutes ensanglantant les rues de Londres. Enfin, on prétendait que la reine elle-même se sentait insultée, car elle considérait les immigrants – des protestants qui avaient fui leurs pays ravagés par la guerre – comme ses amis. Ainsi, pour traquer ceux qui l'avaient insultée, des poignets seraient enchaînés, des articulations broyées, des os écrasés.

Se faufilant hors du parvis, l'espion résista à l'envie de courir. Ce n'était pas le moment de se faire repérer – pourtant, il mourait d'envie d'être loin de ce quartier pour que l'aube le trouve chez lui, au lit.

Greenwich. Le matin.

Marlowe marchait vers Deptford, cette ville portuaire où se retrouvaient soldats, marchands, négociants, explorateurs et pirates. Il laissait derrière lui les tours de Greenwich Palace empanachées de nuages après un orage bref mais intense. Un vent glacé faisait frissonner les minces branches des arbres. À chaque bourrasque, des gouttes d'eau tombaient dans les flaques remplissant les ornières creusées par les chariots.

Marlowe franchit le pont de bois au-dessus de Deptford Creek et longea une vaste étendue herbeuse pour rejoindre sa taverne habituelle. La petite ville tapageuse paraissait bondée. Le trop-plein de Greenwich, pensa-t-il, auquel s'ajoutait les Londoniens fuyant la peste qui s'était déclarée au printemps. À un tournant, l'enseigne grivoise du *Cardinal's Hat* apparut. Il entra.

Tandis qu'il traversait la salle, il entendit quelques phrases en français et en italien ; sans doute les danseurs et musiciens étrangers qui déambulaient chaque jour dans les rues de Deptford et, le soir venu, divertissaient la reine à Greenwich.

Dans un coin sombre de la taverne, Marlowe repéra l'ami qu'il était venu voir, toujours assis à la même table. Son visage était invisible car dissimulé par une serveuse accorte aux longs cheveux flamboyants et au corsage généreux, mais Marlowe reconnut tout de suite la main grassouillette, qui palpait les rondeurs de la femme.

L'énorme corpulence héritée de son père William avait valu à Olivier Fitzwilliam, 65 ans, le surnom de « Fitz Fat » – littéralement « le fils du gros ». Il était l'un des chefs des douanes de Sa Majesté, mais pas son plus loyal : il touchait des pots-de-vin plus souvent qu'il allait à la selle et notait tous ses trafics dans un cahier secret.

La serveuse écarta le bras de Fitz Fat, posa si vigoureusement la chope sur la table qu'elle manqua renverser le liquide ambré, puis tourna les talons en jurant.

— Kit ! Viens donc par ici ! s'écria Fitzwilliam tout en suivant des yeux la jeune beauté. C'est une nouvelle... Ambrosia. Un nom prédestiné pour travailler ici, pas vrai ? Bon dieu, je vendrais mon âme au diable pour passer une nuit avec elle.

— Quelques pennies devraient suffire, répondit Marlowe en se glissant sur le banc.

Les yeux larmoyants, Fitzwilliam soupira.

— Bah... à ce qu'elle dit, tout l'argent d'Angleterre ne suffirait pas pour la faire gravir cette gigantesque montagne de chair...

Marlowe fit un effort pour garder son sérieux.

— Elle a peut-être été ensorcelée ? La lune a dû prendre possession de son esprit...

Toujours abattu, Fitzwilliam hocha lentement la tête. Quelques secondes plus tard, pourtant, il affichait un large sourire et commanda d'une voix tonitruante un autre bock de bière.

Marlowe n'était pas surpris. L'humeur de son ami changeait plus rapidement que le ciel d'Angleterre au printemps.

— Un sale gros bestiau, l'ami que vous avez là ! maugréa Ambrosia en posant la chope de bière devant Marlowe.

Imperturbable, Fitzwilliam leva la sienne et porta un toast :

— À tes rimes gaillardes et à leur extraordinaire succès !

— À Ovide ! Que Dieu bénisse son esprit mal tourné ! Et à toi, pour son périple sans nuage...

Fitzwilliam s'était occupé de faire acheminer depuis la Hollande puis passer en douane le recueil des *Amours* d'Ovide récemment traduit par Marlowe.

Les deux chopes se heurtèrent.

— *Quelles épaules, quels bras je pus voir et toucher ! | Quelle gorge parfaite il me fut donné de presser ! Quel doux ventre sous sa taille divine ! Quelle belle jambe et quelle... et quelle...*

Euh, *ronde cuisse* ? Non, c'est quoi, Kit ? *Quelle cuisse ronde et dodue* ?

— Eh bien, normalement c'est *leste*, mais si tu préfères *ronde et dodue*, après tout…

— Non, *leste* j'aime bien. Je te conseille de le garder.

— Entendu ! Et maintenant, Fitz, dis-moi : quelles nouvelles ? Tu as mis la main sur de nouveaux trafiquants ces deux dernières semaines ?

Fitzwilliam passa un doigt pensif sur la chair flasque de son double menton.

— Voyons… Un espion qui cachait des messages de la cour d'Espagne dans les boutons de son pourpoint.

— Comment l'as-tu démasqué ?

— Il était déguisé en joueur de luth. Il prétendait que le Hollandais l'envoyait, en guise de cadeau, pour divertir la reine, mais notre gredin avait l'air nerveux. Alors je lui ai demandé de nous jouer quelque chose, et là…

Fitzwilliam se boucha les oreilles en grimaçant atrocement. Marlowe éclata de rire.

— Sinon, rien que de très habituel : quelques prêtres essayant de s'infiltrer, avec des bibles latines cachées sous leurs vêtements.

— Tu barres le passage aux bibles et tu laisses entrer les poèmes érotiques… Fitz, tu es un trésor national !

Le gros homme rougit.

— Et toi, Kit, qu'est-ce qui t'amène dans les parages ? Simple curiosité ou une affaire très *spéciale* ?

Fitzwilliam était l'une des rares personnes à connaître l'activité secrète de Marlowe, et les manières peu orthodoxes avec lesquelles il menait à bien ses missions. Ils avaient fait connaissance plusieurs années auparavant, à l'époque où Francis Walsingham avait envoyé Marlowe enquêter sur un réseau de contrebande de livres censé opérer non loin de Deptford.

Marlowe avait rapidement identifié Fitzwilliam comme étant le chef de ce réseau, mais, au lieu d'en informer Walsingham, il avait conclu un marché avec le chef des Douanes. Marlowe ne le dénoncerait pas, il endormirait même les craintes de Walsingham en lui apportant quelques caisses de livres interdits tout en lui annonçant que le chef du réseau s'était enfui en Angleterre. En échange, Fitzwilliam autoriserait Marlowe à recourir à son réseau autant de fois qu'il le souhaiterait.

Bien sûr, il devrait désormais redoubler de prudence.

— Eh bien, puisque tu en parles… J'aurais quelques questions à te poser.

— Demande à cette gueuse dévergondée de m'apporter un verre de vin des Canaries et je suis prêt à me répandre…

— Au sens figuré, j'espère ?

Après avoir passé commande du vin en question, Marlowe reprit :

— Un jour, tu m'as raconté que ton père avait détenu des parts dans la Compagnie moscovite. Qu'est-ce que tu sais de cette compagnie ?

— Un ramassis de valets de satan, tous autant qu'ils sont ! articula Fitzwilliam d'un air dégoûté, comme si chaque mot avait la consistance du limon. Il faudrait tous les pendre !

— De simples marchands ?

— Ils ont raflé la fortune de mon père. Et souillé à jamais sa réputation.

— Comment cela ?

— Il faisait partie des tout premiers investisseurs. C'est grâce à lui que cette satanée expédition pour Moscou a pu avoir lieu, il y a bien longtemps. Trois vaisseaux sont partis, un seul a atteint la cour de Russie. Les autres sont restés piégés dans les glaces. Tous les hommes d'équipage sont morts de froid. Le trajet par le nord était trop difficile pour espérer en tirer de vrais profits, mais mon père a continué à investir. Les désastres se sont succédé – des entrepôts incendiés, d'autres navires perdus, ces sales Turcs bloquant le passage vers la Perse –, mais tous ces marchands avaient le même rêve…

— Le passage du Nord-Est ?

— Évidemment. Tu imagines ? Un passage secret vers l'Orient ! Mais il y a quelques années, les dirigeants de la compagnie ont décidé de tirer un trait sur leurs dettes et

d'émettre de nouvelles actions. Dès lors, les premiers actionnaires n'avaient plus aucun moyen de récupérer leur argent.
Mon père a décidé de porter l'affaire devant la cour, mais
le conseiller du ministre de la Justice était un homme de la
compagnie, alors...

Il tapa du poing sur la table.

— ... alors ils ont accusé mon père de détournement de
fonds !

— Les chiens !

— Ils ne méritent même pas de pourrir en enfer. Une chance
que j'aie eu les moyens de pourvoir tout seul aux besoins de
ma famille. J'ai commencé à voler des bibles anglicanes quand
« Bloody Mary [1] » était sur le trône. Hélas...

Il secoua la tête tristement.

— ... mon père n'a jamais accepté de travailler avec moi. Il
a toujours voulu rester dans la légalité. Être accusé de tricherie
lui a brisé le cœur. Le jour de sa mort, il était aussi triste que
la lyre d'Orphée.

Ils restèrent silencieux quelques instants, puis Marlowe
demanda :

— Tu as déjà entendu dire que les marchands de la compagnie faisaient entrer en contrebande des produits venus
d'Orient ?

— Jamais, non. Mais si ces misérables trafiquent quoi que
soit sans payer leur tribut...

— Quand les navires de la compagnie quittent-ils Deptford ?

— À la fin du mois, quelques-uns partent pour la Russie.

— Si tu pouvais procéder à un contrôle juste avant leur
départ... Il y a peut-être des armes à bord.

— Avec joie. Ah oui, Kit, je ne sais pas si ça te sera utile,
mais un jeune marin de la compagnie est passé par la douane
l'autre jour. Il venait de débarquer d'un de leurs bateaux en
provenance de Rouen. Il rendait visite à sa famille, à ce qu'il
prétendait.

— De Rouen, dis-tu ?

1- « Marie la Sanglante » : surnom de Mary d'Angleterre, ou Marie Tudor (1516-1558).

— La compagnie échange du tissu anglais contre du papier français, puis expédie le papier en Russie.

— Tu te souviens de son nom ? À quoi ressemblait-il ?

— Lee Andressen. Impossible de l'oublier. Un visage d'ange, bien trop jeune pour être marin. Des cheveux courts aux reflets d'or, une fine moustache, un gilet de cuir, des cuissardes… voyons… noires, non couleur tabac… et un petit anneau doré à chaque oreille. Il ne transportait rien d'illégal mais quelque chose me gênait chez lui. Ce n'est pas qu'il était nerveux… En fait, c'était ça qui me gênait : il était trop calme.

— Et alors ?

— Il avait une dizaine de pièces d'or. Je l'ai laissé passer – mais je me suis assuré qu'il ne pourrait pas aller bien loin.

L'expression neutre de Fitzwilliam laissa place à un sourire vorace.

— Je lui ai confisqué ses papiers. Parfaitement monsieur : notre jeune ami est coincé ici comme un mulot dans une souricière.

Quelques minutes plus tard, Marlowe marchait en direction de Deptford Strand, cette partie des quais de la Tamise entièrement constituée d'entrepôts, de chantiers navals et de docks. Un centre nerveux vibrionnant d'activités, lieu de passage obligé pour tous les explorateurs, les marchands, les pirates et les soldats. De l'autre côté du fleuve, les bas-fonds du monde élisabéthain : la lugubre île aux Chiens, avec ses forêts et ses marais peuplés de criminels à l'affût, avec ses berges léchées par des eaux usées stagnantes. Cette île aux mille dangers offrait un contraste saisissant avec les fastes royaux de Greenwich Palace, dont Marlowe apercevait les lumières scintillantes, sur sa droite, moins d'un kilomètre en aval.

Il s'arrêta à l'entrée des docks et observa les marins décharger une cargaison de tissus chatoyants – satin, velours, dentelles d'or et argent – pour la transporter dans différents entrepôts. D'autres effectuaient la manœuvre inverse, chargeant ce qui, d'après l'odeur, ressemblait à des caisses de laine et de charbon.

Soudain, de l'agitation. Deux jeunes marins en venaient aux mains.

Il aurait fallu plus qu'une rixe pour que les autres marins réagissent, mais c'était exactement l'opportunité dont Marlowe avait besoin. Il s'approcha des deux hommes et, à quelques mètres d'eux, s'éclaircit bruyamment la gorge.

Surpris, ils s'interrompirent.

— Messieurs, j'ai une proposition pour vous.

Les deux marins lui lancèrent un regard perplexe.

— Je suppose que c'est une affaire d'argent qui vous oppose. Je vous donne à chacun la somme en question si vous m'accordez quelques minutes de votre temps.

Ils plissèrent les yeux, soupçonneux.

— Vous échangez dix mots, peut-être vingt, avec un homme que vous croiserez sur la route, puis vous disparaissez.

— Vraiment ?

— Marché conclu ?

Ils acquiescèrent.

— Parfait. Dites-moi, vous avez entendu parler du *Madre de Dios* ?

Ils secouèrent négativement la tête.

— Il y a environ un an, des corsaires anglais ont arraisonné un carrack portugais, le *Madre de Dios,* qui rentrait des Indes orientales. À bord, une cargaison estimée à 300 000 livres. Le temps d'arriver au port de Dartmouth, tous ceux qui en avaient entendu parler étaient déjà là et se sont servis. Toute la ville sentait le poivre et le clou de girofle, la noix de muscade et la cannelle de Java. Les cheveux des habitants ont gardé ce parfum pendant des semaines. Et voici, mes amis, l'idée que cette histoire m'a donné…

Trente minutes et une dizaine de répétitions plus tard, les deux ex-pugilistes se précipitaient vers l'entrepôt de la Compagnie moscovite et tambourinaient à la porte.

Pas de réponse.

Ils frappèrent encore. Un homme imposant leur ouvrit, la lèvre supérieure retroussée dans un rictus hargneux.

Un garde surpris en pleine sieste, se dit Marlowe qui se tenait juste à côté, invisible, et surveillait ses comédiens improvisés. *Parfait... il a l'air d'être seul à l'intérieur.*

— L'ami, tu aurais un sac à nous donner, ou une caisse vide, ou...

— Bougre de nom de dieu ! Foutez-moi le camp ! rugit le garde.

Marlowe se mordit la lèvre en voyant le garde refermer la porte. *Insistez, messieurs, insistez !*

Un des marins coinça le pied dans la porte.

— Tu n'es pas au courant ? Bon sang, à moins d'un kilomètre en aval... un autre *Madre de Dios* ! Gardé par seulement deux hommes. Si nous ne nous dépêchons pas, tous ses trésors vont nous passer sous le nez !

Les yeux du garde pétillaient, mais il devait encore bouger.

C'était à Marlowe d'entrer en scène. Il arriva en courant, les cheveux légèrement saupoudrés de poivre et, hors d'haleine, demanda aux marins :

— Vous avez les caisses ?

Ils prirent un air paniqué.

— Sir, nous étions en train de...

À cet instant, le garde sentit dans ses narines la démangeaison. Il éternua, puis sourit. Il ouvrit grand la porte et se précipita dans l'entrepôt.

— Nos caisses sont pleines à ras bord mais...

Il réapparut quelques minutes plus tard. Avec un sourire sournois, il ferma la porte puis partit en courant en emportant plusieurs sacs de jute, laissant les marins avec deux lourdes caisses en bois.

Du moins, c'est ce qu'il croyait. Marlowe avait d'autres projets.

Il paya la somme promise aux marins puis, après leur départ, déverrouilla la serrure de la porte avec deux pincettes en bois. *J'ai vingt minutes avant le retour de ce bouffon de garde*. Il pénétra dans un petit bureau, s'agenouilla devant une étagère et parcourut une dizaine de registres. Rien.

Il fouilla dans plusieurs tiroirs, trouva sept manuscrits sous forme de rouleaux scellés. Il alluma l'unique chandelier du bureau, tira de sa poche un morceau de fil de fer qu'il passa à la flamme. Puis il le glissa sous chaque sceau.

Oh non ! Des lettres écrites dans un style impossible par un homme – le gardien, sans doute – à une femme nommée Moll. Il enroula les manuscrits et les recacheta en se servant à nouveau de la flamme de la bougie. Inutile de laisser la moindre trace.

En circulant dans l'entrepôt, Marlowe sentait les produits destinés à la Russie – tissus de laine, vin, raisins de Corinthe – et voyait les autres : des grains de sel et de sucre tapissaient le sol, quelques feuilles de papier français froissées traînaient dans les coins. Fitz Fat lui ayant raconté qu'un navire de la compagnie transportant du papier avait récemment accosté à Deptford, il commença à inspecter plusieurs boîtes. Chacune contenait deux rames de papier velouté et luisant – pour Marlowe, c'était une vision enchanteresse.

Jamais, il n'avait écrit sur un papier de cette qualité.

Il en était à la moitié du temps imparti, et il lui restait encore à trouver quelque chose d'inhabituel. Une autre boîte… Encore du papier. Il refusait de s'être donné tant de mal pour rien. Il souleva une feuille – et regarda, ébahi, ce qu'il venait de découvrir.

Une cavité rectangulaire d'environ 20 centimètres de profondeur, longue et large comme deux pieds masculins, avait été découpée dans la rame. Elle était vide, mais… *juste assez grande.*

Il quitta l'entrepôt et se précipita vers les étables voisines pour louer un cheval. Il devait se rendre sans tarder à Scadbury House, la propriété de son meilleur ami, dans la luxuriante campagne du comté de Kent.

Westminster, Angleterre. Fin de matinée.

Dans une pièce étouffante et sans fenêtres à côté de la Chambre étoilée [1], cinq hommes en colère assis autour d'une table lisaient le dernier placard anti-immigrant. C'était le sixième qu'ils voyaient ce mois-ci, et de loin le plus menaçant. Le Conseil Privé leur avait ordonné de démasquer les auteurs anonymes de ces libelles. Rapidement.

— Tous les artisans et tous les apprentis de la ville sont des suspects, remarqua un des membres de la commission. Ils détestent tous les étrangers.

— Proposons une récompense pour toute information, dit un autre. Cent couronnes.

Tous approuvèrent.

— Peut-être faudrait-il creuser la piste Marlowe, suggéra un troisième homme. Fouiller ses logements, ceux de ses associés...

— ... et envoyer des agents le chercher pour un interrogatoire immédiat, ajouta un quatrième.

À cet instant, un jeune coursier entra dans la pièce, porteur d'un document apparemment officiel. Il le remit au chef de la commission.

— Messieurs, déclara ce dernier après avoir pris connaissance du message, notre mission s'annonce plus facile que nous l'espérions. Le Conseil Privé nous autorise désormais à obtenir des informations d'un suspect réticent par *tous les moyens* que nous estimerons nécessaires.

1- Salle où siégeait la cour de justice anglaise – par extension, nom de cette cour de justice, abolie en 1641.

9

New York, de nos jours. 8 h 26.

Kate se tenait à l'entrée du café *Doma*, à West Village, cherchant parmi les clients un visage familier. Un homme aux cheveux d'argent et à la tenue extravagante était assis tout au fond de la salle, devant un expresso et une brioche au sucre. Il suivait du regard un jeune garçon sur le point de sortir.

Apercevant Kate, il lui adressa un sourire effronté.

— Ma chère, comment m'avez-vous retrouvé ?

Elle s'assit en face de lui et commanda un mokacchino.

— J'ai glissé un mouchard dans votre mallette le mois dernier. Enfin… non, pas exactement. C'est juste que vous êtes devenu un peu…

— … prévisible ? Oh ! Comme c'est *fâcheux,* gémit-il avec un accent géorgien traînant. D'un autre côté, cela me vaut une *délicieuse* surprise.

Edward Cheery, cadre supérieur chez Sotheby's et « belle de jour » autoproclamée, était un homme adorable. Porté sur la magouille et peu soucieux d'éthique, certes, mais cela pouvait parfois se révéler utile. C'est pourquoi Kate avait noué avec lui, au fil du temps, une relation privilégiée. À force de flatteries, de démonstrations d'amitié, sans oublier de lui donner l'impression qu'elle partageait sa moralité élastique, elle avait fini par gagner sa confiance.

— Alors, à quoi dois-je ce plaisir ? demanda-t-il en tapotant les commissures de ses lèvres d'un coin de mouchoir.

— À un petit service qui pourrait m'être utile.

Kate se pencha vers lui et, d'un ton confidentiel :

— Un de mes clients possède une collection dont il aimerait vendre quelques pièces en toute discrétion, si vous voyez ce que je veux dire. Ces objets ne sont pas exactement adaptés à une vente publique.

— Je vois, chantonna Edward avec un sourire de conspirateur.

Kate reprit son histoire inventée, ponctuant son récit de coups d'œil inquiets autour d'elle.

— Mon client veut entrer en contact avec un marchand d'art basé à Rome, un certain Luca de Tolomei, et il m'a demandé de me renseigner sur lui. Tolomei a la réputation de s'occuper de ce type d'affaires. Mon client m'a demandé de m'en assurer, et d'évaluer son goût. Qu'est-ce que vous savez de lui ?

— Pas beaucoup plus que ce que colportent les rumeurs. Mais je peux me renseigner pour vous. Je peux vérifier nos livres de comptes en Europe pour voir quel genre d'œuvres il aime. Je peux même passer quelques coups de fil à ces petits voyous de chez Christie's.

— Mon client aimerait surtout savoir si Tolomei s'intéresse aux antiquités du Moyen-Orient. De Perse, en particulier.

— Je verrai ce que je peux faire.

— Une dernière chose : est-ce qu'il assiste à l'une de vos ventes cette semaine ?

C'était la saison des ventes aux enchères : pendant une semaine, Christie's et Sotheby's organisaient tous les soirs des ventes privées de tableaux impressionnistes et d'art moderne.

— J'aimerais le rencontrer.

— Hmmm... Il ne sera pas à New York, mais je crois qu'il

ne rate jamais la vente de Londres. Elle a lieu demain soir. Est-ce que ça...

— Parfait ! En plus, je dois me rendre là-bas pour une autre affaire.

— Je vérifie sur la liste des invités et je vous appelle dans l'après-midi.

Kate battit outrageusement des cils. Edward rit.

— Oui, chère enfant. Je ferai en sorte que votre nom figure sur la liste.

— Merci. Et maintenant, y a-t-il *quelqu'un* sur qui vous auriez besoin de tuyaux compromettants ?

— Pas pour l'instant, dit-il d'une voix douce en lui prenant la main. Mais, ma jolie, que cela ne vous empêche pas de me délecter des derniers ragots. Alors ? Qui prépare quoi ? Qui saute qui ? Qu'est-ce que je devrais savoir ?

— Oh, j'ai une info incroyable, de l'or en barre, vraiment. Mais... c'est peut-être un tout petit hors sujet pour vous.

Elle fit mine de réfléchir.

— Hmmm... voyons, qu'est-ce que je pourrais vous raconter d'autre...

— Si vous ne crachez pas le morceau, je hurle.

Rome. 14 h 34.

Bien loin de là, à l'arrière d'un restaurant familial situé aux limites de la ville, un homme d'affaires pakistanais aux cheveux longs faisait les cent pas dans une ruelle pavée. Il écumait de rage. Deux associés se tenaient à l'écart, attendant les instructions.

— Cette fois, c'en est trop ! éructa Khadar Khan.

Il s'arrêta et brisa d'un coup de poing la vitre d'un des boxes bordant l'allée. Puis, serrant son poing sanglant, il fixa ses associés dans les yeux.

— Entrez là dedans et expliquez poliment à M. de Tolomei que j'ai reconsidéré son offre et que notre marché est annulé. Ensuite, vous me ferez le plaisir de lui exploser la tête.

Les deux hommes armés disparurent à l'intérieur de la *trattoria* et se rendirent dans l'arrière-salle où, quelques minutes plus tôt, leur patron avait partagé un poulpe grillé et une carafe de vin avec l'homme, dont ils s'apprêtaient à abréger l'existence. En entrant dans l'étroit couloir voûté conduisant à la pièce aux murs de pierre, ils entendirent le cliquetis des couverts.

Ils prirent position de chaque côté du couloir, fixèrent un silencieux au canon de leur Beretta puis, après un échange de regard, jaillirent de leur recoin et firent irruption dans l'arrière-salle.

Ils n'eurent pas besoin de tirer : la pièce était vide. Sur la table recouverte d'une nappe ancienne damassée, trois assiettes les attendaient, sur lesquelles étaient posées trois parts d'un splendide gâteau au chocolat.

Une voix derrière eux les fit sursauter. Un serveur en queue-de-pie tenant une troisième chaise leur déclara :

— Le monsieur pensait que vous et votre patron auriez envie d'un dessert…

Pendant que les deux tueurs inspectaient nerveusement la pièce, à cinq mètres en dessous d'eux, une silhouette s'éloignait en sifflotant dans le couloir souterrain d'une catacombe chrétienne oubliée.

New York. 20 h 37.

— Notre ami Tolomei fréquente des fils de putes de premier ordre, annonça Max à Kate lorsqu'elle retourna au bureau.

Elle déposa sur sa table un café et quelques viennoiseries de chez *Doma*, puis s'assit à côté de lui.

— Bon sang, tu sabotes mon régime, grogna-t-il en tapotant son ventre de Bouddha.

— Désolée. Je n'avais pas compris que tu t'y étais remis.

— Eh bien, grâce à toi, ce n'est plus le cas, répondit-il, la bouche pleine de croissant.

— J'ai essayé de te dégoter le visage de Tolomei. Aucun

service de renseignement n'a lancé d'enquête sur lui mais, grâce à ses amis peu recommandables, sa tronche revient régulièrement. On le retrouve souvent avec Hamid Azadi, comme tu devais t'y attendre, mais on l'a aussi vu avec des trafiquants de drogue, des trafiquants d'armes, des parrains de la mafia, des politiciens véreux... Pas encore de terroristes, mais ça nous fait déjà une belle brochette d'ordures.

— Tu me montres ?

Après plusieurs clics de souris, Tolomei apparut sur l'écran en compagnie d'un gros homme chauve. Kate reconnut le lieu, un café de Positano, sur la côte amalfitaine.

— Taddeo Croce, commenta Max. Un gros bonnet de la Camorra, la mafia napolitaine. Spécialisé dans la drogue.

Il cliqua sur deux autres photos.

— Ces deux-là sont des marchands d'armes. Jean-Paul Bruyère à gauche, Wolgang Kessler à droite. La rumeur prétend qu'ils auraient fait des ventes illégales avec l'Irak dans les années 1990. Et ce joli cœur-là...

Il agrandit une autre photo.

— ... n'est autre qu'un mafieux russe.

— Bon dieu... Qui est-ce ? demanda Kate en regardant le visage d'un bel Oriental aux cheveux longs.

— Khadar Khan. Il dirige une entreprise de textile au Pakistan et, apparemment, il contrôle la moitié de la production d'héroïne d'Afghanistan. Les gars de la DEA [1] essayent de le coincer depuis des années.

Max termina son café et pivota sur sa chaise pour faire face à Kate :

— J'ai recherché si de l'argent avait circulé entre Tolomei et ces types et devine quoi ? Durant ces treize dernières années, il a fait des affaires avec chacun d'eux.

— Eh bien... on est loin du simple marchand d'art.

— Tu m'étonnes.

— Ta conclusion ?

— Son boulot est une belle couverture pour ses trafics de joujoux mortels.

1- Drugs Enforcement Agency : Brigade des stupéfiants.

— Tu penses toujours qu'il pourrait jouer un rôle d'intermédiaire dans une vente d'ADM [1] ?

— On ne peut pas l'exclure. Et tant que l'on ne peut pas l'exclure…

— Je sais. Je m'en occupe. C'est juste que j'ai lu quelques articles sur lui ce matin et, apparemment, c'est un homme qui aime la vie… Il est très raffiné, très cultivé, avec une sensibilité artistique hors du commun. Armer des terroristes, ça demande autre chose que du sang-froid… Il faut vraiment éprouver de la haine envers l'humanité tout entière. Tolomei ne ressemble pas à ce portrait type.

— Kate, ce n'est pas parce qu'il aime les beaux tableaux que son âme n'est pas pourrie !

Max n'avait pas parlé d'un ton condescendant, juste étonné. Kate était loin d'être naïve mais pourtant, de temps à autre, il remarquait chez elle des accès d'idéalisme aux moments les plus inattendus – selon lui, une faille bien regrettable dans l'armure de la jeune femme.

— Des nouvelles de nos collègues de Rome ?

— Ils surveillent ses moindres faits et gestes.

— Ils ont entendu des choses intéressantes ?

— Pas encore. Ses fenêtres brouillent les micros directionnels et poser des mouchards sur ses téléphones est très difficile : il utilise des câbles à fibres optiques enterrés.

— De toute façon, je pense le rencontrer demain.

— Eh bien, tu n'as pas traîné !

— Tolomei est un habitué de Sotheby's, et il y a justement une vente privée demain soir dans leur salle de Londres. Eddie Cheery est à peu près certain qu'il va y assister, et il va se débrouiller pour que je sois invitée.

— OK. Je t'imprime tous ces documents en vitesse, et je mettrai Slade au courant dès que je le verrai.

— Il n'est pas là ?

— Il est là-haut, en train de s'occuper d'un truc pour lequel nous ne sommes pas accrédités, et il ne répond pas au téléphone.

1- Arme de destruction massive.

— Je me demande ce que ça peut être.

Max haussa les épaules.

— Aucune idée. Quand il est arrivé ce matin, il portait autour du cou une enseigne au néon : « ne pas déranger ». D'une sale humeur... Les muscles de son visage restent figés quand il parle. Je l'ai déjà vu en colère, mais jamais comme aujourd'hui. Là, c'est différent. Quand on a un problème, il a toujours cet air calme, et on sait qu'il va le résoudre, quel qu'il soit...

Kate hocha la tête.

— Oui. J'aime bien cet air-là.

— Moi aussi. Mais on en est loin. Ça me rend... un peu nerveux, je dois dire.

— Sérieux ?

Elle regarda sa montre.

— Oh, j'ai intérêt à me dépêcher. Je dois voir Medina cet après-midi pour faire le point avec lui. Je t'appelle avant de prendre l'avion.

— J'ai une meilleure idée : ça te dirait que je te dépose à l'aéroport ?

— L'hélico est disponible ?

— Il est à toi.

Kate rit.

— Où est le piège ?

Max agita une feuille en l'air.

— Un peu de shopping *duty free*, ma belle. J'ai une liste !

— Marché conclu.

Kate se leva.

— J'ai réservé sur le dernier vol pour Londres. Départ de JFK.

— Je t'appelle plus tard pour qu'on se coordonne.

— Génial. *Ciao* !

Max entendit un petit craquement. L'une des bibliothèques de la salle de réunion pivota vers l'extérieur. Slade apparut et avança vers l'ascenseur. Compte tenu de l'humeur de son chef, Max préféra le laisser tranquille.

Puis, se rappelant le voyage imminent de Kate, il changea d'avis.

— Ah, Kate va sans doute rencontrer Tolomei demain soir.

— Bien, répondit Slade en le regardant à peine. Continuez.

Quoi ? Slade ne demandant pas de détails sur une mission en cours ? C'était une première. Max insista :

— Vous savez, Slade, l'homme est en affaires avec quelques-uns des types les plus dangereux du monde. Marchands d'armes, trafiquants de drogue... Je pense qu'il est...

Slade s'arrêta et fixa Max.

— Vous me faites un compte rendu cet après-midi, d'accord ? Je m'occupe d'autre chose en ce moment.

— Pas de problème, chef.

Quand Slade disparut dans le couloir, Max cria :

— Eh ! Il pleut, dehors ! Vous ne voulez pas un parapluie ?

Mais Slade – qui oubliait de sortir sans son parapluie à peu près une fois tous les dix ans – ne répondit pas.

Bon sang, songea Max, *qu'est-ce qui lui arrive ?*

Le crâne criblé de lourdes gouttes de pluie, Jeremy Slade marchait à grands pas vers The Dairy, le bureau touristique de Central Park. Il prit place sur l'un des bancs en bois protégés par le toit gothique et regarda le mur en pierre devant lui.

— À quoi penses-tu ? demanda Donovan Morgan en s'asseyant à côté de lui.

— Au fait que je sais, maintenant, pourquoi il ne nous a plus donné signe et pourquoi aucune de mes sources – sur le terrain ou parmi les transfuges – n'a jamais entendu parler de sa détention.

— *Maintenant* ? Il y a trois ans, tu m'as annoncé qu'il était mort, qu'une de tes sources l'avait vu se prendre six balles en pleine poitrine. Comment...

Le visage de Slade était plus éloquent qu'aucune réponse.

— Tu m'as menti depuis tout ce temps ? Bon dieu, pourquoi ?

Morgan était stupéfait.

— Pour t'épargner. La vérité était incompréhensible. Pour faire court : un mois après le début de l'opération, il disparaît. Je récupère toutes les informations possibles et imaginables sur la moindre prison irakienne, et je ne trouve rien sur lui. Il n'a pas été arrêté pour espionnage, ni pour un larcin quelconque – signe que sa couverture tiendrait toujours. Pas un mot, pas un chuchotement, pas le moindre début d'indice.

— Alors tu as supposé qu'il avait été tué.

— Oui. Et plus le temps passait, avec tous ces transfuges quittant l'Irak comme des rats fuyant le navire sans qu'*aucun d'eux* ne mentionne son existence, plus cette supposition se muait en certitude. Sans compter que, rappelle-toi, pendant toute cette décennie, chaque fois que les sbires de Saddam déjouaient l'une de nos tentatives de coup d'État, ils ne se privaient pas de se moquer de nous. Tu te souviens du fiasco de 1996 ? Quand ils nous ont envoyé la main de ce garde républicain qui travaillait pour nous ? Quand ils nous menaçaient par téléphone en se servant des portables que nous avions remis à nos agents ? Je *savais* que les Irakiens ne l'avaient pas capturé, mais je savais aussi que s'il était encore en vie sans être prisonnier, il aurait trouvé un moyen de me contacter... un jour ou l'autre.

Sans chercher à dissimuler la souffrance dans ses yeux, il se tourna vers Morgan.

— Don, tu sais que j'aurais fait n'importe quoi pour lui. Je le considérais comme mon petit frère.

Morgan hocha la tête.

— Et maintenant...

— Les paramètres ont changé. J'ai compris combien mon analyse était fausse et limitée. Cette vidéo ? Elle est authentique. Simplement, elle n'a pas été tournée en Irak. Le gardien porte un uniforme *iranien*. Son nom est Reza Mansour Nasseri, et il travaille à Evin, la Bastille de Téhéran.

La respiration de Morgan se bloqua dans sa gorge. Evin était une prison pour dissidents, un endroit célèbre pour la violence des tortures qu'on y pratiquait.

— Autrement dit... Téhéran a réussi à obtenir des informations concernant notre mission et à envoyer un commando de l'autre côté de la frontière pour... *l'enlever* ?

— Ils n'auraient pas eu à faire un trop long voyage : il utilisait un site archéologique près de Basra comme point de repli.

Sceptique, Morgan fronça les sourcils.

— Cela signifie que Téhéran aurait délibérément retardé la chute de Saddam pour pouvoir le *libérer* ? Ça paraît...

— ... un coup de poker audacieux, d'une certaine façon. Peut-être que Téhéran voulait simplement des informations sur nous, mais je parie qu'ils faisaient le calcul suivant : si la CIA ne parvenait pas à renverser Saddam par une opération clandestine, alors nous lancerions une intervention militaire et la chute serait encore plus rude pour leur éternel rival ; tout le pays s'en trouverait sérieusement affaibli, et deviendrait une proie aisée pour une théocratie chiite. Bon sang, si ça se trouve, ils ont peut-être sapé toutes nos tentatives en Irak depuis le début ! Surtout s'ils ont une taupe dans l'agence...

— Théorie plausible, commenta Morgan d'un air pensif. Probable, même. Mais s'il est encore vivant, pourquoi nous envoient-ils cette vidéo ?

— Difficile à interpréter. Une façon de nous dire qu'ils ont tiré de lui tout ce qu'il savait, et qu'il ne leur est plus d'aucune utilité ? Tu as vu ce zoom sur ses cicatrices ? Ils nous le montrent sorti de sa cellule... donc, emmené quelque part. Vers une salle de torture ? Nous le savons déjà. Non, ils l'ont emmené au peloton d'exécution.

— Dans ce cas, ou il est déjà mort et ce film n'est qu'une façon de se moquer de nous – pour nous forcer à lancer une opération de la dernière chance, peut-être... Ou alors c'est une tactique pour nous proposer un marché.

Slade acquiesça.

— Bon sang... murmura Morgan. Dire qu'il est resté toutes ces années entre les mains de ces fous furieux...

Sa voix se brisa. Il se tut.

— S'il est en vie, Don, nous le ramènerons. Quel que soit le prix à payer.

New York. 14 h 40.

— Eh bien, *celui-là*, pour un fou furieux...

Kate était dans son salon, occupée à décrypter un article de *L'Anatomie des Secrets* concernant le maître ès supplices de la cour, un certain Richard Topcliffe. Il officiait à la Tour de Londres, à Marshalsea et à Bridewell, les deux prisons de l'Angleterre élisabéthaine réservées aux catholiques et autres dissidents. Le plaisir et l'amusement extrêmes, qu'il éprouvait à infliger la souffrance, avaient largement contribué à faire douter de sa santé mentale.

La sonnerie stridente de son téléphone portable troubla sa concentration.

— Ma jolie...

— Edward ! Je savais bien que c'était vous. Quoi de neuf ?

— Vous allez me devoir une fière chandelle, ma belle.

— Je retiens mon souffle.

— J'ai discuté avec un jeune cul ravissant de notre bureau de Londres. Il a entendu dire deux ou trois choses sur Tolomei...

— Ah oui ?

Edward tira sur sa cigarette.

— Comme vous, il connaît ces rumeurs concernant les trafics de Tolomei sur le marché noir. Beaucoup d'œuvres d'art fameuses sont passées entre ses mains. Vous me disiez que votre client veut se faire une idée de ce qu'il aime ? Eh bien, Tolomei s'occupe de tableaux et de sculptures de toutes les époques, mais presque exclusivement du très gros calibre. Il collectionne également pour lui-même, sans avoir apparemment de période ou de pays de prédilection. Je ne vois qu'un seul motif récurrent chez lui : c'est un fan de la femme peintre Artemisia Gentileschi. Il possède plusieurs de ses tableaux dans sa collection privée, et il est actuellement en pourparlers avec un marchand, de mes amis, pour acquérir l'une de ses esquisses.

— Quel est le sujet ?

— Judith. Il s'agit d'un des croquis préparatoires les plus aboutis pour sa *Judith décapitant Holopherne.*

Kate connaissait cette terrible peinture. Nombreux étaient les artistes de la Renaissance et de l'ère baroque à s'être inspiré de l'histoire biblique de Judith, une belle veuve juive meurtrière du général assyrien qui s'apprêtait à envahir sa ville. Mais le tableau d'Artemisia était, de loin, le plus sanglant et le plus violent – une caractéristique que les historiens d'art attribuent aux circonstances de la composition : l'artiste aurait, en effet, peint son tableau peu après avoir été violée. Dans cette œuvre, c'est sa propre fureur sourde et sa propre soif de vengeance qui s'exprimeraient.

— Choix intéressant, commenta Kate.

— Mon psy en déduirait que votre Tolomei est un homme en colère. Et maintenant, la vente de demain : devinez quel nom j'ai trouvé sur la liste des invités ?

— Tolomei ?

— Non. Il s'est décommandé. Il s'agit d'un autre nom qui devrait vous intéresser.

— Ah ! vous aimez vous faire prier... Alors, qui est-ce ?

— Vous !

— Pardon ?

— Vous figurez sur la liste comme invitée de Mlle Adriana Vandis. Qui est... ?

— Ma coloc de fac !

Kate se rappela que, le matin même, elle avait laissé un message sur le répondeur d'Adriana pour lui demander si elle était libre à dîner le lendemain.

— Eh bien, c'est formidable, mais comment vais-je faire pour rencontrer Tolomei...

— Patience, ma chère. Vous ne doutez pas de moi, n'est-ce pas ?

— Jamais.

— Bien. Dans quelques jours, à Rome, se déroule un événement artistique ultra privé auquel, selon mes sources, Tolomei participera.

— Qu'est-ce que c'est ? L'inauguration d'une nouvelle galerie ?

— Non. Je vous ai parlé d'un événement *ultra* privé.

— Un gala de charité truffé de stars ?

— Ul-tra pri-vé !

— Soirée T-shirts mouillés dans une boîte de nuit du Trastevere ? maugréa Kate.

— *Très* amusant.

Puis, d'une voix lente et dramatique, Edward reprit :

— Dites-moi, quelle est la seule invitation dans la Ville éternelle que *personne* ne déclinerait, pas même un milliardaire trop occupé ?

— Une invitation du pape.

— Tout juste. Et, grâce à moi, vous venez d'en recevoir une.

— Edward, vous êtes un ange. Mais enfin comment vous y êtes-vous pris ?

— S'il vous plaît. Vous ne devriez même pas me poser la question. Vous savez bien qu'une dame ne révèle jamais ses secrets !

Mer Méditerranée. 20 h 45.

À vingt kilomètres à l'est de Malte, le *Nadezhda* avançait à faible allure. Sa vitesse était passée de 13 à 7 nœuds. Malgré l'obscurité, il était sur le point de décharger sa mystérieuse cargaison.

La simple caisse en bois de 4 mètres cubes se trouvait sur le pont avant, posée sur des patins en caoutchouc. L'officier de navigation approcha d'un pas méfiant. La plaisanterie du capitaine à propos du contenu fragile de la caisse – *c'est de la porcelaine, ou une bombe atomique* – continuait à le hanter. Dans son esprit, la terrible éventualité avait depuis longtemps cristallisé en une réalité terrifiante.

Le bras de la grue du navire était positionné directement au-dessus de la caisse. L'officier prit le câble et se saisit du lourd mousqueton d'acier, maudissant en silence son capitaine, qui lui avait confié cette mission effrayante.

Ses mains tremblaient, luisantes de sueur. *Concentre-toi. C'est presque fini.* Il rassembla les mousquetons rattachés aux cordes enserrant la caisse et les accrocha tous ensemble au mousqueton du câble en prenant bien garde d'éviter les chocs.

Il fit quelques pas en arrière et leva les yeux. À tribord, il aperçut la silhouette effilée d'un yacht se dirigeant vers le *Nadezhda*. Il naviguait tous feux éteints. Seules les ampoules bleues phosphorescentes, bordant la coque au niveau des vagues, se découpaient sur la pénombre ambiante.

En quelques minutes, les deux navires voguaient flanc contre flanc à la même vitesse, séparés de quelques mètres à peine. Le grutier actionna un levier et le câble se tendit. Bientôt, la caisse commença à s'élever lentement dans les airs.

Un crissement de métal déchira le silence nocturne : le câble venait de s'arrêter brutalement, et la caisse stoppa son ascension dans un soubresaut.

L'officier de navigation sentit l'air lui manquer, comme un vertige qui le submergeait. Mais rien ne se produisit : pas de détonation violente, pas de craquement assourdissant. Aucun danger.

Le grutier reprit la manœuvre et l'officier laissa échapper un soupir de soulagement en voyant cette caisse qu'il haïssait passer au-dessus de sa tête et descendre vers la proue du yacht. Quatre hommes d'équipage la réceptionnèrent. Pendant qu'ils retiraient le mousqueton, l'officier de navigation observa leur visage. Ils ne semblaient pas nerveux. De toute évidence, ils n'étaient pas au courant du contenu menaçant de la caisse. Il n'était pas sûr de savoir s'il leur enviait cette ignorance ou s'il les plaignait.

Le yacht s'écarta du *Nadezhda* et disparut aussitôt dans la nuit. L'officier de navigation ferma les yeux et se laissa envahir par un intense sentiment de soulagement.

Pendant tout ce temps, d'autres yeux restaient ouverts. Des yeux qui ne se fermaient jamais. Le satellite espion américain croisant au-dessus d'eux avait pris des dizaines de photos du transfert. Presque instantanément, ces photos avaient été encodées sous forme de pulsations électroniques et transmises à un satellite relais, qui les avaient envoyées vers un complexe de bâtiments aveugles au sud-est de Washington.

Ces blocs de béton et de brique aux vitres teintées entourés de clôtures en fil de fer barbelé appartenaient à la NIMA, l'Agence nationale d'imagerie et de cartographie. C'est là, dans le quartier général du Département d'analyse et de production de la NIMA, que les photos du transfert de la caisse s'ajoutèrent à l'immense collecte quotidienne des satellites espions – collecte dont seule une infime fraction serait finalement analysée par les milliers d'agents de la NIMA.

Incapable d'imaginer ce qui s'était déroulé à une centaine de kilomètres au-dessus de lui, l'officier de navigation du *Nadezhda* se rendit dans sa cabine. Une fois dans sa couchette, il soupira de nouveau et, pour la première fois en presque deux semaines, il se laissa glisser dans un profond sommeil.

Rome. 21 h 12.

Sous un séquoia planté au bord du Tibre, Luca de Tolomei observait l'eau verte couler paresseusement le long de la berge. Une cigarette aux lèvres, il savourait ce moment.

Le capitaine de son yacht privé venait de l'appeler sur son téléphone portable.

— Nous venons de réceptionner le colis, monsieur. Je peux vous garantir que nous en prenons le plus grand soin.

— Bien, avait répondu Tolomei en soufflant un long filet de fumée.

— Il arrivera à Capri à l'heure prévue.

— Par l'accès sud ?

Peu à son aise dans des espaces clos qui ne proposaient pas d'issues cachées, Tolomei avait fait aménager une grotte dans la falaise où se trouvait sa propriété, un ascenseur reliant les deux.

— Oui monsieur, bien sûr.

— Alors bonne nuit.

— Vous aussi, monsieur.

Oh, elle sera bonne. Elle sera bonne.

New York. 15 h 15.

En attendant que la bouilloire se mette à siffler, Kate gobait des grains de raisin dans sa cuisine. Elle remplit d'eau sa tasse préférée, ajouta quelques gouttes de miel et un sachet de thé Earl Grey.

Quelques minutes auparavant, elle avait éprouvé un frisson en tombant sur deux rapports rédigés par Robert Poley, le plus célèbre des agents du service secret de la reine. Kate avait lu à peu près tout ce qui le concernait de près ou de loin lorsqu'elle était étudiante, mais les archives historiques restaient assez maigres. Tant de mystères nimbaient cet espion, et voilà qu'aujourd'hui elle déchiffrait ses messages, des messages enfouis depuis des années ! Cela semblait irréel.

Elle remuait le lait de soja dans son thé quand la sonnerie de la porte d'entrée se fit entendre. Elle prit une télécommande, alluma sa télévision mais, au lieu du feuilleton de l'après-midi, l'écran montrait un coursier rondouillard, planté devant l'entrée de la maison. À l'insu du propriétaire de Kate, Max avait un jour bricolé le système de vidéosurveillance du bâtiment pour qu'elle y ait directement accès.

Le coursier portait un T-shirt serré et un bermuda en jean. *Pas d'armes planquées sous ces vêtements*, pensa Kate.

Elle répondit à l'interphone.

— Bonsoir, mademoiselle K. Des fleurs pour vous.

Après avoir récupéré son reçu signé et son pourboire, le coursier remit à Kate un vase en verre rempli d'odorants lys Casablanca.

— Vous fêtez quoi ? lui demanda-t-il.

— Je l'ignore, dit-elle avec la sensation d'avoir descendu

sept étages d'un coup dans un ascenseur trop rapide. Mais merci… ils sont splendides.

Elle ferma la porte et prit la carte accompagnant le bouquet tout en retournant vers la cuisine. Elle n'eut pas le temps d'y arriver.

Elle s'immobilisa dans le couloir, tétanisée, fixant d'un regard incrédule le bristol, remarquant à peine le bruit du vase se fracassant par terre.

10

Londres, mai 1593. Après-midi.

Pendant que les agents de la sûreté fouillaient le logement de Kit Marlowe ainsi que ceux de son ancien
camarade d'études, Robert Poley marchait d'un pas
alerte vers Whitehall où l'attendait son employeur, sir Robert
Cecil.

À 40 ans, l'espion était grand et toujours souple, en dépit
d'une vie des plus dissolues. Il avait d'épais cheveux noirs et
des traits taillés à la serpe, et rien n'échappait à ses yeux de
serpent. Il était capable d'hypnotiser n'importe qui, et on
prétendait qu'il pouvait délester tout homme de sa femme...
ou de sa vie. C'était la vérité.

Poley revenait juste d'un séjour à Flessingue, une ville
portuaire hollandaise occupée par les Anglais. L'Espagne
avait envahi les Pays-Bas huit ans plus tôt et les forces anglaises aidaient leurs alliés protestants à bouter les Espagnols

hors de leur pays. Poley avait apporté des lettres de la reine aux membres du gouvernement et aux chefs militaires, reçu leurs réponses et rencontré quelques espions sur le champ de bataille et en dehors.

S'engageant dans une ruelle étroite, il toussa, écœuré. *Seigneur, quelle est cette puanteur ?* Il vit les croix rouges clouées sur plusieurs portes. *Ah, la peste a frappé par ici.* Pour éloigner le mal, des voisins brûlaient de vieilles chaussures et laissaient des oignons pourrir çà et là. L'air en devenait presque irrespirable, mais au moins, se dit Poley, le problème de la surpopulation était réglé. Il porta sa manche à son nez et pressa le pas.

À Charing Cross, il passa devant un groupe d'apprentis tapageurs, arborant tous un pourpoint bleu foncé caractéristique. Poley les dévisagea avec curiosité. Les garçons en bleu étaient l'une des raisons principales des récentes émeutes. Revenant d'un pays en guerre, il avait été choqué d'apprendre que, pendant sa courte absence, Londres était en quelque sorte devenue un champ de bataille. Avec la hausse brutale du chômage et l'arrivée massive de réfugiés protestants en provenance des Pays-Bas, de France et de Belgique, les travailleurs londoniens faisaient depuis longtemps part de leur mécontentement, mais l'explosion de violence était un phénomène plus récent. Beaucoup de Londoniens – des apprentis, en majorité – étaient furieux de voir le gouvernement permettre aux immigrants de s'établir en Angleterre.

Cette ville sombre dans le chaos. À cette pensée, le pas de Poley se fit plus léger. *Le chaos, c'est toujours bon pour les affaires.*

Poley dirigeait les opérations d'espionnage de Robert Cecil aux Pays-Bas depuis environ deux ans. Il aimait le pouvoir que ce poste lui conférait, mais il regrettait parfois ses débuts, au milieu des années 1580. En se faisant passer pour un catholique, allant jusqu'à épouser une catholique pour parfaire sa couverture, il avait démantelé de nombreuses tentatives de complot. Quand Walsingham se montrait impatient de procéder à des arrestations, Poley convainquait les conspirateurs de passer rapidement à l'action, et en profitait pour accumuler les preuves contre eux.

Parmi ces jeunes comploteurs, Anthony Babington avait toujours considéré Poley comme un véritable ami, même lorsque le bourreau avait serré la corde autour de son cou. En gage de son amitié, Babington avait offert à Poley un diamant qui brillait à présent au lobe de son oreille gauche – larme scintillante qu'il portait en souvenir de sa trahison la plus spectaculaire.

Il était bien loin, le temps où Poley balayait les sols des chambres des étudiants de Cambridge et faisait leurs lits. Il détestait se livrer à ces tâches domestiques pendant que ces privilégiés paressaient et paradaient dans leurs tenues à la mode. Mais aujourd'hui, non content d'être l'homme le plus redouté et le plus admiré de la cour, il menait enfin le train de vie qu'il avait toujours voulu : habits neufs, dîners luxueux et maîtresses à foison. Toutes mariées, naturellement. Il n'aimait rien tant que séduire les femmes des autres.

Il entra dans le bureau de son employeur.

Robert Cecil était assis derrière son écritoire, un perroquet blanc sautillant dans une cage en argent juste à côté de lui. Cet oiseau exotique venu d'Orient était bien plus qu'un joli volatile, et Poley en avait conscience : le propriétaire d'une telle créature possédait nécessairement des relations bien placées et une petite fortune. C'était une façon subtile, mais efficace, de montrer à tous ses visiteurs l'étendue de son pouvoir.

À 30 ans, Cecil était un être chétif, qu'une grave maladie infantile avait laissé bossu. Presque livide, il avait un petit menton efféminé mal caché par une barbe taillée de près. La reine l'appelait son « lutin », parfois son « pygmée ».

Mais cette apparence insignifiante cachait un pouvoir extraordinaire. Fils du trésorier et principal conseiller de la reine, il avait été fait chevalier deux ans plus tôt et siégeait au Conseil Privé. En outre, Cecil avait toutes les chances d'être prochainement nommé secrétaire d'État, même si la reine semblait encore hésiter entre lui et son jeune favori, le comte d'Essex, pour remplir cette fonction.

— Avez-vous entendu parler du dernier placard en date ? demanda Cecil.

Poley s'assit et secoua la tête.

— Des lettres anonymes et des poèmes ont commencé à circuler en ville le mois dernier, menaçant de mort tous les étrangers qui ne quitteraient pas Londres sur-le-champ. La nuit dernière, le plus virulent de ces textes a été placardé sur la porte de l'église hollandaise de Broad Street. L'auteur menace les protestants de les égorger pendant leurs prières.

— Et la reine est...

— Folle de rage, le coupa Cecil d'un ton sec. Ce qui me gêne, c'est que le placard de cette nuit est signé « Tamerlan ».

— Ah oui... le pauvre pâtre devenu grand conquérant et qui voulait se battre contre Dieu au paradis. J'ai toujours eu de la sympathie pour lui.

Cecil ignora la remarque.

— Ces obscènes vers de mirliton contiennent d'autres allusions aux pièces de Marlowe. Vous le connaissez mieux que moi. Vous pensez qu'il peut être l'auteur de ce placard ?

— Aux dernières nouvelles, Christopher Marlowe s'est installé depuis plusieurs semaines à la campagne, où il travaille à une nouvelle pièce ou à je ne sais quel texte. Je dirais plutôt que l'un de ses admirateurs déteste les immigrants, ou que l'un de ses ennemis cherche à lui attirer des ennuis. Marlowe a beau aimer choquer, jamais il ne commettrait un acte aussi stupide et aussi explicite.

— Le Conseil considère que ces placards constituent un dangereux appel à la révolte, et a réuni une commission pour mener l'enquête. Je suis sûr qu'elle va s'en prendre à Marlowe.

Poley s'appuya au dossier de son fauteuil et observa son interlocuteur.

— Cela ne vous ressemble pas de vous inquiéter pour quelqu'un d'autre, même s'il s'agit d'un homme innocent. Un homme qui vous a bien rendu service pendant des années, qui plus est.

— Marlowe détient une information, reprit Cecil d'une voix tendue. Quelque chose de... compromettant.

Une étincelle passa dans les yeux de Poley.

— Je vois ! S'il est torturé, il pourrait parler. De quoi s'agit-il ?

Cecil resta silencieux. Poley jouissait de cet instant.

Quel dilemme pour toi, n'est-ce pas ? Je suis l'homme le plus compétent de ton réseau – de tous les services secrets, à vrai dire – mais tu ne me fais pas tout à fait confiance.

— Sir, je ne peux pas vous aider si vous ne me parlez pas du problème, insista-t-il.

Pendant une minute, tout en affûtant la pointe de sa barbiche, Cecil observa son perroquet picorer des graines.

— Vous vous rappelez de notre opération contre des faux-monnayeurs, l'an dernier ?

Poley acquiesça. Ils avaient envoyé Marlowe aux Pays-Bas pour infiltrer des catholiques anglais exilés complotant contre la reine. Marlowe et un orfèvre très doué avaient fabriqué de la fausse monnaie. La contrefaçon d'argent étant considérée comme une trahison par la loi anglaise, cette manœuvre suffisait à crédibiliser l'attitude anti-gouvernementale de Marlowe. Mais ce dernier comptait proposer la fausse monnaie aux conspirateurs comme preuve de sa loyauté. Ils n'auraient eu aucun mal à accepter : tous avaient désespérément besoin d'argent.

Ce plan aurait dû marcher sans l'intervention inopportune d'un certain Richard Baines, espion au service d'Essex. Il avait démasqué Marlowe, qui avait été arrêté.

Toujours discret, Marlowe avait expliqué au gouverneur local qu'il avait fait frapper ces pièces par curiosité, pour voir ce dont l'orfèvre était capable. Par chance, au lieu d'incarcérer les deux coupables, le gouverneur préféra les remettre entre les mains du trésorier royal, qui n'était autre que le père de Robert Cecil. Marlowe fut discrètement relâché sans que sa couverture soit dévoilée, et le fiasco fut très vite étouffé.

Aussi Poley ne comprenait-il toujours pas l'inquiétude de Cecil.

— Au pire, il avouera que cette fausse monnaie faisait partie de sa mission, une mission qui a lamentablement échoué…

Ce sera gênant, certes, mais je ne vois pas ce qui semble à ce point vous contrarier.

Cecil serra les lèvres.

— Il y a autre chose que vous ignorez. À l'époque, je n'étais pas très en fonds et...

Sa voix s'éteignit.

— Ah, sir, jolie manœuvre ! s'exclama Poley. Vous avez demandé à Marlowe de vous mettre de côté quelques pièces. Et ça, c'est inadmissible n'est-ce pas ? Le futur secrétaire d'État de l'Angleterre mouillé dans une affaire de trahison... Très excitant ! Je suis impressionné.

— Vous comprenez que ceci nous place dans une position très délicate, répondit Cecil sans desserrer les dents.

— *Nous* ?

Poley adorait agacer le petit bossu, lui lancer des piques pour venir à bout de son légendaire sang-froid.

— Bien sûr, *nous*, siffla Cecil.

Une autre raillerie vint aux lèvres de Poley, mais il la ravala. Inutile de trop se mettre à dos son employeur. Même si, de toute évidence, Poley serait le premier à quitter le navire si Cecil se mettait à couler.

— Sir, notre charmant dramaturge ne divulguera jamais votre secret, assura Poley avec une nonchalance excessive. S'il en avait eu l'intention, il aurait déjà vendu l'information à Essex pour une fortune. Mais il n'en fera rien. Voyez-vous, Marlowe possède ce quelque chose qui vous est totalement étranger. Cela vous semblera un rien pervers, mais notre homme a le sens de l'honneur.

— Me voilà bien avancé, ironisa Cecil en retrouvant tout son calme. Vous croyez vraiment qu'un ridicule sens de l'honneur va m'aider à m'endormir le cœur léger ?

— Qu'attendez-vous de moi ?

Cecil s'éclaircit la gorge et ses yeux se plissèrent.

— Vous ne me demandez pas de tuer Christopher Marlowe, n'est-ce pas ?

Poley secoua lentement la tête.

— Je déteste tuer. Ça me donne l'impression de tricher,

comme si je devais retirer une pièce de l'échiquier pour gagner.

— Trop aléatoire, le meurtre. Il pourrait mener jusqu'à nous. Au contraire, je veux que vous le surveilliez de près. Espérons que la commission se montrera raisonnable et le laissera tranquille, mais si ce n'est pas le cas, je vous charge de le protéger à tout prix, et je ferai de même. S'il met un pied dans la salle de torture, nous – et je dis bien *nous* – aurons des problèmes...

— Ange gardien est un rôle que je n'avais jamais envisagé, s'amusa Poley. Autre chose ?

— Oui.

La voix de Cecil s'était fait coupante, autoritaire.

— Si vous échouez, je vous retirerai tout ce que vous aimez.

Poley gardait son air nonchalant.

— Et quand vous me supplierez de revenir sur ma décision, je vous jetterai dans la Tour en disant à Topcliffe que vous avez séduit sa femme.

Richmond, Angleterre. Au crépuscule.

Deux hongres à la robe noire et lustrée trottaient le long d'une route de campagne, tirant une diligence pourpre. À l'intérieur, la tête posée sur un épais coussin de velours, le maître ès supplices de Sa Majesté, Richard Topcliffe, avalait une gorgée d'excellent scotch au goulot d'une flasque d'argent.

Quarante minutes plus tôt, un messager avait frappé à la porte de son manoir avec une lettre du Conseil Privé lui ordonnant de rentrer à Londres. Une enquête de grande envergure venait d'être lancée. Apparemment, un premier suspect avait été arrêté.

Topcliffe fit signe au cocher d'accélérer la cadence.

11

New York, de nos jours. 17 h 32.

Kate se pencha pour prendre son Dirty Martini.
Medina regarda sa main d'un air navré.

— Quelque chose ne va pas ? Vous tremblez.

— Oh, j'ai soulevé un peu trop de fonte au club, ce matin, répondit-elle avec un sourire plaqué. Apparemment, *vous* devez connaître ça...

— Flatté que vous l'ayez remarqué.

Tu es facile à distraire. Tant mieux. Kate coinça discrètement sa main tremblante sous sa cuisse. Le message effrayant qu'elle avait reçu quelques heures plus tôt et les bribes de pensées qu'il réveillait fusaient dans son cerveau, se percutant comme des autotamponneuses.

Elle avait retrouvé Medina dans sa suite au *Pierre* pour une brève réunion, peu avant qu'il prenne son avion pour rentrer à Londres. Pendant que l'homme piochait un petit four sur le plateau posé sur la table basse, Kate sortit sa main droite de sous sa cuisse, plia et replia les doigts plusieurs fois pour vérifier que le tremblement avait cessé.

— Comment s'est passé votre journée ? demanda Medina en la regardant à nouveau. Des découvertes intéressantes ?

Kate choisit un petit sablé fourré à la truite et au caviar, le mit en bouche et le mâcha consciencieusement.

— Hmmm... C'est vraiment, *vraiment* très bon !

— Compris, Mademoiselle-J'ai-Mes-Petits-Secrets, reprit Medina d'une voix taquine. Si vous me dites ce que vous avez fait aujourd'hui, vous allez être obligée de me tuer. En même temps, si c'est *moi* qui vous parle de ma journée, je n'aurai pas à vous tuer, mais il y a toutes les chances pour que vous mouriez d'ennui.

— Voyons ça.

L'ennui me conviendrait assez en ce moment.

— Quelques rendez-vous. Je m'occupe d'un fonds alternatif, je fais beaucoup de ventes à découvert, un peu de capital-risque de temps en temps...

— Quel est votre plus gros coup ?

— Avoir découvert que quelques-unes des dix plus grandes entreprises américaines n'étaient pas aussi performantes qu'elles le prétendaient. J'ai court-circuité juste à temps Enron et WorldCom. Mais assez parlé de moi...

Oh oh... vraiment pas envie de parler de moi...

— Vous avez raison. J'ai de grandes nouvelles pour vous.

Medina leva un sourcil.

— Je suis allée interroger un libraire-bibliophile, puis je me suis mise au travail la nuit dernière et je suis à peu près certaine que votre manuscrit correspond exactement à ce qui est annoncé dans le titre : c'est un recueil d'informations top secret réunies par Thomas Phelippes.

— Avec des rapports issus des dossiers de Walsingham ?

Kate acquiesça.

— Beaucoup sont adressés à Walsingham, et la datation approximative du papier correspond aux événements décrits. Enfin, chaque fois que c'était possible, j'ai comparé l'écriture avec les échantillons que je possède de plusieurs espions de l'ère élisabéthaine Ils correspondent tous.

— Mon dieu !

— Attendez, il y a mieux. Apparemment, Phelippes n'a choisi que des dossiers vraiment exceptionnels. Pour l'instant, je n'ai lu aucun rapport ennuyeux. Pas de document fastidieux sur l'état de la flotte espagnole, par exemple. Rien de tel.

Kate avala une gorgée de cocktail.

— Je n'ai pas encore trouvé d'information qui pourrait gravement impliquer quelqu'un à notre époque, mais je parie que ça ne va pas tarder...

— Et moi je parie sur vous.

Kate sourit et, pour la première fois depuis qu'elle était entrée dans la suite de Medina, c'était un sourire spontané. Enfin, sa nervosité semblait s'atténuer.

— À propos, j'ai appelé le professeur d'Oxford dont vous m'aviez parlé, mais je suis tombée sur sa messagerie.

— Moi aussi, répondit Medina d'un ton pensif. J'essayerai encore demain matin. En attendant, j'adorerais que vous me racontiez ce que vous avez lu cette nuit...

Les yeux de Kate s'éclairèrent.

— Eh bien, pour commencer, je n'ai pas été surprise de lire des comptes rendus sur la vie sexuelle trépidante de la prétendue « Reine vierge » : qui, quand, où, ce genre de choses... Mais c'était vraiment cool d'avoir sous les yeux les preuves que son premier amant n'a peut-être pas poussé sa femme dans les escaliers, comme presque tout le monde le pense.

— Il a été arrêté ?

— Non. Juste traîné dans la boue parce qu'on le soupçonnait. Les gens ont cru la rumeur parce que tout le monde savait qu'il voulait à tout prix épouser la reine et devenir roi. L'auteur du rapport est une jeune domestique qui dit avoir vu sa maîtresse trébucher et tomber dans les escaliers accidentellement. Il n'y a aucune trace de ce témoignage dans les archives historiques, je suppose donc que Walsingham l'a tout bonnement supprimé.

— Pourquoi ?

— Laisser Élisabeth libre d'être courtisée par tous les princes d'Europe était préférable pour la politique étrangère.

— Ça se tient. Qu'avez-vous découvert d'autre ?

— Des rapports d'une célèbre taupe.

— Ah oui ?

— Son nom est Richard Baines. C'était l'un des premiers espions envoyés par Walsingham au séminaire de Reims, en France, qui accueillait tous les catholiques anglais. Haut lieu de conspiration contre le gouvernement anglais. Baines y entra en 1578, en tant que futur prêtre. Sa mission était de récolter des informations sur la stratégie militaire des catholiques et de découvrir les noms des catholiques infiltrés en Angleterre. Tout cela figure dans ses rapports. Il devait aussi pour semer le trouble parmi les jeunes prêtres, en chantant les joies du sexe et de la bonne chair. Malheureusement, ce plan a échoué : il s'est vanté auprès d'un séminariste de pouvoir empoisonner la citerne des cuisines, et il a été dénoncé. Il s'est retrouvé en prison pendant un an.

— Et les codes ? Comment est-ce que vous les décryptez ?

— Les ficelles du métier, mon ami. Désolée.

Elle sortit un bloc-notes de son sac et son expression faussement sévère s'adoucit en un sourire. Après avoir ouvert le carnet à une page précise, elle le donna à Medina.

— Voilà un message codé. L'un des plus faciles à décrypter. Mais tel quel, c'est un charabia incompréhensible, pas vrai ?

— Pour le moins.

Kate lui tendit une feuille de papier percée de petits rectangles.

— Je l'ai préparée pour vous.

— Euh... merci ?

— C'est une grille de Cardan. Inventée vers 1550 par le philosophe milanais Girolamo Cardano. La plupart étaient plus épaisses que celle-ci, elles étaient faites dans une planche de bois. L'expéditeur et le destinataire avaient chacun la même.

Elle se pencha sur le bloc-notes et appliqua la grille sur le message codé. Une vingtaine de mots et une cinquantaine de lettres isolées apparurent dans les fenêtres.

— Cela vous dit quelque chose ?

— « Le comte de Northumberland, lut Medina, a construit une salle secrète dans son château de Petworth... Un prêtre y dit la messe... La veille de la Pentecôte, il a rencontré un certain Francis Throckmorton pour parler de lettres arrivées de France et d'Espagne. »

Il regarda Kate.

— C'est ce rapport dont vous me parliez, à propos de catholiques infiltrés en Angleterre pour comploter contre la reine.

Kate hocha la tête puis tendit à Medina une autre page couverte de lettres et de symboles assemblés en colonnes.

— Voici une autre grille de décryptage pour un autre rapport.

À chaque voyelle correspondait cinq symboles et à chaque consonne deux symboles. La lettre B pouvait ainsi être représentée par une croix faite de deux lignes ondulées ou par un zigzag en diagonale. La lettre M correspondait soit à une paire d'ailes, soit à une sorte de têtard à l'envers.

— Mon ordinateur m'a aidée sur ce coup-là, précisa Kate en voyant Medina parcourir les lettres codées. C'était très courant, à l'époque, qu'une lettre en apparence banale recèle une signification secrète. Des informations sur des mouvements de troupes pouvaient par exemple être maquillées en une simple note de marchand concernant le transport d'une cargaison. Du genre : « Le vin sera livré à Lisbonne d'ici deux semaines. »

— Je vois.

— Et maintenant, vous voulez une info sur le monstre sadique le plus célèbre de son temps ?

— Qui n'en voudrait pas ?

— Il s'agit de Richard Topcliffe. Bourreau *numero uno* de l'État. Il vouait une véritable passion à son métier, mais il vouait aussi une passion à la reine. L'un des espions de Walsingham, infiltré en prison, rapporte qu'il a hurlé le nom d'Élisabeth pendant qu'il violait une prisonnière.

— Charmant. On dirait nos prisons actuelles.

— Oh, oui. Mieux vaut ne pas plaisanter avec la loi, vous pouvez me croire !

Medina se frappa le front du plat de la main.

— Et vous me dites ça seulement maintenant ! Pas plus tard que ce matin, j'étais en train de…

Le rire de Kate l'interrompit.

— D'ailleurs, l'espion qui a écrit ce rapport sur Topcliffe est un personnage tout aussi intéressant. Robert Poley. Il a commencé par jouer les taulards catholiques, pour pouvoir informer Walsingham de tout ce qui se passait en prison. Pas formidable comme début, me direz-vous, mais on dit qu'il a mené une vie haute en couleurs. Très porté sur le devoir conjugal... surtout avec les épouses des autres. Il a fini par devenir l'espion le plus efficace des services secrets. On l'a surnommé le « Génie du milieu ». Ses patrons ne pouvaient pas lui faire confiance, mais il était trop bon pour qu'ils ne fassent pas appel à lui.

— Et lui, quel a été son *plus gros coup* ?

— Il a joué un rôle crucial dans la chute de la Némésis de Walsingham : Mary, reine des Écossais. Poley a infiltré un groupe de conspirateurs cherchant à la libérer et il leur a donné un coup de pouce...

— Attendez une minute. L'espion du gouvernement a *donné un coup de pouce* aux ennemis d'Élisabeth ?

— Oui. Pour que Walsingham ait suffisamment de preuves concrètes pour les faire arrêter, condamner et exécuter – y compris Mary. De nos jours, il est aussi connu pour sa participation à...

On frappa à la porte. Medina consulta sa montre avant de déclarer :

— Bien. J'attendais quelque chose d'essentiel. D'absolument essentiel.

— On nous a montés de quoi manger, le garçon d'étage a emporté vos bagages... Qu'est-ce qu'il reste ?

Kate remarqua le léger sourire de Medina – il avait une idée derrière la tête.

— Si vous voulez bien m'excuser.

Il se leva pour aller ouvrir.

Intriguée, Kate le suivit du regard tandis qu'il avançait dans le couloir de la suite. Il se retourna.

— *S'il vous plaît* ! J'ai droit à un peu d'intimité ?

Medina ne tarda pas à revenir avec une grande boîte rectangulaire enveloppée dans du papier métallisé rouge. Il la tendit à Kate.

Un cadeau ? Non, ce serait curieux, même s'il aime flirter. Des chocolats ? Comment sait-il que c'est mon péché mignon ? Et puis, la boîte est trop grande, et ce cliquetis à l'intérieur...

Toujours perplexe, elle déchira le papier et sortit la boîte. C'était donc ça... Un jeu. Cluedo.

— Je sais que vos compétences sont exceptionnelles et j'aimerais vraiment continuer à travailler avec vous, mais mes critères sont extrêmement rigoureux. Alors, vous voyez, si vous êtes capable de me battre à ce jeu...

— Vous m'assommez avec le chandelier ?

— Non, je demande au colonel Moutarde de s'en charger, répondit Medina avec un regard malicieux. Tenez, regardez, en ce moment il est dans la véranda, en train de préparer le crime parfait.

Rome. 0 h 09.

Au cœur du vieux Rome, juste à côté du Tibre, une large rue rectiligne coupe en deux un massif de ruelles médiévales tortueuses. Dessinée par Donato Bramante pour le pape Jules II, la Via Giulia est bordée de *palazzi* de la Renaissance, et l'un d'eux – façade fauve ornée de moulures compliquées – appartenait à Luca de Tolomei.

L'homme était au téléphone, assis dans un fauteuil en cuir dans sa chambre au dernier étage.

— Que donne la surveillance du téléphone de Kate Morgan ? demanda-t-il à son assistant.

— Un appel, monsieur. Il y a environ une heure, elle a parlé avec une amie, une jeune femme vivant à Londres, d'une vente aux enchères qui doit se dérouler là-bas demain soir.

— C'est tout ?

— Oui, monsieur.

L'assistant hésita puis ajouta :

— Il semblerait qu'elle utilise en priorité son téléphone portable.

— Il semblerait, oui, répéta Tolomei, visiblement agacé. Et de ce côté-là, du nouveau ?

— Pas vraiment. Le système de cryptage de son mobile ne ressemble à rien de ce que nous connaissons. Les algorithmes sont...

— Prévenez-moi dès que vous avez d'autres informations.

— Entendu, monsieur. Autre chose ?

— Faites préparer le Gulfstream pour un vol rapide demain matin.

— Certainement. Bonne nuit, monsieur.

Tolomei raccrocha et alla chercher dans un placard une petite valise noire. Il la posa sur son lit et commença à choisir les affaires dont il aurait besoin pour son court séjour à Londres.

New York. 19 h 34.

L'avion pour Heathrow décollerait dans quelques heures. Sa trousse de toilette à la main, Kate passa en revue les étagères de sa salle de bains, à la recherche d'un produit qu'elle aurait pu oublier.

— Après tout, murmura-t-elle, tu ne pars pas en pleine jungle... Tu achèteras ce qui te manque sur place.

Elle zippa sa trousse et retourna dans sa chambre pour vérifier une seconde fois le contenu de sa valise. Elle avait rendez-vous avec Max à l'héliport de l'Upper East Side dans moins d'une heure et elle devait s'assurer d'une dernière chose. Elle prit le téléphone sur sa table de chevet et composa un numéro très familier.

Cinq sonneries plus tard, son meilleur ami, Jack O'Mara, décrochait avec une voix rauque.

— Ouais ?

— Oh ! Je suis désolée, répondit Kate en s'apercevant qu'elle l'avait réveillé.

Il était écrivain, et travaillait selon des horaires totalement imprévisibles.

— Rendors-toi, mon vieux…

Sa réponse se situait quelque part entre un grognement et un ronronnement.

—Jack… Je te rappelle plus tard.

— Non, non, insista-t-il en reprenant ses esprits. Tu as l'air bizarre. Quelque chose ne va pas. Tu veux passer ?

— Hum… oui. Si ça ne te dérange pas ?

— Pas de problème. De toute façon, je dois me lever tôt, alors… Je t'attends au téléphérique.

— Merci.

Depuis l'école primaire, Jack avait été sa deuxième famille – le frère qu'elle n'avait jamais eu, la seule personne sur qui elle pouvait compter d'un point de vue émotionnel. Comme Kate, il était enfant unique et avait perdu très jeune un parent. Il avait grandi, plus sérieux et plus silencieux que ses autres camarades, avec un vague sentiment de tristesse et de culpabilité qui ne l'avait jamais vraiment quitté. Un sentiment de peur, aussi.

Le père de Jack, officier de police, avait été tué en mission, et le père de Kate, à mesure qu'il grimpait les échelons de la justice américaine, avait poursuivi des criminels de plus en plus dangereux, reçu des menaces de mort et la protection de gardes du corps. Enfants, Kate et Jack s'étaient toujours sentis mal à l'aise en société. Très peu de temps après s'être rencontrés, ils étaient devenus inséparables.

Dix minutes après son coup de fil, Kate remontait la 2e Avenue, tirant sa valise à roulettes d'une main. De violentes rafales de vent secouaient les branches et faisaient voleter les cheveux de Kate devant ses yeux. Le ciel avait pris une étrange couleur gris lilas rehaussée d'une lueur orangée, et des nuages se faisaient la course. Encore une pluie d'été en vue…

Kate passa devant une succession de restaurants et de bars branchés, avant de traverser la 59e Rue. Là, elle monta les escaliers protégés par un auvent menant au téléphérique pour Roosevelt Island, passa le tourniquet et entra dans la petite cabine rouge. Par la vitre, elle voyait le Queensborough Bridge et les centaines de phares arrière des voitures. La pluie se mit à tomber. De grosses gouttes martelaient le toit. Les derniers passagers grimpèrent à bord et la traversée de l'East River put commencer.

Solidement accrochée à la rampe, Kate regardait, fascinée, les lumières de la ville réduites à des halos par l'averse. Le Chrysler Building, vivement éclairé, disparut bientôt de son champ de vision, et Kate alla scruter, de l'autre côté de la cabine, les berges ouest du fleuve. Là où une allée arborée menait au débarcadère sur lequel elle remarqua une silhouette solitaire. Quelques instants plus tard, le téléphérique arriva à destination et les portes s'ouvrirent.

Le jean et le pull bleu marine de Jack étaient collés à sa peau, et la pluie dégoulinait de son nez. Avec ses traits simples, son visage sec à la peau claire, ses cheveux noirs coupés aussi court que sa barbe de trois jours, son corps de triathlète, il était d'une apparence passe-partout, mais ses yeux bleus étincelaient dans l'air gris du soir. Il serra Kate contre lui et, enveloppée dans la chaleur familière – à défaut d'être tendre – de son étreinte, elle éclata en sanglots.

Ils marchèrent main dans la main le long de la promenade au bord du fleuve et s'arrêtèrent près du parapet qui fait face à l'Upper East Side. Le fleuve au courant rapide scintillait devant eux, ils se laissaient tremper par la pluie tiède. Kate, dans les bras de Jack, posa sa tête contre son épaule.

— Qu'est-ce qui se passe ? Je ne t'ai plus vue comme ça depuis une éternité.

Elle tira de sa poche le petit bristol joint.

— J'ai reçu ce mot aujourd'hui. Avec un bouquet de lys. Des lys Casablanca… ceux que Rhys m'offrait toujours.

À la lumière d'un réverbère, Jack lut : « Tic-tac, tic-tac, bam ! Lui pulvérisé, elle éplorée, drame ! Dis-moi, qu'est-ce que ça fait de tenir une main carbonisée ? »

Sous le choc, il se tourna vers elle.

— Nom de dieu…

Le souvenir de ce que Kate avait vu dans le cercueil de Rhys, une image que sa conscience était capable de tenir à distance, était venue la hanter chaque soir pendant plus d'un an. Après la cérémonie funèbre, qui s'était déroulée cercueil fermé, Kate était restée quelques instants seule dans le funérarium. Contre l'avis du frère de Rhys – qui se trouvait à proximité lorsque la grenade meurtrière avait explosé –, elle avait décidé d'ouvrir le cercueil. Pour un dernier au revoir, quel que soit l'état du corps... C'était une erreur.

Ce qu'elle avait vu était bien pire que tout ce qu'elle avait pu imaginer. Il ne restait plus rien d'autre qu'un bras calciné, avec un os saillant à l'emplacement de l'épaule. Le tissu bleu de sa manche s'était mélangé à la chair déchiquetée et noircie, et l'anneau d'or qu'elle avait dessiné pour lui pendait aux os d'un doigt flétri.

Jack posa ses mains sur les épaules de Kate.

— Quel est le salaud...

— Je n'en ai aucune idée. Qui peut me haïr à ce point, et connaître ces... détails...

— Ton agence n'a pas réussi à retracer la source ?

Kate secoua la tête.

— Cela a peut-être un rapport avec ce sur quoi tu travailles en ce moment ? Quelqu'un veut te déstabiliser, te mettre sur la touche...

— Je suis sur deux affaires, mais une des deux cibles ne connaît même pas mon existence, dit Kate en pensant à Tolomei, et dans l'autre affaire un type veut récupérer un vieux manuscrit que je possède, mais je ne vois pas pourquoi il essayerait de m'attaquer sur un terrain privé. Me faire suivre dans la rue pour essayer de me piquer mon sac à la première occasion, d'accord, mais m'envoyer des petites charades sadiques ? Pour lui, je ne suis qu'un obstacle à surmonter. Ce message est trop haineux, trop personnel pour qu'il en soit l'auteur.

Kate eut un geste d'impuissance.

— Tu as dû te faire quelques ennemis ces dernières années. Quelqu'un veut peut-être se venger.

— Je suppose, je...

La sonnerie de son téléphone l'interrompit. Kate vérifia le numéro affiché sur l'écran.

— C'est mon père. Tu permets ?

— Bien sûr, dit Jack en lissant en arrière les cheveux de Kate pour dégager son visage.

— Salut, papa !

— Je suis en ville. J'ai eu un rendez-vous imprévu un peu plus tôt, et je me disais qu'on pourrait peut-être se voir, si tu es libre.

— En fait, je pars pour l'aéroport dans quelques minutes.

— Tu vas où ?

— À Londres. J'ai deux nouvelles missions.

— Ah, formidable ! Tu vas sans doute revoir...

— Adriana, mon ancienne copine de fac ? Oui. Tout va bien, de ton côté ?

— Impeccable. C'est juste que... bah, ça fait longtemps qu'on ne s'est pas vus, mon ange. C'est tout.

— Je te rappelle très vite, d'accord ?

— D'accord... Dis-moi, Kate ?

— Oui ?

— Sois prudente, compris ? Tu...

La voix de son père s'érailla. Il se racla la gorge.

— Tu me manques, ma fille.

— Toi aussi, papa.

En raccrochant, Kate se mordit les lèvres, intriguée. Ce n'était pas dans les habitudes de son père, de se montrer si émotif. Et pourquoi avait-il paru soulagé d'apprendre qu'elle quittait la ville ? Elle regarda sa montre, puis Jack.

— Il faut que je file. Merci beaucoup de t'être déplacé.

— Je suis là quand tu veux, répondit-il en souriant. Mais quand tu auras bouclé ces affaires, ça ne te dirait pas qu'on s'offre un petit voyage ? Une nouvelle destination... je ne sais pas, partir explorer les ruines incas par exemple ?

— C'est un programme qui me plairait bien.

Elle l'embrassa sur la joue et le remercia encore, avant de retourner à la station de téléphérique.

Jack resta sur la berge de Roosevelt Island, regardant la cabine suspendue à son câble glisser vers Manhattan. Grâce à l'éclairage intérieur, il apercevait Kate, près de la vitre. Il s'inquiétait pour elle. Il se demanda qui avait bien pu lui envoyer ce mot terrible, quel sentiment de vengeance l'habitait, et si cette personne – homme ou femme – avait autre chose en réserve pour son amie.

Tandis que Kate disparaissait sur la rive opposée, Jack se demanda également comment elle réagirait s'il lui avouait un jour qu'il était amoureux d'elle, depuis aussi longtemps qu'il pouvait s'en souvenir.

En pénétrant dans l'héliport situé face à East River et Roosevelt Island, sur la 60e Rue, Kate se dirigea vers l'appareil du Slade Group. Comme prévu, Max l'attendait à la place du pilote, mais elle fut surprise d'apercevoir également deux hommes installés à l'arrière.

Elle grimpa dans l'habitacle, et reconnut deux anciens des Forces spéciales, les agents de terrain recrutés par Slade chez les paramilitaires de la CIA. Ils étaient en tenue civile, mais leur façon de s'asseoir, de regarder autour d'eux, ce que Kate devinait des corps sous les vêtements, cette confiance absolue qui émanait d'eux… Impossible de se tromper.

— Salut, dit-elle en se demandant quelle était leur destination, et quel type d'opération Slade avait organisé à l'étranger.

Tous deux la saluèrent d'un mouvement du menton.

— Installe-toi, dit Max en lui tendant un micro casque. On est en retard !

Elle se tourna vers les deux passagers.

— J'avais peur d'être obligée de faire la conversation à ce cinglé de pilote pendant tout le voyage… C'est une bonne surprise d'avoir de la compagnie !

— Certainement, dit l'un d'eux en souriant. Je suis Jason et voici…

— Connor, compléta le plus grand. Et vous êtes…

— Kate, répondit-elle en leur serrant la main.

Max pressa plusieurs interrupteurs et le moteur commença à vrombir. Des voyants s'allumèrent et les pales se mirent à fouetter l'air, de plus en plus vite et de plus en plus bruyamment.

Le regard perdu dans le ciel nocturne, Kate se réjouit d'avoir scanné les pages de *L'Anatomie des Secrets* pour les mettre sur son ordinateur. Dès qu'elle se retrouverait seule, elle le savait, elle aurait besoin de se plonger dans une activité très absorbante.

Cette nuit ne lui apporterait pas un long sommeil paisible.

12

Quant à moi, je vais le soir, par les rues,
Et tue les geignards pouilleux à l'ombre des murs.
D'autres fois, me promenant, j'empoisonne les sources…
Mais toi, dis-moi, à quoi t'es-tu employé ces temps-ci ?
Barabbas, in *Le Juif de Malte* (Marlowe)

En un mot, j'ai fait mille choses horribles
Avec l'indifférence de qui écrase une mouche ;
Et rien en vérité ne me chagrine sinon la pensée
De ne plus pouvoir en commettre dix mille autres.
Aaron, in *Titus Andronicus* (Shakespeare)

Chislehurst, Kent. Mai 1593. Au petit matin.

K^{it} ?
Pas de réponse.
Thomas Walsingham, le cousin trentenaire de sir Francis, feu maître-espion de la reine, approcha du lit clos en chêne de sa chambre d'amis puis ouvrit le rideau rouge.
— Kit !
La forme volumineuse sous le drap en lin refusait de bouger.
Tom se pencha pour attraper ce qui devait être une épaule. L'épaule se déroba, puis revint à sa position initiale. Il agrippa le bord de la couverture et la retira d'un coup sec.

Marlowe ouvrit des yeux étonnés sur son vieil ami, tandis qu'il achevait brutalement son voyage au pays des rêves. Il riposta au sourire hautain de Tom en plissant les yeux d'un air renfrogné.

— On mange un morceau ensemble ?

— Oui, monsieur ! répondit Marlowe d'une voix ferme, sautant de son lit tel un écolier impatient.

Les deux amis s'étaient rencontrés à Cambridge et ne s'étaient pas perdus de vue pendant la brève carrière militaire de Tom. À présent, Tom était l'un des mécènes littéraires de Marlowe qui lui parlait souvent sur un ton faussement servile, ce qui n'était pas sans l'irriter.

Ils sortirent de la maison en pierre et en rondins de bois. Marlowe inspira une large goulée d'air, emplissant ses narines d'une fragrance vivifiante – l'air pur de la campagne parfumé aux primevères. Un contraste rafraîchissant avec les odeurs rances de la capitale. Ils franchirent le pont-levis enjambant les douves peuplées de cygnes et s'installèrent à une table située sous un vieux saule pleureur, au bord d'un verger planté de poiriers.

Tom indiqua la cruche et les chopes en étain.

— Du poiré de la dernière récolte, un délice ! Ça t'éclaircira les idées…

— Le grand barbu m'est témoin, j'ai essayé ! marmonna Marlowe après avoir goûté la liqueur à base de poire.

— Et si tu ressuscitais Barabbas ? Il mérite de revenir sur scène.

— Je sais. Hélas, quelqu'un d'autre y a déjà pensé avant moi.

— Quelqu'un d'autre ? Oh, tu veux dire… quel est son nom, déjà ? Ce péquenot d'arriviste auteur de sonnets sirupeux dédiés au comte de Southampton ?

— Hmmm, hmmm… Will Shakespeare. Si tu veux mon avis, son *Richard III* aurait dû s'intituler *Barabbas II*.

— Ça vaut quelque chose ? Peut-être devrais-je faire sa connaissance…

Marlowe le fusilla du regard.

— Je plaisante, Kit ! Et toi, tu le connais ?

— Will écrivait pour les Lord Strange's Men [1] l'année dernière. Je lui ai donné quelques conseils pour ses pièces sur Henri VI.

Et d'ajouter, avec un sourire rusé :

— Je ne pensais pas qu'il continuerait d'accepter mon aide longtemps après que j'aie fini de les lui donner.

— Ce qui signifie ?

Marlowe haussa les épaules.

— Pas grand-chose. Personne n'oublie l'original. Mais les imitations...

— ... on les oublie plus vite qu'un ivrogne tombe sous la table.

— J'ai entendu qu'il travaillait à une nouvelle pièce sur un sujet similaire. *Titus Andronicus.* Il prétend avoir trouvé un méchant encore pire que Barabbas et que les spectateurs, ivres d'extase, auront le souffle coupé...

Tom leva les sourcils.

— Je vois le genre... qui se vante d'être plus talentueux que la plus talentueuse plume de toute la ville.

— C'est assez impressionnant, tout de même. Je ne peux pas m'empêcher d'admirer un homme qui relève un défi d'une ampleur aussi *extraordinaire.*

Tom sourit.

— Pour ma part, en ce moment, c'est un poème que j'ai envie d'écrire.

— Des idées ?

Marlowe s'affala sur sa chaise.

— Toujours rien. Où es-tu quand j'ai besoin de toi ? demanda-t-il, implorant, en levant les yeux au ciel.

— Peut-être qu'elle fait un somme.

— Ma muse ?

Tom acquiesça.

Marlowe prit leur chope en étain et les fit tinter trois fois

---

1- L'une des plus importantes troupes de théâtre élisabéthaines, fondée par Ferdinando Stanley dans les années 1570. Elle s'est produite à la cour entre 1591 et 1592, avant de s'installer au théâtre de la Rose en 1593 où elle créera *Richard III* de Shakespeare.

l'une contre l'autre. Puis il les reposa sur la table et se couvrit des mains les yeux.

Après quelques secondes, Tom demanda :

— Ça donne quoi ?

— Rien. Apparemment, elle a le sommeil profond.

Deptford. Matinée.

Pendant plusieurs heures, Marlowe avait traîné dans les auberges et les tavernes de Deptford Strand. Il était à la recherche de Lee Andressen, le marin de la Compagnie moscovite dont Fitz Fat lui avait parlé la veille. Andressen était en difficulté : sans ses papiers, il pouvait à tout moment être arrêté et jeté en prison pour vagabondage. Heureusement, Marlowe pouvait l'aider – si Andressen acceptait d'y mettre le prix.

Après la seizième taverne, il perdit patience et rebroussa chemin vers le *Cardinal's Hat*. Ambrosia vint prendre sa commande.

Quelques instants plus tard, il entendit des pas s'approcher et leva les yeux, s'attendant à voir la serveuse lui apporter sa bière. Au lieu de quoi, c'est le visage familier de Nicholas Skeres qui lui apparut. Cet espion, appartenant à l'ancien réseau de Francis Walsingham, travaillait également pour le comte d'Essex. Mince et blond, il avait l'âge de Marlowe mais son front était dégarni comme celui d'un homme deux fois plus âgé.

— Qu'est-ce qui t'amène de ce côté-ci du fleuve, Nick ?

Skeres vivait dans une maison luxueuse à Londres, dans le quartier de Blackfriars, à côté de London Bridge.

— Les affaires. Une grosse affaire.

Marlowe roula des yeux. Il savait que Skeres avait en tête une de ses escroqueries. Sa réputation d'aigrefin n'était plus à faire : chaque fois qu'il le pouvait, il soulageait les naïfs de dizaines de livres.

— De quoi s'agit-il cette fois ?

— Courtage en objets.

— J'aurais dû le deviner.

La loi interdisant aux usuriers de pratiquer des taux d'intérêt supérieur à 10 %, le courtage en objets était la ruse préférée des escrocs pour doubler leurs gains. Son fonctionnement était enfantin : un courtier trouve une personne ayant besoin d'argent, il promet de lui donner la somme dont elle a besoin, obtient un bon d'accord signé puis explique qu'il ne possède pas la somme en question, mais qu'il peut lui donner, en échange, l'équivalent en articles manufacturés. Évidemment, il s'agit d'objets valant bien moins que le montant du prêt.

— J'attends mon associé d'un instant à l'autre, précisa Skeres en s'asseyant. Mais peut-être as-tu le temps pour une partie de dés ?

— Toujours.

Marlowe sortit de son sac une paire de dés, secoua les cubes en bois dans le creux de ses mains et les jeta sur la table. Trois et cinq. Il lança encore. Deux six.

— Eh bien, Nick ?

Si la plupart des gens jouaient aux dés pour de l'argent, Marlowe et Skeres avaient décidé que le premier à obtenir une paire gagnerait la dernière rumeur entendue par l'autre.

— J'étais au palais d'Essex hier, et le comte était dans un état terrible. Renfermé, morose, tournant en rond, jetant des regards noirs à tout le monde...

— Il s'est disputé avec la reine.

— Comment le sais-tu ?

— Elle me l'a soufflé à l'oreille quand nous dansions ensemble l'autre soir.

— Quoi ?

D'un geste de la main, Marlowe balaya la question de Skeres.

— S'il te plaît, Nick. Tu dois attendre ton tour. Continue.

À contrecœur, Skeres reprit :

— Un domestique est venu lui dire quelque chose à l'oreille et la moue boudeuse d'Essex a disparu pour laisser place à une fureur que je ne lui avais jamais vue. Il a brisé une fenêtre d'un coup de poing et m'a ordonné de partir.

Marlowe sentit son intérêt piqué. Le verre coûte une vraie fortune.

— Quand je me suis retrouvé dehors, poursuivit Skeres avec un sourire entendu, je me suis glissé près de la fenêtre cassée.

— Et ?

— Il était question d'une gaffe commise par Lopez, un jour où il était saoul…

— Rodrigo Lopez, le médecin de Sa Majesté ? Prometteur.

— Il aurait parlé devant toute la cour de la dernière chaude-pisse d'Essex !

Marlowe se pencha vers Serkes, enthousiaste.

— La reine l'a entendu ?

— Pas encore, mais Dieu ait pitié d'Essex si jamais elle l'apprend. Et Dieu ait pitié de l'homme qui le lui dira. Quelque chose me dit qu'il prendra un coup sur les oreilles.

Skeres but une gorgée de poiré dans la chope de Marlowe avant d'ajouter :

— Je suis chargé de suivre ce bavard de Lopez pour voir s'il participe en cachette à des rites juifs. Si Essex a la preuve de son imposture, il sait que la reine fera déporter le bon docteur.

Tout en parlant, il reprit les dés.

— Et voilà qui clôt mon gage. Voyons maintenant ce que tu vas pouvoir m'apprendre…

Il lança les dés et obtint un deux et un cinq. Troisième lancer, un deux et un quatre. Dernier lancer, un trois et un six.

— La peste !

Marlowe sourit. Il venait encore de gagner, et avec des dés pas même pipés. *Incroyable, non ?*

— Hummm…

Skeres fixa le mur devant lui en se grattant la tête.

— Ah, j'ai une autre nouvelle ! Walter Raleigh est en ville.

Marlowe porta sa chope à ses lèvres pour dissimuler son sourire. Raleigh était un bon ami qu'il n'avait plus vu depuis des mois.

— Il vient de mettre la main sur un pactole, continua Skeres. 50 000 livres. Qui viennent d'où ? Nul ne le sait.

— Ça alors...

50 000 livres était une somme fabuleuse, et Raleigh était lourdement endetté depuis des années. Il avait perdu des dizaines de milliers de livres dans une tentative pour coloniser la Virginie, ses terrains en Irlande s'étaient révélés peu fructueux et sa flotte privée n'avait pas mis la main sur une cargaison intéressante depuis le *Madre de Dios*. Encore cette dernière prise avait-elle été en grande partie amputée par l'avidité de la reine. Raleigh était-il l'homme que Marlowe cherchait ? S'était-il à ce point lassé de voir le butin de ses arraisonnages reversé au Trésor royal qu'il s'était lancé dans la contrebande ?

Skeres continuait de parler.

— Apparemment, il se sert de l'argent pour monter une autre de ses expéditions ridicules. Ce pauvre fou à beau s'être couvert de honte avec ses colonies dans le Nouveau Monde, il projette un nouveau voyage. Cette fois-ci, il est persuadé de trouver de l'or.

Irrité, Marlowe défendit son ami.

— Au moins, il agit en homme, il part braver les mers et explorer des contrées inconnues.

— Moi, quand je cherche de l'or, j'en *trouve*.

Ambrosia vint les interrompre.

— Une autre bière ?

— J'allais partir, répondit Skeres.

— Une pour moi, dit Marlowe.

Puis, regardant Skeres sortir de la taverne, il remarqua un visage de l'autre côté de la salle, un visage extraordinaire – Marlowe pensa même « magnifique », mais un détail attira particulièrement son attention. *Connaissait-il ce garçon ?*

Soudain, il comprit. Les cheveux courts aux reflets d'or, les anneaux dorés aux oreilles, la fine moustache, les cuissardes couleur tabac, le gilet de cuir... Lee Andressen. *Enfin !*

— Cinquante, dit Ambrosia en posant la chope de bière devant Marlowe.

Il la regarda, étonné. Il n'avait pas consommé pour plus de 4 pennies.

— Quoi ?

— Cinquante vaisseaux, je dirais. Pas un canot de plus.

— Qu'est-ce que vous racontez ?

— Avec un visage pareil, il pourrait lever une flotte de cinquante vaisseaux.

Marlowe sourit. Elle faisait allusion à l'une des répliques de sa *Tragique histoire du docteur Faust*, lorsque le magicien, regardant le fantôme d'Hélène de Troie, se demande si c'est pour ce visage que mille vaisseaux ont pris la mer.

— Pourquoi si peu ?

— Cinquante, c'est toujours plus de bateaux qu'il n'en a fallu pour mettre en déroute l'Invincible Armada, répondit Ambrosia avec une petite moue supérieure. Vous ne le saviez pas ?

Pour une fois, Marlowe restait sans voix, et s'en trouvait très heureux. Une courtisane des tavernes venait de se jouer de lui en lui citant un extrait de sa pièce la plus célèbre, ponctué au passage d'une petite leçon d'histoire.

— Aurais-je affaire à une amatrice de théâtre ?

— C'est là que je gagne le plus d'argent... S'il n'y avait pas la peste, je serais au théâtre de la Rose en ce moment même.

— Vous avez aimé mon... euh... le *Faust* de Marlowe ?

Ambrosia renifla bruyamment.

— À vrai dire, je n'écoute jamais vraiment les pièces. En général, mes mains sont occupées, si vous voyez ce que je veux dire. Par contre, j'ai entendu dire que l'auteur était bel homme...

— Ah oui, vraiment ?

Marlowe tourna le visage pour le lui faire admirer sous un autre angle.

— ... mais que son heure était passée.

— Quoi ?

— Il paraît qu'un autre nom est sur toutes les lèvres.

Le visage de Marlowe se décomposa.

— Will Shakespeare ?

— Exact. Ses méchants sont extraordinaires... tout le monde en parle !

— Ses méchants ?

— Oh ! oui.

— Tout le monde parle des méchants de Shakespeare ?

— Pour quelques pennies, je peux vous dire quelque chose de *vraiment* intéressant.

Sous le choc, Marlowe lui donna une pièce. Ambrosia coula un regard vers le marin de la compagnie.

— Vous avez de la chance, seigneur. Ce joli damoiseau ? C'est une damoiselle.

Marlowe sentit aussitôt la petite morsure de la déception – adoucie, presque aussitôt, par la curiosité. Une fille en tenue de marin, c'était pour le moins inhabituel. Inhabituel *et* dangereux.

— J'ai commencé par l'entreprendre, mais les choses allaient un peu trop lentement à mon goût. Alors j'ai fourré directement la main où il fallait... et ma main est ressortie bredouille !

Marlowe sourit.

— Je pensais que ça pourrait vous intéresser.

Cela l'intéressait, mais pas pour la raison qu'Ambrosia imaginait. Avec cette nouvelle information compromettante sur le marin de la compagnie, Marlowe avait les moyens de faire parler cette Lee. Il résista à l'envie d'embrasser la serveuse sur le front – ce geste risquait de déplaire à une femme ayant ce genre de métier. À la place, il chercha un compliment à trousser et, effleurant de l'index la joue de la jeune femme, s'exclama :

— Qui aima jamais, sans aimer au premier regard ?

Ambrosia écarquilla les yeux. Marlowe ne s'en aperçut pas : il était captivé par sa propre phrase.

— Eh, mais c'est bon, ça... murmura-t-il tout en cherchant dans la poche de sa ceinture sa plume et son encrier. Il écrivit la phrase sur un napperon en tissu et le donna à Ambrosia. Un souvenir qu'elle chérirait, qu'elle coudrait même peut-être sur son oreiller ?

— Mille mercis !

Marlowe inclina la tête.

Ambrosia éternua brutalement, puis se moucha dans le napperon.

— Madame, vous avez un cœur de pierre !

Il se leva et s'approcha de Lee Andressen.

— Je peux m'asseoir ?

Elle haussa les épaules en avalant une bouchée de ragoût aux fruits de mer.

— Alors comme ça tu es marin ?

— On peut dire ça.

— Un corsaire qui pille les navires espagnols chargés de toutes les richesses du Nouveau Monde ?

— Qu'est-ce que ça peut te faire ?

— Je réfléchis à ma reconversion. Dis-moi...

— Si tu essayes de me distraire pour me faire les poches, oublie tout de suite. Je te couperai la main avant que tu aies le temps de cligner de l'œil.

— Peut-être travailles-tu pour une de nos prestigieuses compagnies comme...

— Et si je t'offrais un verre pour t'occuper la bouche ? À une autre table.

— Je n'ai pas soif.

Elle enfourna un gros morceau de morue qu'elle mâcha lentement en regardant ailleurs.

— Tu travailles pour la Compagnie moscovite, insista Marlowe. Tu étais à bord d'un de leurs navires, tout juste rentré de France.

— Et toi tu viens d'entrer dans un territoire où tu n'aurais jamais dû t'aventurer.

Il ne restait plus à Marlowe qu'à improviser.

— Un de mes amis est actionnaire de la compagnie, et il s'inquiète de son état de santé. J'aurais aimé te poser quelques questions.

— Désolée, je ne peux pas t'aider.

— Je crois que si.

— Tu te trompes.

Marlowe savait qu'elle mentait. Fitz Fat ne se trompait jamais sur ce genre de détails.

— Non, je ne me trompe pas. Tu te fais appeler Lee Andressen, mais tu es une femme déguisée en marin.

— Et alors ? Tu vas me dénoncer ? Tu es un mouchard pour le gouvernement, c'est ça ?

Elle se détourna en prenant un air dégoûté.

— Au contraire. Je voudrais t'aider.

— Parce que tu attends quelque chose de moi en retour.

— Évidemment, répondit-il avec un franc sourire.

— Au moins, tu ne t'en caches pas.

Satisfait de voir leur discussion prendre cette tournure, Marlowe s'assit et attendit calmement.

Mais la suite des événements le prit de court : Lee Andressen sauta de sa chaise et sortit en courant.

Bondissant à sa suite, Marlowe bouscula au passage un homme très pâle et très élégant portant une épée incrustée de perles. Il reconnut aussitôt Ingram Frizer, qu'il détestait. Ce devait être lui, l'associé de Nick Skeres. Frizer était également un escroc, mais encore plus dénué de scrupules, et qui ne faisait pas mystère de son mépris pour le théâtre. Il avait plus d'une fois expliqué à Marlowe que ces bastions d'oisiveté et de criminalité avaient préparé un terrain favorable à la peste. Il était parfois en affaires avec Tom Walsingham et, lorsque son chemin croisait celui de Marlowe à Scadbury House, il ne manquait jamais de lâcher quelques remarques perfides.

Marlowe vit Frizer se glisser sur un banc à la table de Skeres. Ils ne regardaient pas dans sa direction, mais il leur adressa une grimace méprisante.

— J'ai suivi tes instructions, murmura Skeres. J'ai trouvé le parfait benêt, un jeune nobliau de la campagne qui a désespérément besoin d'argent. Il m'a demandé de l'aider ce matin même.

— Alors nous sommes prêts. Car notre monnaie d'échange est stockée juste à côté d'ici.

— Qu'est-ce que c'est ?

— Une dizaine de pistolets à rouet allemands.

Skeres était impressionné.

— Comment as-tu fait pour…

— On me les a donnés, figure-toi.

Campé sur la première marche d'un escalier descendant vers la Tamise, Marlowe regardait Lee Andressen traverser le fleuve en direction de l'île aux Chiens. Elle avait sauté dans le seul bateau disponible, et Marlowe se retrouvait bloqué. Il considéra son gilet en soie noire aux boutons d'argent, grimaça puis dévala les marches et plongea. Maintenant sa sacoche hors de l'eau, il parvint, au prix d'une brasse maladroite, à rallier la rive opposée. Là, après avoir essuyé son visage ruisselant d'eau fétide, il s'élança dans les bois, à la poursuite de la jeune femme.

Quelques secondes plus tard, il lui agrippait le bras.

— Va pourrir en enfer ! Lâche-moi !

Il obtempéra, en même temps qu'il murmurait :

— Lee Andressen… Léandre…

Lee plissa les sourcils en voyant son sourire stupéfait.

— Elle s'est réveillée ! s'écria-t-il. Je ne pourrais jamais assez vous remercier !

— Qui ça ?

— Ma muse !

Dans sa tête se bousculaient les répliques d'un dialogue entre les deux amants mythiques Héro et Léandre.

— Quoi ?

— Vous ne trouvez pas qu'il vient de se passer quelque chose d'étrangement familier ?

— J'ai juste vu un pauvre fou trempé jusqu'aux os sortir de la Tamise puante…

— Non, ma chère ! C'était un fringant soupirant bravant les eaux traîtresses pour rejoindre une beauté farouche.

Elle regarda autour d'elle d'un air amusé, comme si elle cherchait quelque chose.

— Un fringant soupirant ?

Il rit.

— Ici, les rôles sont inversés. Vous voyez, dans l'histoire, Léandre est l'homme alors que vous…

Mains pressées sur le front, il regarda par terre d'un air concentré en marmonnant :

— Une femme habillée en homme… vêtue comme un homme… non, dans un accoutrement d'homme…

Il releva la tête et déclama fièrement :

— Pour certains une femme en homme déguisée / Si belle que nul homme n'y sait résister.

Lee hocha la tête.

— Joli.

Marlowe fouilla dans sa sacoche, désireux de coucher sa trouvaille sur papier. Mais avant d'avoir pu mettre la main sur sa plume, il sentit quelque chose de froid pressé contre son cou. De froid et de coupant. Un couteau.

— Si tu fais demi-tour et disparais, chuchota la jeune femme à son oreille, j'accepte de te laisser la vie sauve.

— Mais si je disparais, comment puis-je te donner ce dont tu as besoin ? demanda Marlowe d'une voix calme.

— De quoi tu parles ?

Elle pressa la lame contre sa chair.

— Tu viens te cacher dans ce trou à rats parce que tu n'as pas de papiers, n'est-ce pas ?

L'île aux Chiens était un repaire de fugitifs en tous genres.

— Un gros porc avec trois mentons me les a pris.

Merci, Fitz Fat !

— Ai-je oublié de te dire qu'un de mes très bons amis est faussaire ?

— Continue ?

— Je ne sais pas qui tu es ni de quoi tu as peur, mais je sais que nous pouvons nous aider mutuellement.

Elle retira le couteau.

Marlowe se plaça face à elle et posa ses deux mains sur ses épaules.

— Mon nom est Kit. Je vais t'emmener en ville pour te faire fabriquer un jeu de faux papiers. Si tu n'as pas confiance en moi, sois au moins sûre d'une chose : j'ai besoin d'une information que tu possèdes.

Elle renonça à son expression bravache et acquiesça à contrecœur. Elle glissa le couteau dans sa cuissarde, récupéra ses affaires cachées dans un tronc creux. Marlowe la prit par la main pour la guider jusqu'au fleuve.

Quelques instants plus tard, ils grimpaient dans un bateau pour Londres.

13

Londres ouest, de nos jours. 9 h 37.

Kate descendit de l'avion de la British Airways et entra dans l'aéroport d'Heathrow. Après avoir passé le contrôle des passeports, elle se rendit dans la zone de récupération des bagages. Le tapis roulant ne s'était pas encore mis en marche. Elle prit son téléphone portable et releva sa boîte vocale : Jack lui demandait de la rappeler dès qu'elle aurait atterri.

— Comment tu te sens ? lui demanda-t-il.

— Fatiguée.

— Tu n'as pas réussi à dormir, hein ?

— Non.

— Je me fais du souci pour toi.

— Tu sais, cette affaire, c'est exactement ce dont j'ai besoin. Un travail à la fois prenant et pas trop lourd.

— Je peux t'aider ?

— Ça ira. Je vais passer la journée à travailler et ce soir je vois Adriana.

— Parfait, ironisa Jack. S'il y a quelqu'un pour t'aider à te changer les idées, c'est bien elle...

C'était vrai. Adriana était très différente de Kate : Jack la voyait comme une fille superficielle ne pensant qu'à faire la fête, mais il ne pouvait pas nier que son énergie était contagieuse et que sa façon de toujours tout dramatiser ajoutait du piment aux soirées.

— Je te laisse te rendormir, dit Kate en attrapant sa valise. Mais merci d'être là…

Elle franchit les portes de sortie de la zone « Arrivées internationales » et, une fois dehors, chercha du regard, parmi les voitures en stationnement, un chauffeur avec un panneau à son nom. Medina lui avait promis qu'il enverrait quelqu'un la chercher.

— Kate !

Elle reconnut la voix de Medina, venu en personne. Elle se retourna, prête à le taquiner sur son impatience à la revoir – mais en voyant son expression inquiète, se ravisa.

— Le professeur dont je vous ai parlé… Il est mort.

Pendant une fraction de seconde, elle crut que Cidro Medina plaisantait, qu'il avait terminé sa partie de Cluedo sans elle, mais son visage disait tout autre chose. À l'évidence, il ne s'agissait pas d'une attaque avec la clé anglaise dans la salle de bal.

Oxford. 11 h 12.

— Une balle dans la tête. Il était penché sur son bureau, il n'a sans doute rien vu venir, expliqua le policier.

Kate regarda Medina. Sa mâchoire était crispée, et un petit muscle tressautait près de sa paupière. Ils se trouvaient dans le bureau de feu le professeur Rutherford, une pièce en L meublée avec goût et remplie de livres. Le policier, un homme corpulent aux cheveux gris nommé Hugh Synclair, les avait appelés après avoir entendu leurs messages sur le répondeur de Rutherford.

Malgré les trois fenêtres ouvertes, l'odeur de la mort était omniprésente. Tournant le dos à la scène, Medina fixait les pelouses de Christ Church – de grands parterres de gazon tondu s'étendant jusqu'aux bosquets sombres sur les berges de l'Isis. *Cet endroit doit lui rappeler beaucoup de souvenirs,* pensa Kate en balayant le bureau d'un regard circulaire. Ayant briè-vement étudié à Oxford, elle imaginait sans peine Medina venant une fois par semaine s'asseoir sur le canapé de velours vert, pour lire son mémoire à son tuteur et en discuter avec lui.

— Personne n'a entendu de coups de feu, reprit l'inspecteur Synclair. Le tueur a dû utiliser un silencieux.

— Qui a trouvé le corps ? demanda Kate.

— Une étudiante. La nuit d'avant-hier.

— Est-ce que quelqu'un vous a signalé sa disparition ?

Synclair secoua la tête.

— Le professeur Rutherford est veuf, intervint Medina. Et il n'avait plus d'enfant. Sa fille est morte quand elle était ado. Overdose d'héroïne.

Quelle horreur.

— À quand remonte la mort, inspecteur ?

— Selon le médecin légiste, trois jours environ.

Kate regarda Medina.

— Autrement dit, s'il y a un lien entre eux, ce meurtre et votre cambriolage ont eu lieu le même jour.

Medina hocha la tête.

— Lorsque vous avez quitté Rutherford, celui qui était au courant de votre découverte et avait décidé de vous voler le manuscrit ne savait pas si vous l'aviez repris avec vous ou laissé au professeur. Peut-être a-t-il envoyé son cambrioleur chez vous et un autre homme ici *en même temps,* pour éviter que l'un de vous d'eux n'alerte l'autre.

— Cela paraît logique, dit Medina.

— Ou bien c'était une seule et même personne. Peut-être le voleur est-il d'abord venu ici et ensuite, constatant que le professeur n'avait pas le manuscrit, chez vous.

Pendant qu'elle parlait, Kate fut attirée par quelque chose d'anormal sur le bureau de Rutherford. À l'exception d'un ordinateur portable, le plan de travail était vide. Immaculé.

— Est-ce que cette pièce a été nettoyée ? demanda-t-elle en

inspectant les impacts de balle et les éclaboussures de sang sur le mur.

— Non, répondit Synclair.

— Alors le tueur a dû prendre les papiers et les livres sur lesquels Rutherford travaillait quand il a été abattu.

Remarquant l'expression interrogative de Medina, elle expliqua :

— Le sang sur le mur est situé pour la plus grande partie plus bas que le niveau de la tête de Rutherford, signe que le tueur a tiré vers le bas. Par conséquent, on devrait avoir des traces de sang sur le bureau, or je vois à peine quelques gouttes.

Synclair tira de sa poche une feuille de papier pliée en deux et la tendit à Kate.

— Un de nos techniciens de scène de crime a dessiné ce schéma. Une estimation des différents types de projection de sang qu'on aurait dû trouver ici, compte tenu de la balle utilisée, etc. J'ai passé la journée d'hier à me demander : qu'est-ce qu'on pourrait avoir à ce point envie de voler chez un professeur ? À part peut-être, quand on est un cancre, sa copie d'examen ratée...

Kate sourit malgré elle.

— Vous pensez qu'il avait pris des notes sur ce manuscrit dont vous parliez ? demanda Synclair. Des copies de certaines pages qui se seraient trouvées sur son bureau ?

— Oui. Le timing paraît... trop incroyable pour être une coïncidence. Mais aller jusqu'à le *tuer* ? Un vieil homme ? Il aurait pu se contenter de l'assommer puis de prendre ce qu'il voulait... Que dit le rapport de la balistique ?

— Nous avons retrouvé l'arme du crime, je crois. J'attends encore une confirmation. Mais les pistolets avec silencieux ne courent pas les rues. Malheureusement, il n'est pas déclaré.

— Comment avez-vous fait ?

— Des jeunes à moitié ivres morts faisaient du canotage sur la Cherwell hier. Leur barque s'est renversée au niveau du Magdalen Bridge, dans une section heureusement peu profonde. Une des filles a posé le pied sur le pistolet...

Il soupira. À l'évidence, il n'appréciait guère les mœurs débauchées en usage sur le campus.

— C'est un Hämmerli 280 non déclaré. Un joujou qui coûte un sacré paquet, apparemment.

— Plus de 1 000 livres, confirma Kate. Fabrication suisse, crosse en noyer sur mesure et détente ajustable. On ne le fabrique plus, mais j'ai eu plusieurs fois l'occasion de le pratiquer. Des pistes possibles du côté des gens que vous avez interrogés, inspecteur ?

— Pas grand-chose. Quelques étudiants se rappellent avoir vu de la lumière jusque très tard dans son bureau il y a trois nuits, mais ils n'ont vu personne entrer dans le bâtiment. Vera Carstairs, la fille qui a découvert le corps... on dirait qu'ils étaient très proches, mais elle ne l'avait plus vu depuis plusieurs jours.

— Je pourrai la voir ?

— Je l'appelle tout de suite.

Il chercha le numéro dans son calepin, passa son coup de fil et raccrocha.

— Elle arrive dans quelques minutes.

— Ça ne vous dérange pas si j'inspecte un peu les lieux pendant ce temps-là ? demanda Kate.

— Pas du tout. Je serais curieux de voir ce que vous allez trouver.

— Merci.

Kate sourit, soulagée. En général, les officiers de police n'aimaient pas trop qu'une inconnue empiète sur leurs plates-bandes.

— Je peux aussi vous conduire à son appartement, si vous voulez.

— Ce serait parfait. À propos, avez-vous trouvé un carnet d'adresses ? Un Rolodex, peut-être ?

— Une sorte de journal intime, dans sa chambre. Mais il n'a presque rien noté pour cette semaine. À part quelques horaires de travaux dirigés.

— Vous permettez que je regarde son annuaire de l'université ?

— Allez-y. Qu'est-ce que…

— Peu avant sa mort, Rutherford a dit à monsieur Medina qu'il avait montré le manuscrit à un collègue, expert en langues anciennes. Je vais noter le numéro de téléphone de tous ceux que je trouverais et ma société retrouvera peut-être la trace d'un appel téléphonique de Rutherford à l'un d'eux.

Synclair acquiesça.

— Je vous laisse, alors. Appelez-moi quand vous aurez fini.

Medina se retourna vers Kate.

— Moi aussi, Kate, je sors. Des coups de fil à passer. Je vous attends dans le couloir.

— À tout à l'heure.

Kate se retrouva seule dans le bureau. Par où commencer ? Peut-être Rutherford avait-il une copie de son carnet d'adresses sur son ordinateur ? Elle ouvrit l'écran et alluma le portable. Mais l'exploration de son logiciel de gestion de contacts tourna court : apparemment, le professeur ne l'avait jamais utilisé, à moins que le tueur ait effacé tout son contenu. Kate regarda si un utilisateur y avait accédé durant la semaine écoulée.

Personne.

Elle passa ensuite en revue des centaines de documents, à la recherche de notes de travail en rapport avec le manuscrit. Rien non plus. Elle éteignit l'ordinateur.

Il n'y avait aucun papier près du bureau, juste une pile de revues universitaires posées par terre. Elle s'accroupit et en feuilleta quelques-unes, espérant tomber sur une feuille volante qui aurait échappé au tueur, sur laquelle figureraient un nom, un numéro de téléphone, un rendez-vous… Là encore, rien du tout.

Elle se releva et décida de fouiller les classeurs à tiroirs du professeur. En général, les gens rangent leur emploi du temps et leur carnet d'adresses dans des endroits plus accessibles, mais les habitudes de Rutherford ne suivaient pas nécessairement la norme. Les deux tiroirs supérieurs ne livrèrent que des photocopies d'articles de journaux et de la documentation en rapport avec les travaux du professeur. Rien de significatif.

En ouvrant les troisième et quatrième tiroirs, Kate s'aperçut qu'ils contenaient des dossiers nominatifs. Elle les passa en revue et constata qu'il s'agissait de noms d'étudiants, chaque dossier contenant des programmes de révision et des photocopies de leurs devoirs.

En refermant le dernier tiroir, un nom accrocha le regard de Kate : Moor. *Juste un hasard, mais après tout...* « Moor » était le surnom donné par la reine Élisabeth à Francis Walsingham. Kate prit le dossier et l'ouvrit.

— Oh mon dieu... murmura-t-elle, stupéfaite, en découvrant la traduction de quelques-uns des premiers rapports de *L'Anatomie des Secrets*, accompagnée d'une copie microfilmée des originaux. Ainsi, Rutherford avait découvert que le manuscrit provenait tout droit des dossiers de Walsingham. Mais l'avait-il immédiatement reconnu – auquel cas il avait menti à Medina – ou sa découverte était-elle survenue après l'avoir étudié pendant quelques jours ? Était-il capable d'avoir fait appel à un voleur professionnel pour dérober le manuscrit à l'un de ses anciens élèves ? Une chose était sûre : ce n'était pas l'homme qui se faisait appeler Dragon de Jade, car Dragon de Jade avait contacté Bill Mazur deux jours *après* la mort de Rutherford. Mais peut-être Rutherford s'était-il associé avec Dragon de Jade pour orchestrer le cambriolage chez Medina, avant de se faire doubler ?

Entendant des bruits de pas, Kate rangea le dossier et se retourna juste à temps pour voir entrer une jeune fille aux airs de lutin. Assez petite et très pâle, avec de courts cheveux noirs et des yeux rougis, elle se tint devant l'embrasure de la porte avec un visage grave.

— Vera ?

Elle acquiesça d'un signe de tête.

— L'inspecteur Synclair dit que vous êtes une enquêtrice privée et que vous l'aidez ?

— Oui. Merci d'être venue. Je m'appelle Kate.

— Le Dr Rutherford venait de me proposer d'être sa nouvelle assistante de recherches. Nous avions rendez-vous aujourd'hui pour en discuter...

Vera s'exprimait d'une voix hébétée.

— … J'étais tellement excitée. Je n'arrive toujours pas à croire que quelqu'un ait pu lui faire du mal.

— Cela a dû être horrible de découvrir le corps. Je suis désolée que vous ayez assisté à ça.

— Vous savez pourquoi on l'a tué ?

— Je pense que son agresseur a volé les documents sur lesquels il travaillait ce soir-là.

— Mais il était simplement en train d'écrire un nouveau livre d'histoire ! Pourquoi est-ce que… Je veux dire, pour moi et une centaine d'autres personnes, cela aurait été un travail passionnant, mais il avait commencé il y a un mois à peine. Il ne devait pas y avoir grand-chose à prendre, un début de plan peut-être… En tout cas, rien qui puisse rapporter une fortune si le voleur arrive à le vendre. En général, les gens trouvent que l'histoire est une matière ennuyeuse, vous savez…

— Je sais. Mais je ne crois pas qu'il travaillait sur son livre l'autre nuit, Vera. Il s'était lancé dans un autre projet la semaine dernière. Il ne vous en a pas parlé la dernière fois que vous l'avez vu ? Ou dit quelque chose qui vous a semblé inhabituel ? Une découverte, une surprise qu'on lui avait faite ?

— Je ne crois pas. Attendez… Je lui ai lu mon devoir, nous en avons parlé pendant environ deux heures, et puis, au moment où je partais, il m'a proposé d'être son assistante. Je crois que c'est tout.

— Vous connaissiez ses amis ? D'autres professeurs peut-être ?

— Je l'ai vu quelquefois avec le directeur de Christ Church… avec une professeur de sciences physiques, aussi, Mildred Archer… euh… je ne vois pas qui d'autre, pour l'instant.

Puis, les lèvres tremblantes, les larmes au bord des yeux, elle ajouta :

— Ses étudiants l'adoraient… On pouvait toujours compter sur lui. Si on avait des questions à lui poser, ou besoin de lui parler, il se rendait toujours disponible. Il vous donnait l'impression… que ce que vous aviez à dire était important.

— On dirait que c'était un homme bien.

Vera hocha la tête en essuyant ses larmes.

— Vous pensez que vous allez pouvoir…

Kate fouilla dans son sac et en sortit un paquet de mouchoirs.

— Oui. Je vous promets de découvrir qui a fait ça.

Oxford. 0 h 37.

Medina sortit sa voiture du parking visiteurs de Christ Church.

— Alors c'est *ça* qu'Andrew voulait me dire, s'exclama-t-il après avoir écouté Kate lui parler du dossier Moor. Il avait laissé un message sur mon répondeur il y a quelques jours et j'avais essayé de le rappeler mais…

— Un de mes collègues est en train de passer en revue ses e-mails et ses appels téléphoniques récents. Ils pourront peut-être nous indiquer à qui il a parlé de sa découverte, et qui est susceptible de l'avoir tué.

Après avoir discuté avec Vera, Kate avait renoncé à soupçonner Rutherford d'avoir menti à Medina. Cela ne cadrait pas avec le portrait de cet universitaire tellement aimé de ses élèves.

— J'en suis malade, de l'avoir entraîné dans cette histoire, lâcha Medina d'un ton froid. Quand nous nous sommes vus la semaine dernière, nous avons dîné, évoqué des souvenirs… Je ne lui ai pas dit de rester discret à propos du manuscrit, ni de…

— Vous n'aviez aucun moyen de savoir ce qu'il risquait, Cidro, intervint Kate en lui effleurant le bras.

— Vous croyez vraiment que vous allez choper ce type ? Dragon de Jade ?

— Oui. Les gens au courant de votre découverte ne sont pas si nombreux. Et si je ne retrouve pas sa trace en partant de votre professeur, j'ai encore la piste du cambrioleur. Dès que j'aurais trouvé son identité, je pourrais savoir qui l'a contacté récemment. Et puis, bien sûr, il y a aussi le manuscrit. Si un indice sur la scène de crime ne nous mène pas au coupable, je parie que ce sera l'un des fameux rapports de Phelippes.

— Vous avez décodé de nouveaux textes depuis hier ?

— Oui, mais rien qui puisse pousser quelqu'un à tuer.

— En l'occurrence ?

— J'ai trouvé la preuve que la condamnation de Mary Stuart était entièrement truquée.

— Ah oui, la reine des Écossais. La bête noire de Walsingham, c'est ça ?

— C'est ça.

Kate prit son sac à dos et en tira son ordinateur portable.

— En tant que catholique et arrière-petite-fille d'Henri VII, l'Europe catholique la considérait comme la seule reine d'Angleterre légitime. Une menace sérieuse. Pourtant, et malgré l'insistance de Walsingham, Élisabeth persistait à refuser de faire exécuter sa cousine. Elle se contentait de la garder en prison.

— Qu'a fait Walsingham ?

— Il s'est débrouillé pour intercepter le courrier de Mary à son insu. Des agents doubles lui ont parlé d'un moyen soi-disant sûr d'acheminer en secret des lettres – une bourse imperméable cachée dans les fûts de bière qu'on lui livrait régulièrement. De cette façon, Phelippes put lire toute sa correspondance, et découvrir qu'une opération pour la faire évader était sur le point d'être lancée. Finalement, les agents doubles de Walsingham firent pression sur les conspirateurs pour les inciter à assassiner Élisabeth. Phelippes attendit avec impatience la lettre par laquelle Mary autoriserait l'exécution de ce plan, mais elle ne l'écrivit jamais. Alors, il fabriqua lui-même une fausse lettre. On le soupçonnait depuis longtemps, sans avoir jamais pu le prouver.

— Et quelle est la preuve ?

— La véritable lettre de Mary aux conspirateurs, dit Kate en ouvrant un fichier sur son ordinateur. La lettre que Phelippes et Walsingham ont fait disparaître. Jusqu'à présent, nous ne possédions qu'une simple copie, sans savoir dans quelle mesure elle était fidèle à l'original ou complètement embellie.

Kate chaussa une paire de lunettes en amande aux verres rouge foncé.

— Datée du 17 juillet 1586, lettre de Mary à Anthony Babington, un jeune catholique qui, des années auparavant, avait servi comme page dans la maison d'un des anciens ravisseurs de Mary. Il était raide dingue d'elle – on a dit que la beauté de Mary était extraordinaire – et piaffait d'impatience d'aller la délivrer. Il avait écrit à Mary pour lui confier son plan – qui incluait le meurtre d'Élisabeth – et lui demander sa bénédiction. Dans sa réponse, dans cette lettre que Phelippes a jointe à son *Anatomie des Secrets*, Mary autorise Babington à venir la délivrer, mais elle le conjure de ne *pas* tuer sa cousine.

Kate remonta ses lunettes sur son nez et lut :

— « Élisabeth me retient prisonnière depuis de longues années, mais je ne veux pas autoriser son meurtre. Nous partagerons le même sang, un sang royal. Je n'en ai pas le droit. J'ai peur de l'Enfer. »

— Mais Phelippes et Walsingham ont pourtant convaincu tout le monde qu'elle était une criminelle en puissance… commenta Medina.

— Pas seulement en puissance. Ils ont aussi détruit toutes les preuves démontrant qu'elle n'était pas responsable du meurtre de son premier mari.

— Pauvre femme.

— Oui. N'importe quel historien serait ravi de mettre la main sur ces documents. Sans parler des descendants de Mary, qui aimeraient sans doute laver l'honneur de leur royale ancêtre. L'un d'eux est l'un des hauts responsables de l'ordre des chevaliers de Malte, vous savez, l'une de ces sociétés catholiques occultes…

— D'accord avec vous. Pourtant, j'ai du mal à voir là un motif de meurtre.

Kate passa en revue les intitulés des autres rapports qu'elle avait décryptés pendant son voyage en avion.

— Il y a aussi un document sur un autre scandale fameux, impliquant l'espion anglais Anthony Bacon.

— De la famille de Francis Bacon ?

— Son frère. Tous deux dans l'espionnage jusqu'au cou. Anthony a fini par atteindre les plus hauts échelons dans le réseau du comte d'Essex. Mais bien avant, il a connu quelques déboires avec la justice française.

— On a découvert qu'il espionnait ?

— Non. Il savait rester discret sur sa vie *professionnelle.*

— Il badinait avec des petits Français à visage d'ange ? hasarda Medina.

— Exact. Une liaison interdite. Le roi de France partageait le goût d'Anthony pour les jeunes garçons, mais la loi française était nettement moins libérale. Les relations sexuelles entre hommes étaient considérées comme un crime, passible de la peine de mort.

— Que s'est-il passé ?

— Oh ! Anthony avait le bras long. L'affaire a été rapidement étouffée. La rumeur a atteint très peu d'oreilles anglaises. Apparemment, Phelippes comptait au nombre de ses protecteurs.

Kate referma le fichier et, levant les yeux, s'aperçut qu'ils avaient quitté Oxford. Medina s'était engagé sur l'autoroute en direction de Londres.

— J'avais l'intention de regarder de plus près les photos que vous m'avez données. Vous savez, les photos du cambriolage.

Elle ouvrit sur son ordinateur le dossier contenant les clichés scannés par Max et reçus la veille.

Les premiers montraient le coffre-fort. Kate les examina attentivement, à la recherche d'un détail qui aurait pu lui échapper au *Pierre*, et nota mentalement de demander à l'inspecteur de Scotland Yard chargé de l'enquête des détails sur l'explosif utilisé.

Les clichés suivants montraient le cambrioleur mort, assis dans le fauteuil près de la fenêtre, une large traînée de sang partant du front. Il ne portait qu'un seul gant – à la main droite – et un petit trou dans le cuir ainsi qu'une grosse tache de sang semblaient indiquer qu'il avait pris une balle dans le poignet. La main tenant le pistolet était retombée sur la petite table ronde devant lui. Sa main gauche était posée sur sa cuisse gauche. Des bris de verre étaient éparpillés un peu partout, quelques-uns sur la table, beaucoup par terre, à ses pieds.

On dirait que l'une des balles a fait voler son verre en éclats, pensa Kate. La bague du voleur attira son attention. Elle zooma dessus et, grâce aux talents de programmateur de Max, la zone sélectionnée tripla de taille.

— Étrange, commenta-t-elle à voix haute.

— Quoi ?

— J'ai l'impression que la pierre de cette bague est descellée.

— Il l'a peut-être abîmée en fracturant le coffre ?

Après avoir étudié la photo encore quelques instants, elle ouvrit son téléphone portable.

— Je crois que je la reconnais. Vous permettez ?

— Faites.

Elle composa le numéro de Max.

— Tu es réveillé ?

— Je bois mon café en surfant sur le site du *Times.*

— Ah, bien. Je suis en voiture, là, j'ai encore une heure de route devant moi. Ça te dérangerait de me faire une petite recherche d'articles ?

— Aucun problème.

— OK. Mots-clés : *Portofino, chat, cocaïne* et *rubis.*

— C'est parti ! Voilà : *Le Chat frappe encore. Le Chat retombe sur ses pattes à Portofino. Un rubis dans les griffes du Chat...*

— Tu as une photo du rubis volé ? Dans les articles, peut-être ?

— Attends... voyons voir... non, non, non... ah ! Voilà une photo. Une bague, épaisse monture en or, avec un motif gravé... Waouh, le rubis est énorme !

— Taillé en carré ?

— Oui. Attends un peu… voilà : il y a neuf ans, un cambriolage au *Splendido*…

Kate reconnut le nom de l'hôtel, le plus cher de tout Portofino.

— Le voleur est entré par effraction dans la suite de Peregrine James, marquise de Halifax. Il a volé un rubis monté en bague. Particularité : la bague est creuse, et une source anonyme prétend que lady Halifax y mettait sa réserve de cocaïne.

— Merci, vieux.

— Pas de quoi !

Kate raccrocha.

— Eh bien, je crois que nous savons qui est votre cambrioleur ! Ou plutôt, nous connaissons son surnom.

Medina la dévisagea.

— Alors, pourquoi est-ce que je vous sens déçue ?

— Il y a un homme que les journalistes ont surnommé « le Chat ». C'est le voleur le plus célèbre d'Europe depuis Cary Grant dans *La Main au collet*.

— Ah oui, bon film. Il aurait donc un équivalent dans la vraie vie ?

— Oui, et c'est sûrement votre cambrioleur. Vous avez vu la bague qu'il portait, n'est-ce pas ?

Le regard à nouveau fixé sur la route, Medina acquiesça.

— Si c'est un vrai rubis, il est incroyable.

— Je suis à peu près certaine que c'est la même bague que le Chat aurait volée il y a quelques années. Et puis je connais son mode opératoire, il correspond point par point. Votre coffre-fort, par exemple. S'il ne peut pas manipuler le verrou, le Chat utilise toujours une charge creuse qu'il place avec une précision chirurgicale. Pas le genre à tolérer le vacarme d'une perceuse ou la lumière aveuglante d'un chalumeau. C'est un voleur élégant, si on peut dire. Une espèce plutôt rare, de nos jours.

— Vous avez eu toutes ces infos en restant trois minutes au téléphone ?

— Non, cela fait des années que je lis absolument tout ce

qui s'écrit sur lui. J'étais déjà complètement accro aux histoires criminelles et à l'espionnage avant même de faire mon entrée dans le monde de l'investigation, et le Chat est un spécimen particulièrement intéressant. Il ne vole que les très riches, et la rumeur veut qu'il reverse la majeure partie de son butin à des œuvres caritatives.

Kate n'ajouta pas qu'elle l'admirait et qu'elle espérait se tromper à propos de sa mort. Elle avait gardé dans sa chambre un dossier plein à craquer de coupures de presse relatant les exploits du Chat, et attendait le prochain épisode avec impatience.

Concentrée sur la photo, Kate examinait à présent les restes du verre posé sur la table. Il devait se trouver à une trentaine de centimètres de l'arme du voleur quand il avait tiré. *C'est étrange... Les autres impacts montrent une visée beaucoup plus précise : une balle pile dans le poignet, les deux autres tirées au centre de la tête et de la poitrine, à quelques centimètres près.*

Elle fit un agrandissement sur le pistolet du voleur. D'après ce qu'elle apercevait – l'arme était partiellement cachée par la main droite –, le pistolet était en bois, métal et nacre et d'une taille étonnamment réduite, avec un canon très mince. Mais il devait tout de même être lourd, ce qui avait dû provoquer...

— Vous avez remarqué des éraflures sur le plateau de votre table ? demanda Kate à Medina.

— Ah, je ne crois pas, non. Pourquoi ?

— Si ce pistolet est tombé sur votre table, il l'a sans doute un peu abîmée. Il devrait y avoir des éclats dans le bois, ce genre de choses... Je me demande si le voleur ne levait pas son verre plutôt que son pistolet quand votre gardien l'a surpris. Cela expliquerait pourquoi le verre a été touché par la balle. Vous savez, dans une pièce sombre, on peut facilement prendre l'un pour l'autre.

— Possible. Mais j'espère que ça ne s'est pas passé de cette façon.

Est-ce qu'il avait levé son verre pour boire ou est-ce qu'il portait un toast ? Un toast, ça semble plus logique. La position du bras ressemblerait plus à celle d'un homme qui s'apprête à tirer, et dans ce cas...

— J'y pense, répondit Kate : si ça se trouve il était déjà mort quand votre homme a tiré.

— Quoi ?

— Eh bien, si la bague est bien celle que le Chat a dérobée, elle contient une petite cavité secrète. Et comme le rubis semble avoir été descellé, je dirais que...

— Vous n'êtes pas en train de me dire que sa bague contenait du poison ?

— Si. Au cas où il se retrouverait coincé, pour éviter le déshonneur de l'échec, de la prison...

— Mais c'est... tellement vieux jeu !

— En effet. Et ça correspond parfaitement à un gentleman-cambrioleur.

Medina semblait intrigué, mais toujours sceptique.

— L'inspecteur n'a pas parlé de tout ça.

— Eh bien, il ignorait tout de la valeur exceptionnelle de votre manuscrit. Il pense être en présence d'un simple cambriolage avec effraction. Aucune raison de faire le rapprochement avec le Chat. Tenez, demandez à l'inspecteur de retrouver la bague et de faire rechercher des traces de poison dans le corps du voleur. Et, pendant qu'on y est, demandons-lui aussi des renseignements sur l'explosif. Ce sera peut-être le même que celui utilisé par le Chat.

— Tenu ! lança Medina en prenant son téléphone.

— Ah oui, nous aurons aussi besoin de quelques photos prises à la morgue. Dites-lui que nous envoyons un coursier les chercher pour qu'il les dépose à mon hôtel. Une dernière chose : l'étiquette de la veste de costume du voleur. Elle a peut-être des choses à nous dire...

Kate entendit Medina demander à parler au sergent Colin Davies. Puis elle ferma les yeux.

— Ils me mettent en attente... souffla Medina.

— Excusez-moi... je n'ai pas réussi à dormir dans l'avion à l'aller. Je pense que je ne vais pas tarder à m'effondrer.

Elle soupira et chercha le levier pour abaisser le dossier de son siège.

— C'est la première fois que vous montez dans une Ferrari, pas vrai ?

— Pourquoi dites-vous ça ?

— Les sièges ne sont pas inclinables.

— Quelle casserole, ma parole ! grommela Kate. Dire qu'elle vous a coûté une fortune...

— Je sais. Mais cela n'a pas l'air de vous impressionner.

Londres, Mayfair. 13 h 55.

Le *Connaught Hotel* est niché près d'un petit carrefour triangulaire de Mayfair, le quartier au chic intemporel situé au cœur de Londres et plein de boutiques élégantes, d'hôtels de luxe, de bureaux et d'appartements hors de prix. Sa façade géorgienne en briques rouges et ornements de pierre pâle est complétée par un auvent à colonnes et un lierre miniature qui pend du balcon en fer forgé surmontant l'entrée.

— On est arrivés...

Kate entendit la voix de Medina en même temps qu'elle sentit la voiture s'arrêter. Elle rouvrit les yeux, tourna le visage et aperçut un homme en veste grise et haut-de-forme noir se pencher vers la vitre baissée de la portière de Medina.

— Madame descend aussi, dit Medina au voiturier.

Un portier vint ensuite prendre sa valise dans le coffre.

— Eh bien... murmura-t-elle, ce n'est pas vraiment le *Holiday Inn*, on dirait...

Medina haussa les épaules.

— C'est juste en face de votre bureau. La situation me paraissait pratique.

Kate sortit de la voiture, prit son sac à dos et le suivit à l'intérieur. Ils passèrent sous l'entrée voûtée décorée de bas-reliefs grecs et se présentèrent à la réception. Après que Kate eut rempli sa fiche d'inscription, Medina se prépara à partir.

— Cidro ? Vous serez joignable cet après-midi ?

— Oui. Je reste quelques heures dans la City et je rentre chez moi. Vers 17 heures. Ensuite, j'ai un rendez-vous à 19 heures, mais vous pouvez l'interrompre si vous voulez.

— Oh, non, je vous appellerai ou je passerai vous voir quand vous serez disponible. Je devrai avoir du nouveau pour vous.

Ils se séparèrent, et Kate gagna sa suite, au deuxième étage. Elle entra d'un pas fatigué mais, dès qu'elle vit le salon, ses yeux s'écarquillèrent. C'était une pièce luxueuse aux murs parés d'ivoire rose, avec des appliques dorées, un miroir ornemental posé sur une grande cheminée et un lustre en cristal, des fauteuils et un canapé moelleux recouverts de soie jaune et turquoise.

Une enveloppe kraft était posée sur un bureau près d'une fenêtre. Kate s'approcha et regarda au-dehors : une enfilade de tourelles et de cheminées, et en contrebas, dans la rue, un homme en combinaison de cuir noir et rouge enfourchant une Ducati et démarrant.

Elle prit dans l'une des poches extérieures de son sac à dos un petit émetteur et l'alluma. Il produisait un bruit blanc à très haute fréquence – inaudible pour l'oreille humaine – capable de brouiller tout système de surveillance électronique. Une fois certaine qu'elle pouvait passer un coup de fil en toute discrétion, même si toute la suite était truffée de micros, Kate composa le numéro de Max sur son téléphone portable.

— Salut. Je suis sur le point de sortir mais Slade m'a demandé de vous tenir régulièrement au courant. J'étais avec Medina à l'instant.

— Alors, quelles nouvelles ?

— Eh bien, dit-elle en ouvrant l'enveloppe kraft en provenance de Scotland Yard, afin d'identifier le voleur de Medina, je voulais montrer les photos que tu m'as envoyées au tailleur qui lui a fait sa veste, mais il n'y a aucune étiquette. Alors, comme je suis sûre que le voleur est le Chat, j'ai une autre idée – bien meilleure en fait et qui m'évite de terroriser quelqu'un avec des photos de cadavre.

Elle s'arrêta sur un cliché montrant le visage livide, légère-ment bleuté, du voleur. Puis elle rangea les photos dans l'en-veloppe.

— Autre chose : le professeur à qui Medina a montré le manuscrit a été assassiné il y a quelques jours. Un tueur plutôt sophistiqué, qui a utilisé un Hämmerli avec silencieux.

— Tu crois que c'est le Chat ? Avant son cambriolage chez Medina ?

— Non. C'est forcément un autre type. Le Chat ne s'atta-que jamais aux personnes.

— Alors Dragon de Jade aurait fait appel au voleur le plus doué d'Europe et à un tueur professionnel ? C'est plus sérieux qu'on ne le pensait... Qu'est-ce que tu as comme équipement, là ?

— Comme d'habitude.

Kate emportait toujours dans ses affaires le « Baiser de la mort », un pistolet miniature 4.5 mm caché dans un tube de rouge à lèvres, conçu dans les années 1960 par le KGB. Elle en avait un second, mais celui-là était chargé de fléchettes tranquillisantes, fabriqué à sa demande par les services tech-niques de la CIA. Elle l'avait surnommé le « Fais de beaux rêves ». Ainsi discrètement équipée, Kate était certaine que quiconque fouillerait dans ses affaires la croirait désarmée.

— D'accord, mais ça ne serait pas mal que tu passes cher-cher un pistolet normal au bureau.

— Possible. Tu sais, je suis juste en face : Medina m'a réservé une suite au *Connaught*.

— La vache ! Et dire que je m'inquiétais pour toi...

— Mon boulot présente *quelques* avantages, je te l'ac-corde... Oh, à propos ! Comment s'est passé ton rendez-vous, hier soir ?

— Humm... Jolie fille mais il n'y avait pas grand-chose là-haut...

— Quoi ? Elle n'a pas décroché un mot ? Elle ne compre-nait pas ton humour ?

— Ma chère, je ne parlais pas du grenier...

Kate éclata de rire.

— Tu vois toujours Tolomei ce soir ?

— Oui. Au Vatican, à 20 heures. J'attrape un avion en fin d'après-midi. Tu as d'autres infos sur lui ?

— Hmmm… ça se pourrait. Je te tiens au courant.

— À plus tard, alors.

À quatre rues de là, sur Park Lane, une longue Mercedes noire roulait à vive allure en direction du *Ritz*. Elle venait d'un aérodrome privé de West London. Assis sur la banquette arrière, Luca de Tolomei regardait par la vitre, un sourire aux lèvres à l'idée de la soirée qui s'annonçait.

New York. 9 h 28.

Seul dans la salle de réunion de l'Agence Slade, Max continuait d'étudier le listing des transactions financières de Luca de Tolomei. Depuis la veille au soir, il avait le sentiment qu'il existait un motif logique dans le fatras de noms, de dates et de chiffres imprimés sur ces feuilles mais, quel qu'il soit, il se contentait de rôder aux abords de sa conscience.

Peut-être Slade pourrait-il m'aider, pensa Max en entendant son patron arriver.

— Bonjour, Slade. J'ai besoin de vos lumières. Je pense que…

— Ça ne peut pas attendre quelques minutes ? J'ai un coup de téléphone urgent à passer.

Dans le secret de son bureau, trois étages plus haut, Jeremy Slade appela Donovan Morgan.

— Don. Tu peux parler ?

— Bien sûr. Qu'est-ce que tu as trouvé ?

— Il est vivant. J'ai du nouveau. Nous le trouverons bientôt.

Il raccrocha et, dégoûté, posa sa tête dans ses mains. Dire que, pendant ces trois années, il n'avait pas une seule fois envisagé la possibilité que son agent soit emprisonné hors d'Irak !

Il ne se le pardonnerait jamais. Abandonner quelqu'un de cette façon, ne pas réussir à le protéger, c'était son pire cauchemar.

Le souvenir des tortures pratiquées dans les prisons iraniennes submergeait son esprit. Il pressa les paumes de ses mains contre ses yeux, jusqu'à ce que les images horribles se brouillent en un kaléidoscope aux couleurs sombres.

14

Les oiseaux parlent-ils des meurtres du passé ?
Je rougis d'entendre pareilles sornettes.
De quel droit César régna-t-il sur l'Empire ?
C'est la force qui fit les rois, puis les lois
Lorsque, comme celles de Draco,
Elles étaient écrites en lettres de sang.
Machiavel, in *Le Juif de Malte* (Marlowe)

Londres, mai 1593. Après-midi

Est-ce qu'il nie la divinité du Christ ?
Pas de réponse.
— Est-ce qu'il tient des propos incitant à la rébellion ?
Pas de réponse.
— Tu as bien vécu avec lui, n'est-ce pas ?
Comme auparavant, seul le cliquètement des fers sur le sol rompit le silence.

Richard Topcliffe se tourna vers les deux hommes placés à chaque extrémité du chevalet.

— Allez-y. Un cran au-dessus.

Très lentement, ils poussèrent le levier vers le bas, millimètre par millimètre. Les cordes attachées autour des poignets et des chevilles du prisonnier écartelèrent un peu plus ses membres, et les pierres placées dans son dos mordirent un peu plus profondément sa chair. Le bois produisait des craquements réguliers. Soudain, un autre bruit, que peu de personnes connaissaient : celui de la peau se déchirant tout doucement.

— On reprend notre discussion ?

Les nœuds des cordes étaient gorgés de sang. Le prisonnier hocha la tête.

— Alors ?

Le prisonnier toussa violemment, tentant de s'éclaircir la gorge pour chuchoter.

— Tu... tu aimes le théâtre ?

Topcliffe passa sa langue sur ses lèvres et, d'une voix très calme, ordonna :

— À terre.

Un craquement. Puis un autre. Et enfin, un hurlement.

Un greffier entra dans la salle, muni d'une plume et d'un parchemin.

Vaincu par la douleur, l'homme brisé déclara tout ce que son bourreau voulait entendre. Encore et encore. Il calomnia Kit Marlowe jusqu'à ce que ses canaux lacrymaux soient secs et sa voix un filet rauque. Puis le dramaturge Thomas Kyd, ce célèbre et talentueux sculpteur du verbe, ne trouva plus de mots.

— Vas-tu me dire quel est ton nom ? demanda Marlowe en guidant le jeune marin déguisé le long de Gracechurch Street.

— Pourquoi diable...

— Je peux te garantir que tu ne serais plus jamais arrêtée à la douane.

Elle s'arrêta aussitôt de marcher et, avec une courtoisie excessive :

— Helen, monseigneur. Ravie de vous rencontrer.

— J'aurais dû le deviner, dit Marlowe d'un ton moqueur, en pensant à Hélène de Troie.

Malgré sa fausse moustache, le visage d'Helen était d'une beauté frappante.

— Pourquoi as-tu quitté l'Angleterre ?

— J'étais accusée de sorcellerie. Dans mon village, deux enfants sont tombés malade.

— L'histoire habituelle… Même les souverains ont besoin de boucs émissaires. Lorsque Jacques VI, roi d'Écosse, ramena du Danemark sa nouvelle femme, son bateau essuya une violente tempête. Il accusa des dizaines de ses compatriotes d'en être responsables, et les condamna au bûcher.

Ils s'engagèrent dans Lombard Street.

— Tu es allée te réfugier sur le continent ?

Elle secoua la tête.

— Je suis entrée dans un bordel et j'ai volé une tenue de marin. Ensuite, j'ai pu embarquer à bord d'un navire corsaire en partance pour la Méditerranée. Quelques jours après notre départ, nous avons été attaqués par des pirates de Barbarie. Leur capitaine m'a tout de suite découverte : il a arraché ma moustache, et j'ai cru que ma dernière heure avait sonné. Mais en fait, mon histoire l'a amusé, impressionné, même. Depuis, je fais partie de son équipage.

— Mais avec tes cheveux blonds…

— Beaucoup de chrétiens naviguent sous pavillon barbare. Contrairement aux Anglais, nous naviguons pour notre propre compte.

— Pourquoi es-tu revenue ?

— Je veux donner de l'argent à ma famille, mais ce maudit douanier m'a tout pris.

— Alors cette histoire de Compagnie moscovite, c'est juste une ruse pour passer au travers des contrôles ?

— Exactement.

— Eh bien… je suppose qu'on pourrait dire que tu m'as fait perdre mon temps…

— Au contraire…

Marlowe leva les sourcils, intrigué.

Helen secoua la tête.

— Tsst tsst… d'abord les papiers.

— Tu as raison.

Marlowe s'arrêta devant l'entrée d'un énorme bâtiment en briques, dont l'unique tour était surmontée d'une passerelle métallique.

— Bienvenue au Royal Exchange ! On y trouve à peu près tout ce que l'argent peut acheter.

— C'est là que tu m'emmènes ? Tu sais que je peux me faire arrêter d'un instant à l'autre, pour ensuite être attachée au dock ?

Les pirates et les contrebandiers étaient ligotés au « Dock du bourreau » à marée basse, et mouraient noyés avec la marée haute.

— Un peu d'imagination, miss Helen. Les produits du marché noir ne se trouvent pas uniquement au détour des allées obscures...

La cour du Royal Exchange, décorée de statues des anciens rois d'Angleterre, fourmillait d'activités. Marlowe et Helen passèrent devant des marchands, des boutiquiers, des vitriers, des vendeurs de bougies, des orfèvres, et parvinrent à l'autre extrémité de la cour en se frayant péniblement un chemin à travers la foule dense. Marlowe s'arrêta devant un rouquin adossé à un pilier de marbre, près d'un groupe de libraires. C'était un faussaire nommé Kit Miller.

— Ah ! s'écria-t-il en souriant, mon *autre* Kit préféré ! J'ai vendu les derniers exemplaires de tes élégies en moins de dix minutes. Même après avoir triplé leur prix. Quoi que tu demandes, je suis ton homme.

— Des papiers d'identité pour la dame.

— La dame ?

Helen souleva discrètement une pointe de sa moustache.

— Je vois.

Miller les conduisit sous l'auvent de sa tente.

— Vous avez frappé à la bonne porte.

Il se pencha sous sa table et en ramena une boîte, dans laquelle il prit plusieurs feuilles de parchemin, un nécessaire à écrire et d'autres accessoires.

— Voulez-vous un nom précis ?

— Lee Andressen. Je m'y suis habituée.

À l'aide de trois encres différentes, Miller remplit les lignes sur les parchemins et appliqua les sceaux correspondants.

— Bien ! annonça-t-il fièrement. Et maintenant, la petite touche de magie...

Il posa les feuilles par terre et les piétina plusieurs fois, puis les remit à Marlowe.

En sortant du bâtiment, Helen tendit la main pour récupérer ses papiers, mais Marlowe les agita au-dessus de sa tête.

— Paye-moi à manger, dit-elle, et je te raconterai tout.

Westminster. Au crépuscule.

Les griffes serties d'éperons aiguisés, deux coqs se jaugeaient du regard en se tournant autour. Quelques secondes plus tard, ils se sautaient dessus, battant des ailes et se griffant dans un nuage de poussière et de plumes.

Appuyé contre un arbre, Robert Poley regardait des centaines de pièces passer de main en main. À la lueur des torches, il apercevait les visages des spectateurs réunis autour de la clôture en bois de l'arène. Avec force cris et poings brandis, tous encourageaient leur favori.

Poley sentit une présence derrière lui : son employeur était arrivé. Les bois au sud de Saint James' Palace, où se tenaient chaque soir des combats de coq, étaient l'un des lieux de rendez-vous préférés de sir Cecil. Anonymes, et pratiques, à proximité de son bureau de Whitehall.

— Vous lui avez parlé ? Ordonné de quitter l'Angleterre ?

— Pas encore. Quand je suis arrivé à Scadbury House ce matin, il était déjà parti. Walsingham n'était pas là non plus.

— La commission a envoyé quatre agents. Vous devez le retrouver avant eux !

— Ils sont passés à la torture ?

Cecil acquiesça.

— Topcliffe est de retour. Hier soir, il s'est occupé de Thomas Kyd.

— Kyd ? répéta Poley, surpris. Cet écrivaillon au foie fragile ? Je ne l'imagine pas appeler à la violence...

— Les agents ont fouillé son appartement, et il semblerait qu'ils aient trouvé un document contenant des déclarations hérétiques. Kyd a nié l'avoir jamais écrit, a laissé entendre que Marlowe devait en être l'auteur – ils vivaient encore ensemble il y a peu de temps. Il a aussi fait allusion à des propos monstrueux tenus par Marlowe, à ses blasphèmes contre les Écritures et les Saints... Il aurait ainsi prétendu que le Christ et saint Jean...

— Oui ?

— ... s'aimaient d'une sorte d'amour inhabituel.

Poley sourit devant l'air dépité de Cecil.

— Un autre informateur a rapporté que Marlowe fait ouvertement profession d'athéisme. Il se vanterait de pouvoir donner plus de raisons d'être athée que n'importe quel homme d'Église peut donner de preuves de l'existence de Dieu. L'informateur lui-même a déclaré que Marlowe l'avait converti à l'athéisme.

Cecil marqua une pause.

— Ça vous semble plausible ?

Poley fronça les sourcils.

— Plausible, oui. Marlowe a toujours eu un penchant pour la provocation.

— Quoi qu'il en soit, je suis certain que le document compromettant a été placé dans le logement de Kyd par les agents eux-mêmes, dit Cecil d'une voix grave. Apparemment, quelqu'un a juré la perte de Marlowe. Il faut à tout prix le prévenir, qu'il parte pendant au moins plusieurs mois, le temps de se faire oublier.

— Dommage pour Kyd, murmura Poley, le regard dans le vague. Il est innocent. Ce n'est qu'un pion sur l'échiquier. Et c'est un bon auteur, vous savez ? J'ai beaucoup aimé sa *Tragédie espagnole*...

Il se tut quelques instants puis, se tournant vers Cecil :

— Si j'étais d'une autre sorte d'étoffe, je crois que j'aurais de la peine pour lui.

Londres. Crépuscule.

Helen avala sa dernière bouchée de ragoût de gibier.

— Mon capitaine a fait un marché avec un Anglais de la Compagnie moscovite.

Marlowe faillit s'étouffer avec sa gorgée de vin.

— Ces six derniers mois, il a fourni à l'Anglais de la marchandise venue d'Orient, des produits que mon capitaine a pris à des marchands portugais. En échange, l'Anglais nous donne des armes.

Ce n'était pas un passage au Nord-Est. Quelqu'un se servait des navires de la compagnie pour ses propres opérations de contrebande, condamnant au passage de nombreux concitoyens : les armes de ces vaisseaux pirates ne tarderaient pas à être dirigées contre des marins anglais. Si ce n'avait pas déjà été le cas.

— Tu es sûre que le contrebandier est un membre de la compagnie ?

— C'est ce qu'il prétend. C'est pour rendre service à mon capitaine qu'il m'a autorisée à venir ici à bord d'un des bateaux de la compagnie.

— Son nom ?

Helen secoua la tête.

— Tu l'as déjà vu ?

— Chaque fois qu'il monte à bord de notre bateau, il insiste pour que l'équipage reste sur le pont inférieur.

— Le bâtard...

— Mais j'ai entendu sa voix. Je la connais bien.

— Cela pourrait suffire... Il y a un bal costumé à Greenwich Palace après-demain. Tu m'accompagnes ?

— Pour quelques shillings, oui...

Elle fronça les sourcils.

— ... mais pourquoi tiens-tu tant que ça à savoir qui c'est ? En quoi cela intéresse ton ami actionnaire ?

— Eh bien, tu vois...

— Par le trou du cul du diable, tu es un *espion* !

Imperturbable, Marlowe vida son vin.

Puis, l'observant tirer d'un geste vif son couteau de sa cuissarde et le brandir au-dessus de sa tête, il dit :

— Qui que je sois, j'ai promis que je ne te dénoncerai pas et je tiendrai parole. Et puis, tu aimes l'argent...

— Un espion qui tient parole ? Je n'aurais jamais cru ça possible.

Marlowe haussa les épaules.

— J'ai l'habitude d'étonner les gens.

Helen baissa son couteau.

— Je ne sais pas pourquoi, mais je te crois. Peut-être que je ne te tuerai pas tout de suite.

— Bien sûr que non.

— Pardon ?

— Tu m'aimes bien trop pour ça.

Helen plongea deux doigts dans son vin et envoya une pichenette au visage de Marlowe.

— Tu as envie de jouer avec moi ? répondit-il en brandissant une cuillère pleine de ragoût.

— Quand l'envie me prendra je te ferai signe. Et maintenant, Kit, autre chose. L'Anglais aime beaucoup un objet que mon capitaine lui a offert. Il a déclaré que c'était son cadeau favori.

— Qu'est-ce que c'est ?

— Une statuette avec des yeux en rubis.

— Qui représente un homme ?

— Non. Un dragon sculpté dans le jade.

15

Londres, Belgravia, de nos jours. 17 h 16.

Tu as trouvé quelque chose ?

À peine sortie de la station de métro Victoria pour se rendre chez Medina, Kate était au téléphone avec Max. Elle lui avait demandé une demi-heure plus tôt de chercher toute entrée d'argent récente sur les comptes en banque du cambrioleur, avec l'espoir qu'il avait reçu un paiement d'avance.

— Aucun dépôt le mois dernier, sur aucun de ses comptes *offshore*. J'ai aussi vérifié ses e-mails. Il n'a reçu aucun message de Dragon de Jade.

— Il avait peut-être une espèce d'agent pour le représenter. Tu peux m'envoyer les noms de tous ceux qui lui ont écrit ou téléphoné depuis la découverte du manuscrit ?

— C'est comme si c'était fait.

Elle s'arrêta à Belgravia Square et examina une nouvelle fois la photo qu'elle avait trouvée, vieille d'un an, du cambrioleur de Medina. Partant du principe qu'il s'agissait bien du Chat, et que le Chat appartenait à la haute société – tous les experts s'accordaient à dire qu'il avait déjà visité les maisons qu'il

187

cambriolait –, Kate s'était rendue dans une bibliothèque et avait consulté des piles de vieux magazines *people*. Elle n'avait pas tardé à trouver une photo du cambrioleur en vacances à Monaco avec des amis.

Simon Trevor-Jones, 35 ans, était un aristocrate globe-trotter, un baron en l'occurrence. Cependant, son apparence démentait tout ce que Kate avait imaginé. Elle s'attendait à voir un homme fringant et séduisant – tirant sur le James Bond, même –, et ni les photos prises sur la scène de crime ni les clichés de la morgue ne lui avaient permis de confirmer ou d'infirmer cette idée préconçue. À présent, elle découvrait que Trevor-Jones ne ressemblait en rien à James Bond. Il avait hérité de tout ce que le sang aristocratique anglais offre de pire : une allure pâteuse et une charpente osseuse. Malgré tout, pensa Kate, il émanait de sa personne quelque chose de délicieusement sexy. Son sourire blasé traduisait une nature insouciante doublée d'une énergie sexuelle de prédateur, presque palpable.

C'était une légende, et c'était triste de penser que son statut mythique disparaîtrait avec lui. Kate avait pensé ne pas faire part de sa théorie à la police – en espérant qu'elle ne ferait pas le rapprochement entre Trevor-Jones et le Chat – mais elle savait que ce serait inutile. Le corps finirait tôt ou tard par être identifié : dès que l'un des chefs de Scotland Yard entendrait prononcer dans la même phrase « baron » et « voleur », il ajusterait sans problème les pièces du puzzle.

Kate rangea la photo dans son sac et reprit sa marche. Le quartier dans lequel vivait Medina était délicieusement propre, d'une blancheur immaculée, avec de jolis jardins clôturés, mais la largeur des rues et le faste de leurs colonnades lui parurent stériles et pompeux.

C'est mieux, pensa-t-elle en entrant dans Wilton Crescent. La rangée incurvée de petites maisons mitoyennes n'était agrémentée d'aucune colonne ni d'aucune façade ornementée. Elle chercha parmi les voitures garées celle de Medina et, ne la trouvant pas, se dit qu'il devait être en retard.

En approchant de la porte de sa maison, elle aperçut avec

satisfaction deux caméras de surveillance. Après sa première rencontre avec Medina, elle avait demandé à l'un de ses collègues du bureau londonien de l'Agence Slade d'accélérer l'installation de son nouveau système de sécurité. Elle avait également tenté de convaincre Medina d'accepter, pendant quelque temps, un garde du corps, mais il semblait s'estimer capable de se protéger tout seul. Il avait ri en lui reprochant de lui survendre ses services.

Kate frappa à la porte et donna son nom à l'interphone. Une femme d'âge mûr au visage angélique vint lui ouvrir.

— Je suis Charlotte, déclara-t-elle avec un grand sourire. Entrez. M. Medina ne va pas tarder.

Kate suivit la gouvernante dans la salle de séjour. Ameublement minimaliste, beaucoup de blanc et de chrome – un peu solennel mais confortable. Elle s'installa dans la blancheur veloutée d'un canapé, sortit de son sac à dos son ordinateur et reprit tranquillement le décodage du manuscrit.

Le sergent Colin Davies était furieux. Il y avait eu un double meurtre dans une rue de son quartier la nuit précédente, mais son chef refusait de lui confier l'enquête, sous prétexte qu'il n'était pas assez expérimenté. Au lieu de ça, il l'envoyait dans le quartier le plus prétentieux de Londres pour une espèce de cambriolage ayant mal tourné dans la maison d'un richard qui, pour ajouter l'insulte à l'injure, avait le culot d'être beau. *Et merde !*

Davies s'était toujours montré méfiant envers les gens très beaux. Tout était trop simple pour eux ; ils avançaient dans la vie en n'hésitant pas à piétiner les autres. Distrait par leur beauté, on ne prenait pas garde aux sales coups qu'ils préparaient. Les filles beaucoup trop belles étaient déjà insupportables – elles s'imaginent trop bien pour à peu près n'importe qui –, mais les types beaux *et* riches ? C'étaient les pires. S'il ne tenait qu'à lui, Davies collerait une balle dans le crâne de tous ces salopards de frimeurs.

Davies avait haï Cidro Medina dès le premier coup d'œil,

mais s'était efforcé de ne pas le montrer. S'il lui froissait les plumes, il risquerait d'énerver son chef. Une chose était sûre : c'était la dernière visite inutile qu'il rendait à Medina ou à quiconque dans ce quartier. Être aux petits soins pour les riches n'était pas, pour reprendre une de leurs expressions, sa *tasse de thé.*

C'est une femme qui lui ouvrit. Elle n'était pas habillée comme une domestique, remarqua Davies, mais ce n'était certainement pas la petite amie de Medina, il l'imaginait plutôt avec une de ces petites princesses hautaines... En tout cas pas ce genre de fille, portant des lunettes, un T-shirt et – il baissa les yeux – des baskets bicolores.

Elle tendit la main.

— Bonjour, sergent Davies. Je suis Kate Morgan, enquêtrice privée pour le compte de M. Medina.

Sans déconner ! C'était l'enquêtrice, cette fille au visage espiègle et au sourire naïf ?

— Est-ce que votre coroner a eu l'occasion de voir le corps ? demanda-t-elle.

— Non. Mais puisque aucune blessure par balle ne paraît avoir été mortelle, votre théorie de l'empoisonnement est plausible. Probable, même.

Il ajouta, comme à contrecœur :

— Vous aviez aussi raison à propos de la bague. Elle a été dérobée il y a neuf ans dans un hôtel de Portofino, et le principal suspect est ce voleur surnommé le Chat.

— Et l'explosif ?

— Euh... les tests révèlent la présence de...

Davies sortit de sa poche un carnet. Il le feuilleta, secoua la tête. *Putain de merde !*

— Le rapport du labo a parlé d'un truc, mais...

— Est-ce que ce ne serait pas quelque chose comme du PETN [1] ? On en a trouvé des traces dans tous les coffres dont le Chat s'est occupé.

1- Tétranitrate de pentaérythritol, produit chimique entrant dans la composition de nombreux explosifs courants, comme le plastic.

Oh ! Va te faire foutre, Mademoiselle-Je-Sais-Tout. Davies accompagna son hochement de tête d'une moue méprisante.

— Laissez-moi juste une seconde… murmura Kate.

Davies la regarda chercher quelque chose dans son sac. *Quoi ? On a besoin de se repoudrer le nez ?* Elle en tira un morceau de papier qu'elle tendit au sergent. Davies fronça les sourcils. C'était la photocopie d'une page de tabloïd. Il détestait ce genre de torchons.

— Regardez la photo en bas à droite. L'homme à gauche.

Nom de dieu, c'est lui ! Il lut la légende : « Simon Trevor-Jones, lord Astley ».

— Ça alors… le voleur était un baron ?

La fille acquiesça d'un air… *quoi ? mélancolique ?*

— Je parie qu'en examinant les relevés des comptes bancaires *offshore* de Trevor-Jones après chaque cambriolage attribué au Chat, vous allez découvrir de grosses entrées d'argent suivies de dons importants à des organismes caritatifs. C'est sans doute l'élément de preuve le plus convaincant que vous pourrez trouver.

— Je vais vérifier, répondit Davies d'un ton sec.

— Je serais désolée que vous me reprochiez de marcher sur vos plates-bandes, sergent, mais un homme a été assassiné à cause du manuscrit qui intéressait notre voleur. J'essaye simplement de comprendre pourquoi et d'éviter d'autres morts.

— Assassiné ? dit Davies, sceptique.

— À Oxford. Il y a quelques jours.

Au même moment, Davies vit Medina arriver. En Ferrari, évidemment.

— Bonjour, sergent.

Va te faire foutre.

— Je vous sers un verre ? lui proposa-t-il en l'entraînant dans le salon.

— Non merci.

— Qu'est-ce que j'ai raté ?

— Votre cambrioleur était un baron nommé Simon Trevor-

Jones, dit la fille. Et nous ne sommes pas loin de prouver qu'il s'agissait du Chat.

— Tout ça en quelques heures ? Comment avez-vous…

— Oh, la police s'est chargée de tout le boulot. Moi, j'ai juste feuilleté la presse *people* jusqu'à tomber sur son portrait…

Davies allait donner sa photo à Medina. Il avait remarqué son mouvement de dégoût quand la fille avait parlé des magazines *people*. *Il doit détester ces saloperies autant que moi. Peut-être qu'après tout il mérite de vivre… Un peu plus longtemps que les autres, en tout cas.*

— Non non, c'est votre photo, intervint la fille en tendant une autre photocopie à Medina.

Tandis que ce dernier allait l'examiner près d'une lampe, Kate lui glissa :

— Si vous dites à votre patron qu'aujourd'hui vous avez identifié le Chat, je parie qu'il va en avaler son mégot…

Davies ne put retenir un sourire. Le chef de la police métropolitaine était connu pour avoir en permanence une cigarette au bec. Rares étaient ceux qui l'avaient vu la retirer : il parlait et respirait sans jamais desserrer les lèvres. Et voilà que cette fille acceptait de laisser Davies s'attribuer tout le mérite de cette découverte ? Surpris, il s'aperçut qu'il allait sans doute obtenir cette promotion attendue depuis si longtemps.

— Cela ne vous dérangerait pas que je vous accompagne quand vous irez fouiller la maison de Trevor-Jones ? demanda-t-elle.

— Ça ne devrait pas poser de problème, répondit-il en souriant.

— Parfait. Et vous pourriez me laisser annoncer à la marquise d'Halifax que sa bague a été retrouvée ?

Son sourire s'agrandit.

— Je vous en prie.

— Il y a une question que j'aimerais vous poser, Cidro, dit Kate une fois le sergent parti.

Medina était assis face à elle dans le salon, une coupe de glace sur les genoux.

— Oui ?

— Je pensais à ce que je ferais si je devais absolument mettre la main sur le manuscrit, et si j'étais un criminel sans scrupules.

— Hmmm ?

— Je vous volerais quelque chose à quoi vous tenez davantage et je le garderais comme monnaie d'échange. Ça pourrait être quelqu'un que vous aimez : un frère, une sœur, une petite amie, vos parents... Je pense que ma société ferait mieux de...

— À vrai dire, c'est une hypothèse qui ne devrait pas vous préoccuper. Je suis fils unique, je n'ai pas de petite amie et mes parents vivent en Espagne.

— Je vais demander à notre bureau de Madrid de garder un œil sur eux. Et je laisse le manuscrit ici, ajouta-t-elle en prenant dans son sac à dos le coffret de Phelippes. Mettez-le dans votre nouveau coffre.

Medina acquiesça.

— Vous savez, Kate, le voleur, sur la photo... Il me paraît étrangement familier. C'était peut-être un membre de mon club, ou quelque chose dans ce goût-là.

— Je suis presque certaine qu'il s'est retrouvé en même temps que vous à Oxford. Il est sorti diplômé du Magdalen College, il y a douze ans. C'est peut-être là que vous l'avez vu.

— Peut-être. Vous êtes sûre que vous n'en voulez pas un peu ? demanda-t-il en lui tendant une cuillérée de glace.

— D'accord !

Pendant qu'elle savourait la glace, elle vit Medina tirer de sa mallette une petite boîte blanche fermée par un ruban argenté. À en juger par son expression, c'était pour elle.

— Oh ! Je les connais vos cadeaux, monsieur. Qu'est-ce que c'est, cette fois ? Une autre épreuve pour tester mes compétences ? Un autre cerceau dans lequel vous voulez que je saute ?

Avec un sourire, Medina secoua la tête puis vint s'asseoir à côté d'elle.

— En revenant ici, j'ai fait un crochet par Scotland Yard et je leur ai raconté un petit bobard : je leur ai dit que le pistolet du voleur m'appartenait, qu'il l'avait pris dans mon bureau, que c'était une antiquité, même pas répertoriée. Ils n'en avaient aucune utilité, et j'ai pensé qu'il pourrait vous plaire.

— Je ne sais pas quoi dire, répondit Kate en ouvrant la boîte. Le pistolet du Chat... on ne m'a jamais fait un aussi beau cadeau... Merci.

— En général, je dois me fendre d'une rivière de diamants pour obtenir ce genre de réactions, ironisa Medina.

Il se rapprocha de Kate et posa sa main sur son épaule.

— Ce type s'en est pris à vous à New York, et je n'ai pas envie qu'il vous arrive la même mésaventure ici. J'espère que vous n'aurez pas besoin de vous en servir, c'est juste au cas où...

Qu'est-ce que c'est que cette main sur mon épaule ?

— Vous savez vous en servir, n'est-ce pas ?

Bonhomme, je pourrai exploser une pomme posée sur ta tête à deux cents mètres de distance.

— Euh... Cidro ? Ce n'est pas vous qui m'avez comparée aux plus célèbres espionnes à la cuisse légère ?

— Je crois bien que si.

— Alors vous devez savoir que dès qu'il s'agit de supprimer un ennemi, nous sommes toutes *extrêmement* douées.

— Oh ! Comme c'est intéressant, dit Medina en se frottant le menton d'un geste théâtral. Moi qui croyais me rappeler que Mata Hari était considérée comme une espionne particulièrement balourde, dont les talents s'exprimaient pour l'essentiel à l'horizontale. Je me demande si...

— Oh, je pratique aussi la position du tireur couché. La musique d'ambiance, les lumières tamisées ne me dérangent pas.

Medina rit.

— Je vous abandonne un instant, dit-il en se levant avant de quitter la pièce.

Il revint avec une assiette de sandwiches au fromage fondu.

— Ça vous tente ?

— Du fromage fondu après de la glace ?

Kate déclina l'offre et, lorsque Medina se rassit, elle constata que ses yeux avaient perdu leur pâleur bleue et s'étaient assombris. Ses pupilles étaient presque entièrement dilatées. *Oh, oh...*

— Vous avez un autre rendez-vous professionnel dans peu de temps, n'est-ce pas ?

— Oui.

— Vous y assistez toujours dans cet état... euh... modifié ?

— Seulement quand je sais qu'ils seront très, *très* ennuyeux. Vous en voulez ? C'est du Northern light. Vainqueur de la Cannabis Cup, il n'y a pas longtemps.

— La *quoi* ?

— C'est un concours annuel organisé à Amsterdam. Bien sûr, à force de passer d'un concurrent à l'autre, les juges perdent un peu de leur aptitude à évaluer scientifiquement la qualité de chaque produit. En même temps, une brochette de consommateurs défoncés n'a que faire d'une évaluation scientifique... Enfin bref, ça vous dit d'essayer ?

— Non merci. Je vois une amie un peu plus tard et je ne crois pas qu'elle apprécierait de me voir débarquer sur un petit nuage.

— Bon...

Medina avait l'air sincèrement déçu.

— Un problème ? Pourquoi ce regard de chien battu ?

Il sourit.

— Rien... J'espérais juste que vous pourriez sortir avec moi un peu plus tard, ce soir.

— Euh...

— On pourrait se retrouver après votre rendez-vous, non ?

— Je n'aurai aucune nouvelle information à vous communiquer, alors...

— Au cas où vous ne l'auriez pas remarqué, Kate, je vous demande de sortir avec moi.

— C'est vous qui parlez, Cidro, ou bien la médaille d'or de la ganja ?

— Moi. À 100 %.

— Ah. Eh bien, mon code déontologique m'interdit de sortir avec un client.

Ce n'était pas tout à fait vrai : Slade n'avait jamais abordé le sujet avec elle, mais c'était la seule excuse qu'elle avait trouvée.

— Je peux vous virer ce soir et vous réembaucher demain matin ?

Kate secoua la tête en riant.

— C'est bon, j'ai menti. Il n'y a pas de code déontologique. C'est juste une précaution personnelle. Vous imaginez un peu si c'est une catastrophe et que je me retrouve obligée de continuer à bosser avec vous jusqu'à la fin de l'affaire ?

— Compris.

Elle regarda sa montre et se leva, prête à partir.

Mais Medina n'en avait pas terminé.

— D'accord, on ne sort pas ensemble ce soir. On va juste boire un verre pour discuter de la suite de votre mission. 22 heures, c'est bon pour vous ? 23 heures ?

— Si je suis libre… et désespérément seule, il se *pourrait* que je vous téléphone, dit Kate en marchant vers la porte.

Londres, Knightsbridge. 18 h 12.

À quelques immeubles au sud de Hyde Park, à Montpelier Square, Kate sortit de son taxi et entra dans une maison de briques blanches. Elle pressa le bouton de l'interphone d'Adriana Vandis puis monta jusqu'à son appartement.

— Joli, l'ensemble ! dit-elle en entrant.

Adriana arborait un soutien-gorge bandeau en dentelle dorée, un string assorti et rien d'autre. Elle embrassa Kate sur les deux joues et la fit entrer.

— Désolée, je suis à la bourre…

— C'est bon.

— Je viens de dévaliser La Perla. Tu ne trouves pas que ma poitrine a l'air divine dans ce soutien-gorge ?

Elle tourna sur elle-même pour se montrer à Kate sous plusieurs angles.

— Franchement, Ana, si je n'étais pas une hétérosexuelle farouche…

— Si tu as de la chance, je m'interdirai de les caresser amoureusement en public.

— Ne te prive pas pour moi. J'adorerais voir la réaction des gardiens de Sotheby's…

Petite et pulpeuse, avec des cheveux noirs jusqu'aux omoplates et une aura méditerranéenne sulfureuse, Adriana Vandis ne ressemblait en rien à une banquière. Personne n'aurait deviné, à la voir, qu'elle était l'une des *traders* les mieux payées de la City. C'était aussi l'une des moins populaires. Bien sûr, les femmes la détestaient à cause de son physique ; les longues journées stressantes de la City avaient avachi leur silhouette et transformé leur visage en copies hagardes du *Cri* d'Edvard Munch. Les hommes, qui pour leur part aimaient son physique mais auraient préféré le voir chez une secrétaire, la détestaient à cause de son talent et de son salaire astronomique. Et les membres des deux sexes détestaient le fait qu'Adriana déboule au bureau en fin de matinée pour en repartir au milieu de l'après-midi, affichant ce pas résolu et ce regard aguicheur qui étaient devenus sa signature.

Sa banque, la Silverman Stone, avait érigé l'esprit d'équipe en philosophie, en mantra religieux. À cet égard, Adriana faisait figure d'antéchrist, mais comme elle rapportait à la société quatre fois plus d'argent que ses collègues et que le P.-D.G. aimait la déshabiller du regard au moins une dizaine de fois par jour, sa place était plus qu'assurée. Ce qui lui convenait tout à fait, puisqu'elle avait l'intention de rester jusqu'à amasser suffisamment d'argent pour monter sa propre galerie d'art dans un quartier branché de la ville.

Les deux jeunes femmes avaient partagé la même chambre à la fac et continué à vivre ensemble après leur diplôme.

— Tu as besoin d'une robe ou…

— J'en ai une dans mon sac, mais tu peux me prêter des chaussures ?

— Bien sûr. Une petite douche avant ?

— Impec. Alors, ton travail aujourd'hui ?

Tirant une serviette de son armoire à linge, Adriana haussa les épaules.

— Moins chiant que d'habitude. Depuis quelques semaines, je vends des placements exotiques. C'est plus sympa…

Kate remarqua un nouveau tableau au-dessus du lit de son amie.

— Oh, je l'adore celui-là !

Adriana avait repris la peinture en dernière année de fac et n'avait plus cessé depuis.

— Tu as vu le chapeau qui cache le reste de son visage ? J'ai renoncé. Je n'arrive toujours pas à peindre les visages.

— Bah, tu as fait la moitié du chemin. Tiens, je pense même que tu as réussi un menton parfait.

— Après y avoir passé le week-end, c'est un minimum ! s'exclama Adriana en riant. À propos, il y a une aquarelle de Cézanne à la vente ce soir. Le même bleu et le même vert que dans celui-ci. J'espère bien pouvoir l'accrocher à la place…

— Bonne idée.

Adriana ouvrit son placard et désigna la longue robe rouge suspendue à la porte.

— Ma nouvelle Valentino. Dos nu. Comment tu trouves ?

— Superbe ! Tout à fait toi, répondit Kate avec enthousiasme.

Pourtant, elle était loin de partager la fascination d'Adriana pour les vêtements de couturier et autres signes extérieurs de réussite. Kate s'était toujours davantage intéressée à ce qui se cachait derrière les façades étincelantes – ce qui ne l'empêchait pas d'être fière de son amie. Adriana avait grandi dans une famille pauvre sur l'île grecque de Santorin. Elle aidait sa mère à faire le ménage dans l'un des hôtels les plus miteux de la ville. Devenue veuve, sa mère avait vécu, pour des raisons financières, avec un compagnon violent. L'un des plus anciens souvenirs d'Adriana était le jour où elle s'était jurée de devenir assez riche pour acheter à sa mère un grand appartement sur la plage.

Elle avait été engagée chez Silverman Stone dès sa sortie de l'université et, à force d'y rester tous les étés au lieu de prendre des vacances, elle avait pu réaliser cette promesse dès l'âge de 25 ans.

— Prends le gel de douche posé sur le rebord de la fenêtre. Miel et vanille, ça sent trop bon...

Kate entra dans la salle de bains. Cheveux relevés attachés par une pince, elle prit une douche rapide puis se glissa dans son fourreau noir sans bretelles et enfila les escarpins qu'Adriana lui prêtait.

— Je suis dans la cuisine, Kate !

Kate l'y rejoignit. Son amie était en train de verser du jus d'orange dans deux flûtes à champagne.

— Alors, cette nouvelle affaire ? Raconte !

— Elle concerne un recueil de rapports d'espionnage du XVIᵉ siècle, que quelqu'un essaye de voler à mon client. Tu te rappelles ma thèse sur Christopher Marlowe ?

— Comment pourrais-je l'oublier ! gémit Adriana en écarquillant les yeux.

Elle avait passé sa dernière année de fac à peindre toute la journée et à sortir tous les soirs, alors que Kate avait consacré l'essentiel de son temps plongée dans des livres, dans les recoins les plus obscurs des bibliothèques.

— Eh bien ! Cet après-midi, j'ai trouvé ce qui doit être le tout premier de ses rapports de mission. Il identifie le meurtrier du huitième comte de Northumberland dans la Tour de Londres, ainsi que la famille catholique qui l'a payé. Pour empêcher le complot contre la reine Élisabeth d'être démasqué, tu sais ?

Devant l'expression blasée d'Adriana, Kate ajouta :

— Jusqu'à présent, on savait très peu de choses sur la carrière d'espion de Marlowe. C'est une découverte *très* importante !

— Attends, que je comprenne bien : tu lis *encore* des trucs sur un type qui est mort il y a plusieurs siècles ?

Elle soupira. À ses yeux, seuls comptaient *ici* et *maintenant*.

— Dire que je raconte à tout le monde que tu es une des

trois « Drôles de dames » et que tu passes ton temps à te battre en bikini contre des « super méchants »...

— Ce n'est pas encore ça, mais...

Elle joignit les mains et, d'un air songeur :

— ...peut-être qu'un jour ma mission en bikini arrivera enfin.

Elles s'assirent à la table en verre près d'une baie vitrée donnant sur le jardin situé derrière l'immeuble d'Adriana.

— Tu as entendu parler de Cidro Medina ? demanda Kate.

— Gestionnaire de fonds... un beau blond qui mange des cœurs de femme au petit-déjeuner... Toutes les filles de la City ont entendu parler de lui. Je l'ai rencontré à une soirée il y a un an environ.

— Tu n'as pas été tentée ?

— Eh bien, sourit Adriana, le voir c'est *déjà* être tentée. Mais à l'époque, j'étais trop accro à Mark pour m'intéresser à un autre homme.

— Quel Mark ?

— « Mister Cocaïne ».

— Ah oui.

Une histoire à l'origine de bien des larmes et de bien des coups de téléphone. Adriana avait beau être la femme la plus percutante et la plus incroyablement séduisante que Kate eût jamais connue, sa vie était une succession de chagrins d'amour. Elle mettait un point d'honneur à perdre la tête pour des brutes épaisses.

— Bien contente qu'il soit sorti de ta vie, celui-là...

— Et moi donc. Mais revenons à Cidro. Pourquoi tu me parles de lui ?

— C'est mon client.

— Et il te fait du gringue ?

Kate hocha la tête.

— Sois prudente. Un jour, je l'ai entendu cajoler une fille au téléphone avec une sincérité désarmante alors qu'une autre était *en train* de le tripoter et de l'embrasser dans le cou. Si je n'avais pas vu la scène de mes yeux, je n'aurais jamais imaginé que c'était un salopard.

— En même temps, je ne risque pas de craquer pour lui.

— Je sais.

Adriana était pleinement consciente du deuil dans lequel vivait encore son amie.

— Mais quand Medina aura compris qu'il lui serait plus facile de dessiner une moustache à Mona Lisa que d'avoir accès à ton cœur, il va monter à l'assaut.

— Un désagrément mineur, dit Kate en haussant les épaules. Mais je dois avouer que ça ne me dérangerait pas *tant que ça*.

Londres, Mayfair. 19 h 20.

— J'ai 2,2 millions du monsieur à ma droite, palette 822. À ma droite 2,2 millions. Qui monte à 2,3 ? 2,3 millions au téléphone. 2,3 millions de livres. À vous monsieur : vous montez à 2,4 millions ?

Giles Spencer brandit la palette 822 en souriant. Pour cette vente, il avait mis son costume porte-bonheur, celui à fines rayures, et était sur le point d'acheter un nouveau tableau, son deuxième de la soirée. Il éprouva cette sensation familière : la montée d'adrénaline. De temps en temps, c'était meilleur qu'un rail de coke.

— J'ai 2,5 millions au téléphone. À 2,5 millions de livres, et maintenant 2,6 millions, 2,6 millions à ma droite palette 822. Qui monte à 2,7 ? Quelqu'un à 2,7 ? Dans ce cas 2,6 millions de livres, une fois… 2,6 millions de livres, deux fois. Adjugé à monsieur ! Bravo. Vendu à 2,6 millions de livres.

Giles vit le commissaire-priseur abattre son marteau puis noter la vente sur un carnet, les yeux plissés derrière des lunettes, qui paraissaient se cramponner de toutes leurs forces à la pointe de son nez. Il se demanda quand elles tomberaient. *Cinq, quatre, trois, deux… Elles sont collées, ma parole !*

Il se leva pour aller chercher à boire lorsque, soudain, une vision inattendue l'immobilisa. Sur l'arrière-plan fadasse de la salle – murs bleus striés de blanc, robes et smokings ternes, cheveux gris et chairs blafardes – se détachait une jeune femme au bronzage éclatant vêtue d'une robe rouge vif. Giles cligna des yeux et se pinça. La robe était moulante et s'accrochait à sa poitrine sculpturale comme du cellophane.

Il détourna le regard, soucieux de ne pas se faire remarquer. C'est alors qu'il repéra un autre homme, tout aussi fasciné que lui. Grand, bien bâti, il avait noué en queue de cheval une masse impressionnante de cheveux foncés. Ses sourcils sombres, et en forme de V, juraient avec la pâleur de sa peau, conférant à son visage un aspect résolument inquiétant. À l'évidence, il n'éprouvait aucune gêne à regarder la femme en rouge, et son expression étrange s'accompagnait d'un sourire presque hypnotique. Comme s'il la connaissait, mais pas tout à fait. Cette sublime apparition était-elle une sorte de célébrité ?

Giles la regarda à nouveau. Elle était petite – quelques centimètres à peine au-dessus d'1,50 mètre. Il ne la reconnut pas, mais le nom parfait surgit dans son esprit : « Mlle Rouge-gorge ». Personne ne restait plus de quelques secondes dans l'esprit de Giles sans se voir doté d'un surnom. Elle glissa quelques mots à l'oreille de son amie puis mit le cap sur le bar d'une démarche nonchalante. Le mouvement, tout en fluidité, était magnifique – un mélange de grâce et d'érotisme. Puis Giles porta son regard sur l'autre admirateur, peut-être pour partager un instant de complicité lubrique.

À sa surprise, il constata que l'homme observait l'amie de Mlle Rouge-gorge, une jeune femme plus grande, plus distante aussi, vêtue d'une robe de cocktail noire. Elle était plutôt jolie – sans défaut, du moins –, mais sa posture réservée la rendait entièrement inintéressante à ses yeux. Et puis, elle paraissait un peu trop musclée. Elle avait les bras d'un adolescent. Oui, pensa Giles, c'est Rouge-gorge le bel animal. Non, corrigea-t-il : Rouge-gorge était la belle, et *lui* l'animal.

Porté par une bouffée d'excitation et une confiance décuplée par son nouvel achat, Giles fondit sur sa proie.

Kate regarda le jeune dandy avancer en se pavanant vers

Adriana avec un petit sourire satisfait. Ses cheveux gominés soulignaient par contraste son menton virtuellement inexistant, et son costume à rayures club était trop court d'un ou deux centimètres – peut-être pour montrer les chaussettes roses assorties à sa chemise ? Il murmura quelques mots tout près du visage d'Adriana – probablement une formule toute faite, songea Kate – puis, après avoir entendu sa réponse, resta bouche bée. *Je me demande ce qu'elle lui a sorti. Peut-être sa réplique fétiche : « Je préfère les poupées gonflables transsexuelles »* ?

Adriana la rejoignit et toutes deux s'assirent, un verre à la main. Avec un soupir de soulagement silencieux, Kate s'abandonna peu à peu à cette expérience sensorielle apaisante : le timbre et les inflexions de la voix du commissaire-priseur, la douce rumeur des voix chuchotant en plusieurs langues dans les téléphones portables, les chiffres lumineux des devises étrangères clignotant derrière le pupitre à chaque nouvelle enchère, les hommes en blouse bleue marine allant et venant, tels des pendules, pour installer les différents tableaux sur le chevalet.

Adriana lui donna un coup de coude la tirant de sa rêverie.

— Lot 135, annonça le commissaire-priseur. *Le Balcon*. Second tableau d'une série peinte par Paul Cézanne autour de 1900. Graphite et aquarelle sur papier blanc. Nous démarrons à 300 000 livres. 300 000 ? Oui, madame en rouge près du mur du fond ! 300 000... qui monte à 320 000 ? 320 000 au téléphone... 320 000, qui le prend à 340 000 ? 340 000, quelqu'un ? Oui, palette 717, le monsieur à ma gauche. Qui monte à 360 000 ? 360, madame en rouge. 380, palette 717. À ma gauche, 380 000 livres... 400 000 au téléphone... 400 000... 420 000 ! 440 ! 460 !

La tête et la main du commissaire-priseur continuèrent leur ballet triangulaire jusqu'à ce que l'enchérisseur au téléphone renonce. Le va-et-vient du commissaire-priseur entre Adriana et l'homme à la palette 717 s'accéléra en même temps que le débit de sa voix. Kate levait la tête pour essayer d'apercevoir l'adversaire de son amie, mais soudain Adriana abandonna.

— 520 000 livres… j'ai bien entendu, 520 000 livres ? Qui monte à 540 000 ? Non, madame, vous êtes certaine ? C'est votre dernière chance… Eh bien d'accord ! 520 000 une fois… deux fois…

Le commissaire-priseur balaya du regard l'assemblée. Rien.

— Adjugé vendu à 520 000 livres, pour le monsieur à ma gauche. Mes félicitations, monsieur.

Adriana se pencha vers Kate et murmura, irritée :

— Faudra que j'aille dire deux mots à ce sale rabat-joie. Peut-être qu'en y ajoutant quelques battements de cils…

Les deux jeunes femmes profitèrent d'une courte pause pour aller bavarder devant une toile de la série des *Nymphéas* de Monet.

— Devine quoi, Kate ? Ça y est ! J'ai eu ma première expérience avec une femme !

— Ah ?

Adriana se rembrunit.

— Bon sang… J'espérais que tu serais un peu sous le choc…

— Allez, Ana, tu sais bien qu'il m'en faut plus… Tiens, par exemple, le premier directeur du MI6 s'amusait à planter son coupe-papier dans sa jambe de bois pour effrayer ses collègues. Ça, c'est le genre de truc qui me traumatiserait…

— Mmouais… bref. Tout a commencé par cette partie à trois, l'autre soir. Après ça, le type ne me lâchait plus, et en même temps sa copine me battait froid chaque fois que je lui proposais de la voir seule.

— Ce qui t'intriguait.

— Évidemment… D'autant que satisfaire une femme sexuellement, c'est comme jouer d'un instrument, or la plupart des hommes ont oublié de prendre des leçons.

— Mais c'était comment, sinon ? Comme tu en avais rêvé ?

— Je suppose, oui…

Elle regarda dans le vide, pensive.

— J'ai juste l'impression qu'il me manque encore quelque chose...

Kate rit.

— Il faudra que je réessaye.

— Pourquoi ?

— Parce que j'ai ce fantasme de voir un jour débouler dans mon bureau une lesbienne furieuse qui menacerait de me casser la gueule parce que je l'ai repoussée. L'expression sur le visage de mes collègues coincés serait *impayable* ! Je les vois d'ici, en train de...

Brusquement, la voix d'Adriana s'évanouit : Kate venait d'apercevoir un profil familier. À une dizaine de mètres d'elle, un homme dans un smoking superbe se tenait face à un tableau. Cheveux foncés tirés en arrière, mâchoire saillante comme un couperet. Pendant qu'elle l'observait, des images apparaissaient dans son esprit : deux hommes dans un restaurant à Dubai... deux hommes sur la côte amalfitaine... à Paris... à Berlin... Aucune doute : il s'agissait de Luca de Tolomei. Mais n'avait-il pas renoncé à venir à la vente de ce soir ? Edward Cheery avait été catégorique. Il avait dû changer d'avis à la dernière minute. Mais pourquoi ? Coïncidence ? Forcément, pensa Kate. Il ne pouvait pas en être autrement.

— Oh, ma chérie, tu es avec moi ? insista Adriana.

— Hmmm... Le boulot me rappelle à l'ordre. Tu peux me rendre un service ?

— Bien sûr.

— Je vais discuter avec toi. Ce que je vais te dire va te paraître bizarre, mais pars du principe que c'est vrai et relance-moi avec des questions du genre : « Pourquoi ? », « Qu'es-ce que tu veux dire par-là ? » Bref, l'idée c'est que je puisse parler longtemps sans avoir l'air de faire un monologue.

Puis, prenant Adriana par le bras :

— Allons voir ce Fragonard, là-bas.

Adossé à un mur et sirotant un schnaps-peppermint, Giles Spencer n'avait pas quitté des yeux « l'Éventreur » depuis le début de la pause. Il avait baptisé ainsi l'homme aux sourcils en V d'après le nom du tueur le plus célèbre de son pays. L'inconnu était vraisemblablement inoffensif, mais il y avait dans le regard intense qu'il portait sur la femme en noir quelque chose de menaçant. Quand elle ne regardait pas dans sa direction, l'Éventreur la fixait comme si elle lui appartenait, et ses yeux s'animaient parfois d'une étincelle de désir. Désir qui, aussi étrange que cela paraisse, semblait dépouillé de toute connotation sexuelle. Plus carnivore que charnel.

Quel surnom trouver à cette fille, se demandait Giles en allant se resservir au bar. À côté de Mlle Rouge-gorge, elle avait tout d'une passante anonyme – encore qu'un peu trop jolie. « La Reine de glace » ? Non, rien d'impérieux en elle n'évoquait une reine. Ou une princesse. Juste une roturière. « La Roturière de glace » ? Maladroit, qui sonnait mal. « La Prolo de glace » ? Non, ça n'allait toujours pas. *Allez, Giles, un effort !*

« La Banquise », tout simplement !

Fier de sa trouvaille, il retourna à son point d'observation. Là, il constata non sans étonnement que les deux femmes s'approchaient lentement de l'Éventreur. *Hmmm.* Il s'aperçut alors que la Banquise était méconnaissable : ses grands yeux verts paraissaient électrisés, ses cheveux rejetés en arrière lui donnaient un air à la fois séducteur et sûr d'elle, et elle tenait le bras de son amie avec une sensualité troublante. *Ma parole... ce genre de sourire damnerait un saint !* Une réplique qu'il aurait très bien pu lui servir, en fin de compte.

Comment avait-il pu la louper la première fois qu'il l'avait vue ?

Un autre choc attendait Giles : la Banquise observait l'Éventreur à la dérobée, elle et son amie avançaient délibérément vers lui. Ces deux personnes se connaissaient donc et, pourtant, feignaient de s'ignorer. Quel était ce petit jeu ?

Giles était curieux d'assister à la suite de ce petit numéro.

— Celui qui achètera ce tableau s'en mordra les doigts, déclara Kate à Adriana.

Elles se trouvaient devant un tableau représentant un couple s'embrassant dans un jardin. Le peintre était Jean-Honoré Fragonard.

— Comment ça ? demanda Adriana avec une curiosité feinte.

Du coin de l'œil, Kate remarqua que Tolomei avait dégainé son téléphone portable, mais qu'il faisait semblant de s'en servir. Il l'écoutait *elle*, c'était sûr. Satisfaite, elle poursuivit :

— C'est un faux. J'en suis certaine.

— Quoi ?

— Oui. Comme tu le sais, en France, pendant la Seconde Guerre mondiale, les nazis ont confisqué toutes les œuvres d'art aux riches familles juives et à leurs marchands et, après les avoir cataloguées, les ont envoyées en Allemagne pour compléter les collections de Hitler et de Goering.

Adriana hocha la tête.

— Avant la guerre, beaucoup de ces familles, notamment les Rothschild, avaient mis l'essentiel de leurs œuvres d'art à l'abri, loin de Paris – pour les protéger, non pas du pillage des nazis, qu'on ne pouvait pas prévoir à l'époque, mais d'éventuels bombardements de la Luftwaffe. Quoi qu'il en soit, avant de partir se réfugier aux États-Unis, Robert de Rothschild a fait transporter ses collections un peu partout en France, notamment dans son château de La Versine. Après l'invasion nazie, les confiscations d'œuvres d'art ont commencé. Et évidemment, les collections de Rothschild, célèbres dans le monde entier, ont été les premières visées. Les domestiques du château de La Versine ont juste eu le temps de cacher quelques tableaux, notamment celui-ci.

Kate marqua une pause pour boire une gorgée de vin.

— Et quand les nazis sont arrivés ?

— Ils ont tout trouvé, sauf quelques pendules et du mobilier cachés dans une cabane ainsi que deux Fragonard et un Van Eyck dissimulés dans la maison d'amis d'un château voisin, La Faunier.

— Alors en quoi ce tableau-ci est un faux ? demanda Adriana.

Kate sourit.

— Parce qu'en 1944, pendant un bombardement allié, la maison d'amis du château La Faunier a été complètement détruite.

— Et les trois tableaux cachés...

— Réduits en cendres, ma chère ! Le faussaire a dû travailler d'après une photo de l'original, puis s'est débrouillé pour falsifier les archives Rothschild

— C'est possible, ça ?

Kate haussa les épaules.

— Graisser la patte d'un archiviste pour consulter des documents après la fermeture ? Cela ne doit pas être trop compliqué.

— Tu vas prévenir le commissaire-priseur ?

Kate sourit malicieusement.

— Oui. Mais seulement à la fin. Je suis curieuse de voir jusqu'où va grimper l'enchère.

Se penchant tout près de l'oreille d'Adriana, elle ajouta :

— Et maintenant, ma belle, laisse-moi seule. Va faire le bonheur d'une de ces âmes en peine qui rêvent de toi depuis le début de la soirée.

Tout en parlant, elle essuya son verre contre le tissu de sa robe en se plaçant derrière Adriana pour dissimuler son geste.

— Je file aux toilettes, déclara son amie d'une voix suffisamment forte pour que Tolomei l'entende.

— D'accord. Je vais en profiter pour relever ma boîte vocale.

Kate prit bien soin de tenir son verre par le pied pour sortir son téléphone de son sac.

Tandis qu'Adriana s'éloignait, Kate se retourna vers le Fragonard tout en portant le téléphone à son oreille. Tolomei mordrait-il à l'hameçon ? Si oui, elle lui avouerait que son petit exposé était un piège et se présenterait comme une enquêtrice privée désireuse d'entrer en contact pour lui offrir ses services et impressionner son patron. Avec cet aveu, le piège à double détente se refermerait sur Tolomei. Les gens soupçonneux, qui ne se laissent jamais abuser par les apparences, ont tendance à anticiper un coup de théâtre. Pas deux.

— Je vous prie de m'excuser si je vous interromps…

Kate referma son téléphone et se tourna vers Tolomei avec une expression légèrement agacée.

— Effectivement, vous m'interrompez.

— J'ai entendu quelques bribes de votre conversation et je dois dire que votre histoire m'intrigue terriblement. Sur un point, en particulier…

Kate leva un sourcil.

— Je connais assez bien l'histoire de Robert de Rothschild – j'ai lu plusieurs articles sur les œuvres cachées à La Versine et sur la pièce secrète qu'il avait fait construire dans son appartement parisien… mais la maison d'amis du château La Faunier ? Je n'en ai jamais entendu parler.

— Sans doute parce que je l'ai inventée, répondit Kate avec une mimique espiègle. Le château La Faunier est une petite ruse que j'ai utilisée pour attirer votre attention. Vous pouvez me tenir ça une seconde ?

Elle lui tendit son verre de vin. Pendant qu'il le tenait, Kate sortit son portefeuille de son sac et en tira une carte de visite. Elle la donna à Tolomei et récupéra son verre en le prenant par le pied.

— « Kate Morgan, Enquêtrice privée. Agence Slade », lut-il à haute voix.

Il la regarda et lui tendit la main.

— Luca de Tolomei. Enchanté.

— Moi de même. Votre réputation vous précède. Cela fait longtemps que j'ai envie de vous rencontrer. L'une de mes spécialités est la recherche d'œuvres d'art disparues. Vous avez peut-être entendu parler de ce Veneziano que j'ai retrouvé pour un client, il y a quelques mois ?

— La toile cachée derrière cette horrible scène de chasse à courre ? Comment aurais-je pu oublier… C'était vous ?

Kate hocha la tête.

— Impressionnant.

Elle sourit.

— En tout cas, je pense que mes compétences, ainsi que la gamme de services proposée par ma société, peuvent vous intéresser. Notre service de sécurité est le meilleur du marché. Enfin, je suppose que vous aimeriez avoir certains renseignements sur vos nouveaux clients.

Kate était arrivée au terme de son argumentaire : elle remarqua l'air amusé de Tolomei.

— Mon service de sécurité est… je dirais… efficace…

C'est ce que nous verrons.

— … et j'ai un assistant qui s'occupe de vérifier le profil de mes clients. Ceci dit, vous pourriez m'aider à propos de quelque chose d'autre. Quelque chose que je cherche depuis plus de dix ans.

— Un tableau ?

Tolomei secoua la tête.

— Une autre forme d'œuvre d'art, plutôt.

Il se tut, regarda autour d'eux. Plusieurs personnes se trouvaient à proximité.

— Entre nous soit dit, je préférerais en parler ailleurs qu'ici.

— Naturellement. Je crois me rappeler que vos bureaux se trouvent à Rome ? Je dois justement m'y rendre demain. J'ai un rendez-vous au Vatican en début de soirée, mais peut-être pourrions-nous nous voir juste après pour parler de votre affaire? Ou le lendemain ?

— Eh bien… j'ai moi aussi rendez-vous au Vatican demain matin. Au Palais apostolique, à 8 heures ?

— C'est ça.

— Eh bien, le destin nous réunit une fois encore. Je me réjouis de vous revoir demain.

Ils échangèrent une poignée de mains et, lorsque Tolomei se détourna, Kate vit sa palette : 717. *Quoi ?* Tolomei était l'acheteur qui avait coiffé au poteau Adriana dans la vente du Cézanne. Et Adriana avait envisagé de le lui reprendre en jouant de ses charmes…

Tolomei avait attribué à une coïncidence amusante leurs retrouvailles, demain, à Rome. Mais cette rencontre avait été calculée par Kate et Edward Cheery, et c'est celle de ce soir qui était le fruit du hasard. À moins que… Qui, au juste, avait joué un tour à l'autre ?

Et merde, pensa Giles Spencer. La tournure banale prise par les événements le décevait. Au lieu d'en venir aux mains ou de s'étreindre avec fougue, l'Éventreur et la Banquise avaient échangé des sourires polis et leur carte de visite.

Maussade, Giles quitta la salle des ventes et descendit les escaliers. Heureusement qu'il possédait désormais ces nouveaux tableaux, de quoi lui remonter le moral. En passant devant le café de Sotheby's, il aperçut la Banquise – la potiche décorative métamorphosée en centre d'attention. Et s'il tentait de l'aborder ? Non, c'était trop tard. De plus, elle paraissait pressée.

Giles la vit entrer dans les toilettes des femmes et se demanda s'il allait l'attendre. Puis, remarquant sa main droite, il constata qu'au lieu de le déposer dans le café, la Banquise entrait aux toilettes avec son verre à vin vide.

Yesilkoy, Turquie. 23 h 05.

Accoudé à la balustrade du balcon de sa chambre, à l'hôtel *Cinar*, Hamid Azadi contemplait la mer de Marmara en tenant lui aussi un verre de vin. Mais le sien était plein, parce qu'il buvait au premier jour de sa nouvelle vie.

Azadi s'était échappé d'Iran la veille au soir. Son plan avait été aussi simple qu'efficace : il avait prétendu enquêter sur la fuite imminente d'un personnage important… et c'est lui qui avait fui. Caché dans la camionnette d'un trafiquant de drogue, il avait franchi la frontière et une voiture, qui l'attendait en Turquie, l'avait conduit dans cet hôtel de Yesilkoy, un faubourg tranquille situé non loin de l'aéroport international Ataturk d'Istanbul.

Pendant le trajet, il arborait une perruque, des implants maxillaires et des fausses dents afin de ressembler à la première de ses nouvelles identités : un vieux journaliste indien. Dans la matinée, il prendrait un vol de la Turkish Airlines à destination de Paris et, à Orly, un taxi l'emmènerait jusqu'à la clinique d'un célèbre chirurgien esthétique auquel Tolomei lui-même avait eu recours dans le passé.

C'est à Tolomei qu'Azadi devait sa nouvelle vie : il l'avait aidé à préparer chaque étape de son évasion. Cette pensée ne tracassait pas le moins du monde Azadi. Certes, Tolomei ne comptait pas beaucoup d'amis, mais les rares élus lui étaient dévoués à un point qu'Azadi n'aurait jamais cru possible.

Quelle chance il avait eu d'être dans la position de fournir à Tolomei l'élément crucial dont il avait besoin pour accomplir la vengeance à laquelle il rêvait depuis des années... Le commandant du *Nadezhda* lui avait confirmé que la caisse, dont Azadi en personne avait supervisé le chargement, avait bien été transférée la veille sur le yacht de Tolomei. Peu après, au large de Sidi Bou Said, sur la côte tunisienne, la cargaison avait été déchargée sur un hors-bord qui l'avait livrée, intacte, dans une villa.

En début de journée, Tolomei lui avait téléphoné pour le remercier avec enthousiasme. Azadi avait pensé : *Luca, ce n'est quand même la fontaine de jouvence que je t'ai indiquée*, mais, par respect, il n'avait rien dit. Il ignorait ce que Tolomei comptait faire de sa nouvelle acquisition, et ça ne l'intéressait pas. Avec l'arrivée imminente de son quarante-troisième anniversaire, et ses collègues qui lui demandaient maintenant ouvertement pourquoi il n'était pas encore marié, Azadi ne ressentait plus qu'une émotion : le soulagement de s'être tiré de ce nid de guêpes. À ses yeux, faire l'amour avec une femme était une idée à peu près aussi appétissante que celle de boire un baril de brut, et se marier pour sauver les apparences n'aurait rien changé : son épouse aurait dit à ses amis que son époux refusait de la toucher.

En outre, Azadi était convaincu que, malgré la politique de réformes voulue par leur président, son pays était une marmite en ébullition sur le point d'exploser. Le taux de chômage, déjà très élevé, continuait de croître et, partout dans le pays, la jeunesse sortait dans les rues pour protester contre le manque de perspectives, la corruption rampante et la répression contre les journalistes dissidents et les intellectuels. Azadi n'était pas le seul Iranien à ne plus supporter le pouvoir absolu des mollahs – loin de là. Il était soulagé de penser qu'il ne serait pas là si la prochaine révolution éclatait. *Quand* la prochaine révolution éclaterait. Les foules en colère n'étaient pas tendres pour les officiels du gouvernement. La dernière fois, le chef de la police du chah avait été pendu – mais pas à mort : les manifestants l'avaient détaché pour l'achever à coup de pierres et de fouet jusqu'à ce que ses os soient brisés et qu'il se soit vidé de son sang.

Azadi regarda une nouvelle fois les photos de la villa au bord de l'océan que Tolomei lui avait trouvée à Key West. Il s'imagina marchant sur la plage léchée par les vagues. Fermant les yeux, il sentit l'eau tiède glisser sur ses pieds et la pression ferme d'un bras autour de ses épaules.

Londres, Mayfair. 21 h 11.

Devant l'entrée voûtée de Sotheby's, Kate s'excusait auprès d'Adriana de devoir couper court à leur soirée. Le verre que Tolomei avait tenu en main était glissé dans un sachet en plastique hermétique rangé dans son sac. Les deux amies se promirent d'aller courir ensemble le lendemain matin puis se prirent dans les bras pour se dire au revoir. Laissant Adriana attendre son taxi, Kate remonta Old Bond Street vers le nord puis tourna à gauche vers Grosvenor, où se trouvait le bureau londonien de l'Agence Slade.

Passant devant des galeries commerçantes, des bureaux d'avocat, des salons de coiffure, elle sortit son téléphone et appela Max.

— Je croyais que tu avais pris ta soirée, lui dit-il. Je ne pensais pas que je te manquerais autant.

— Non seulement tu me manques, mais il y a un développement imprévu dans l'affaire : devine qui est venu à la vente, finalement ?

— Tolomei ?

— Bingo. Et j'ai ses empreintes sur un verre. Je passe à l'agence pour les scanner et te les envoyer par mail.

— C'est que, tu vois, l'affaire est déjà terminée pour nous.

— Qu'est-ce que tu racontes ?

— Eh bien, pour commencer j'ai tout faux concernant Tolomei.

— Et tous ces criminels avec qui il bosse ?

— Je suis à peu près sûr qu'il trafique de l'information, pas des armes ni de la drogue. Bref, c'est un très grand maître chanteur.

— Comment as-tu...

— J'ai analysé ses transactions financières de plus près – dates, montants, mouvements des fonds – et la première chose que j'ai comprise, c'est que tous les types qui lui versaient de l'argent ont de sacrés squelettes dans leurs placards. Par exemple, les trois que je t'ai montrés hier : Bruyère et Kessler, les marchands d'armes français et allemand, et le négociant en textile Khadar Khan ont tous des couvertures légales d'hommes d'affaires. Toutes les saloperies illégales – ventes de produits chimiques et de matériel pour permettre à l'Irak de fabriquer des centrifugeuses après l'opération « Tempête du désert », contrôle d'un vaste réseau de trafic de drogue dans le cas de Khadar Khan –, ce ne sont que des rumeurs.

Max avala une gorgée de quelque chose puis reprit :

— Et les gens que Tolomei paye sont pour l'essentiel des cadres des services secrets, des policiers et des journalistes. Bref, des types qui déterrent ce genre de rumeurs.

— Ah ! Je parie que tu as trouvé la trace d'un paiement à un officier des services d'espionnage irakiens dans les années 1990, juste avant les premiers versements de Bruyère et de Kessler.

— Exact. Et un paiement à Hamid Azadi peu avant les premiers versements de Khadar Khan. Khan raffine son héroïne dans l'ouest de l'Afghanistan, puis la fait passer en Turquie via l'Iran, et quelqu'un comme Azadi doit forcément être au courant.

— Et ce timing ne peut pas être une simple coïncidence ?

— Pas quand il concerne des dizaines de personnes. Mais ce n'est pas qu'une question de timing, Kate. Réfléchis un peu : qui paye qui ? Si Tolomei transportait de l'héroïne pour Khan, il devrait payer à Khan la valeur de l'héroïne. Mais c'est Khan qui le paye. Et un sacré paquet.

— Les frais de transport ?

— Il ferait confiance à Tolomei pour vraiment livrer l'héroïne au lieu de la décharger ailleurs en gardant tous les profits pour lui ? Tu rigoles. Ma petite, ce genre de business ne fonctionne pas sur la confiance.

— Bien vu.

— C'est la même logique avec les marchands d'armes. Tolomei a acheté quelque chose à un agent des services secrets irakiens il y a une dizaine d'années, et a commencé à recevoir de l'argent de Bruyère et Kessler juste après. À l'époque, l'Irak reconstituait son arsenal, il ne vendait rien ; si c'était un trafic d'armes, l'argent aurait dû suivre la direction inverse.

— Et tu es sûr que l'argent n'était pas destiné à des œuvres d'art ?

— Oui. Écoute un peu, tu vas être fière de moi. J'ai appelé la femme de Kessler en me faisant passer pour un journaliste de *Ville & Campagne* désirant faire un reportage sur leur maison. Elle était très excitée. Je lui ai parlé de leurs œuvres d'art, je lui ai demandé s'ils avaient une collection impressionnante, quelles étaient leurs pièces maîtresses... Elle a pris la mouche, elle m'a dit : « Je suis une artiste, seuls mes tableaux sont accrochés aux murs. Et notre collection est *plus* qu'impressionnante : elle est *fabelhaft* [1] ! » Va comprendre ce qu'elle a voulu dire...

— Bien joué. Mais si tu as raison, si Tolomei vend des informations secrètes et non des armes, je suis tout de même curieuse de savoir quelle est cette bizarrerie qu'il a achetée 11 millions de dollars à Hamid Azadi ?

1- En allemand : fantastique.

Côte tunisienne. 23 h 19.

Surina Khan pressa la moitié du tube de baume antibiotique dans sa main et l'étala sur les coupures du visage de son patient, sur ses lèvres tailladées et sur les croûtes de sang qui remplaçaient les ongles de ses doigts.

Un médecin venait juste de l'examiner pour la troisième fois depuis leur arrivée, et ils se retrouvaient enfin seuls tous les deux. Il n'avait toujours pas ouvert les yeux, mais Surina n'avait pas cessé de lui parler depuis deux semaines. Elle savait que, en dépit de son état, il l'entendait ; en lui tenant les mains, elle parvenait presque à partager ses sensations.

Elle avait embarqué à bord du *Nadezhda* dans le port pakistanais de Karachi, en se faisant passer pour la petite amie du commandant – c'est d'ailleurs sur une banquette de sa cabine qu'elle avait dormi. Après le chargement de la caisse, douze jours plus tôt, elle s'était occupée de l'homme enfermé à l'intérieur, changeant son intraveineuse, soignant ses blessures. Puis, quand la caisse avait été transférée sur le yacht de M. de Tolomei, elle y avait été elle aussi enfermée.

Malgré la terreur ressentie, elle avait promis à l'homme que tout se passerait bien. Elle ne comprenait pas pourquoi M. de Tolomei avait insisté pour que le malade reste caché, mais elle était heureuse d'obéir à toutes ses demandes.

Elle avait adoré s'occuper seule de son patient. D'ailleurs, elle avait toujours rêvé d'être médecin. Pendant des années, elle avait même travaillé comme volontaire dans un hôpital, après l'école. Mais, d'une certaine façon, ce qu'elle faisait aujourd'hui était très différent.

Le corps du patient était entièrement meurtri et décharné, mais c'était surtout ses pieds qui l'inquiétaient. La plante était couverte de vieilles cicatrices ainsi que de lacérations plus récentes. Qu'avait-il pu faire pour mériter d'être fouetté de la sorte ? Rien. C'était impossible, avait-elle décrété. Personne ne mérite une telle punition, pas même le garçon de son quartier, à Islamabad, qui lui avait jeté de l'acide au visage parce qu'elle avait osé repousser ses avances.

Elle se pencha et passa doucement ses doigts couverts d'onguent autour de ses chevilles et sur ses voûtes plantaires. Puis elle s'écarta un instant, le temps d'essuyer ses larmes – elle ne voulait pas que le liquide salé tombe sur les plaies.

Qui était cet homme ? se demandait-elle sans cesse. Sa peau n'était pas totalement pâle ; il y avait du sang arabe en lui, elle en était persuadée, mais autre chose aussi. Les ecchymoses et les bosses le défiguraient encore mais ses traits avaient quelque chose d'européen. Mais que faisait-il dans une prison du Moyen-Orient ? Elle avait du mal à l'imaginer en criminel. Il avait plutôt dû essayer de s'opposer au gouvernement – en tant qu'activiste ou dissident.

Quelle que soit son identité, pensa Surina, elle le veillerait nuit et jour jusqu'à son rétablissement. Quoi qu'en pense son père.

Khadar Khan était entré dans une colère terrible en apprenant qu'elle avait accepté la proposition de son associé. Surina ignorait la raison de cette colère, et s'en moquait. Depuis qu'elle avait été défigurée, son père ne cherchait même pas à cacher que sa vue lui faisait horreur. Mais chaque fois qu'elle avait rencontré M. de Tolomei, il l'avait traitée avec gentillesse et, pour ce travail, lui avait proposé un salaire tellement généreux qu'elle avait pu enfin quitter pour de bon la maison familiale.

Elle revissa le bouchon du tube de baume antibiotique et le posa sur la table de chevet. En se penchant, elle aperçut dans le miroir le reflet de son profil droit. C'est de ce côté-là que son visage, autrefois splendide, montrait désormais une joue et une oreille brûlées, prises dans le réseau nervuré de ses cicatrices. Une larme solitaire descendait sa joue en zigzaguant le long de sa peau bosselée.

Son patient aimait sa présence – elle le sentait – mais en irait-il de même lorsqu'il ouvrirait les yeux ?

Londres, Mayfair. 21 h 26.

Tout en traversant Berkeley Square, Kate écoutait Max lui raconter sa dernière entrevue avec leur patron.

— Pendant que j'expliquais ma théorie à propos de Tolomei, il m'a interrompu. Il n'a rien dit pendant une minute, il se tenait juste devant moi, le regard dans le vide. Il paraissait... je ne sais pas... abasourdi. Puis il m'a demandé si le jet privé de Tolomei s'était récemment posé dans un des pays frontaliers de l'Irak ou dans un des états du Golfe. La réponse est non. Alors il m'a demandé de chercher si le yacht de Tolomei était passé par le canal de Suez la semaine dernière. Toujours non. Puis il m'a demandé de passer au crible les images satellites de la Méditerranée depuis cinq jours en me fondant sur une photo aérienne du yacht de Tolomei, et j'ai eu quelques résultats. La nuit dernière, juste à l'est de Malte, le yacht avait rendez-vous avec un cargo et une caisse a été transférée à bord. Ensuite, le yacht est parti au sud, et je l'ai suivi jusqu'à Sidi Bou Said, en Tunisie. Slade m'a demandé de fouiller dans les différents dossiers immobiliers de la région et j'ai découvert que Tolomei possède, sous un faux nom, une villa sur la côte. Dès que je lui ai dit ça, Slade a sorti son téléphone et je l'ai entendu dire : « Black, tu pars pour Tunis par le premier vol. » Tu te souviens des deux types dans l'hélico ? On sait, maintenant.

— Attends un peu. Qu'est-ce qu'il y a de si important dans la caisse ?

— Pas la moindre idée. J'ai demandé à Slade s'il pensait que ma théorie du chantage était fausse, et si Tolomei était, comme on l'avait d'abord pensé, un intermédiaire dans une vente d'ADM à un groupe terroriste. Je lui ai fait remarquer que la caisse avait la taille suffisante pour contenir une bombe nucléaire et tout ce qu'il m'a dit, c'est : « Non. Tolomei a acheté autre chose. » Et il a ajouté – lui qui ne jure jamais et ne perd jamais son sang-froid : « Bordel de merde ! Putain, mais qui est ce type ? »

— Eh bien, nous n'allons pas tarder à le découvrir, répondit Kate en approchant des bureaux de l'agence.

Ils étaient situés à l'étage d'un hôtel particulier géorgien à la façade rose et marron richement décorée, juste en face du *Connaught Hotel*. Ces locaux leur avaient été donnés, en guise de paiement, par un client à court de liquidités. Le rez-de-chaussée était occupé par plusieurs galeries d'art et boutiques d'antiquaires. En gravissant le perron, Kate remarqua des gravures d'oiseaux, ainsi qu'une Vénus de Milo jouxtant un Bouddha assis.

— Sinon, Kate... Slade m'a chargé de te dire qu'il te retirait la mission. Elle est devenue trop dangereuse.

— Mais il veut savoir qui est Tolomei, et j'ai ses empreintes, dit-elle en entrant. Je te les envoie, évidemment.

— Ce ne sera pas de trop. Avec un changement d'identité pareil, il est certain que Tolomei a un dossier criminel quelque part – avec ses empreintes. Il doit avoir un truc énorme à cacher.

— Espérons.

Kate entra dans le bureau et alluma les lumières.

— On dirait bien que tout le monde est rentré à la maison, commenta-t-elle en pénétrant dans la réserve.

— Dépêche-toi ! gémit Max. Je n'en peux plus d'attendre !

— J'y suis presque.

Tenant le verre par le pied, elle sortit une brosse en poils de zibeline qu'elle plongea dans un pot de poudre noire. Elle en saupoudra délicatement le verre, espérant que la poudre s'accrocherait sur les lignes sinueuses et grasses d'une empreinte digitale, mais rien n'apparut, sinon une vague trace étalée. Kate tourna le verre et essaya l'autre côté. Toujours aucune empreinte.

— Que se passe-t-il ? demanda Max.

— Rien. Je suis juste stupide.

— Il s'est fait brûler l'épiderme des doigts à l'acide, ou un truc dans ce genre ?

— Sûrement. Parce que tu sais, je l'ai bien vu tenir le verre, et quand je l'ai récupéré, je l'ai aussitôt mis dans un sachet en plastique.

Elle rangea le matériel et quitta le bureau.

— Heureusement, il nous reste demain soir.

— Rome ?

— Oui. Je me débrouillerai pour savoir qui il est réellement.

— Non, Kate. Slade était sérieux, tu sais. Tu dois abandonner cette mission.

— Max ! De toute évidence, Slade a besoin de connaître la véritable identité de Tolomei, et j'ai une bonne chance de la découvrir. Tolomei m'aime bien. Il veut m'engager pour que je lui trouve une œuvre d'art qu'il cherche depuis longtemps. Je récupérerai une empreinte vocale, un scan rétinien… je lui demanderai de me montrer sa collection privée et j'en profiterai pour poser des micros chez lui… Tu sais *parfaitement* qu'on ne peut pas y arriver autrement.

— C'est vrai, concéda Max.

Les enquêteurs de l'Agence Slade à Rome n'étaient pas prêts. Se faire inviter par Tolomei était la seule façon d'entrer chez lui.

— Mais…

— Il n'y a pas de « mais », Max ! Slade me surprotège pour respecter la promesse qu'il a faite à mon père. Mais il a besoin de cette info, pas vrai ?

— Sans aucun doute. Alors qu'est-ce que je lui dis ?

— Rien. Que je suis à Londres et que je bosse sur l'affaire Medina.

— Appelle-le toi-même. Pas question que je me prenne un savon.

16

Dis-moi, où se trouve ce lieu que les hommes nomment l'Enfer ?
Faust, in *La Tragique Histoire du Docteur Faust* (Marlowe)

Londres, mai 1593. Soir.

Assis à l'extrême droite de la quatrième rangée de bancs, Marlowe glissait discrètement un message plié en quatre dans une rainure du dossier quand une main s'abattit sur son épaule. Il fit un effort pour garder son calme, se retourna lentement...

— Quelle que soit l'angoisse qui étreint ton cœur, mon fils, le Seigneur te pardonne.

— Merci, répondit Marlowe au prêtre qui le regardait avec un sourire compassé.

C'est alors qu'il se rappela les larmes roulant sur ses joues, ces larmes qui avaient inspiré la compassion du prêtre. Il venait d'écrire un message au jus d'oignon et avait oublié de se laver les mains. Ce n'était pas exactement un péché, mais un peu de chance ne pouvait pas lui faire de mal sur le chemin vers la rédemption...

En entendant le cri guttural d'un passeur sur la Tamise

résonner dans la pénombre de la chapelle, il sortit sur London Bridge et descendit jusqu'à la petite barge qui l'attendait.

— Tu emportes toujours tous tes biens avec toi ? demanda-t-il au batelier en avisant le tas de vêtements et de couvertures à l'arrière de l'embarcation.

— Ma femme m'a mis à la porte.

— Est-ce indiscret de te demander pourquoi ?

— Elle m'a trouvé au lit avec sa sœur.

— Ça explique tout.

— Je me serais bien faufilé par la fenêtre, mais ma femme… bah, elle est sacrément plus grosse que moi…

Marlowe se couvrit la bouche en feignant une toux.

— Elle brandissait un pot en cuivre et voulait me fracasser le crâne ! J'ai préféré partir pendant quelques nuits…

— Sage décision.

— Où allons-nous ?

— Durham House.

Marlowe détourna le visage. Il s'efforçait de garder une expression sérieuse, luttant contre le fou rire suscité par la vision d'une grosse femme furieuse armée d'un pot en cuivre…

À deux mètres de là, sous la mince couche de vêtements et de couvertures, un homme se cachait. Soulagé, il se dit qu'il payerait un extra au batelier : le bougre s'était montré diablement convaincant…

Entre Westminster et la City, Durham House était l'une des somptueuses propriétés surplombant la Tamise depuis la rive nord. Destinées à l'origine à des dignitaires religieux, elles avaient rapidement été cooptées pour un usage royal. Un peu plus de dix ans auparavant, la reine Élisabeth avait accordé le bail de la plupart des propriétés à son courtisan favori de l'époque, sir Walter Raleigh.

Surgissant au bord du fleuve, sa façade agressive dominait la ligne d'horizon. Sir Raleigh se trouvait dans l'une des tourelles, dans la petite pièce qu'il avait aménagée en bureau. Sa table de travail incurvée, taillée dans un bois délicatement rehaussé d'une essence plus pâle, était placée juste devant la fenêtre arrondie. Sa plume de corbeau suspendue en l'air, il réfléchissait à la prochaine stance de son nouveau poème, une épopée chantant sa longue histoire tumultueuse avec la reine, *L'Amour de l'océan pour Cynthia* [1].

Au début des années 1580, ce fils de métayer avait conquis le cœur d'Élisabeth par ses actes de bravoure, son esprit étincelant et sa langue acérée. Pendant des décennies, ses bouffonneries avaient distrait la souveraine, sa poésie l'avait charmée, et il s'était presque toujours tenu à ses côtés. Follement éprise, la reine lui avait accordé des propriétés, des responsabilités et des monopoles de plus en plus importants. La fortune et le prestige de Raleigh avaient rapidement fait de lui l'homme le plus envié d'Angleterre. Pourtant, depuis un an, tout avait changé.

Lorsque son mariage avec l'une des demoiselles d'honneur de la reine avait été révélé, Élisabeth avait fait jeter Raleigh dans un cachot de la Tour. S'il avait à présent recouvré la liberté, il n'en était pas moins banni de la cour. Il passait la plupart de son temps à la campagne, à l'ouest du Dorset, et sa venue à Londres n'était due qu'à un projet pressant : il préparait un voyage pour le Nouveau Monde, où il partirait à la recherche d'El Dorado, la cité d'or tapie au plus profond de la jungle de Guyane. Sur ce plan, son exil était une bénédiction : il lui offrait enfin la possibilité de participer en personne aux voyages d'exploration qu'il organisait. Par le passé, la reine lui avait ordonné de ne pas quitter les îles britanniques pendant que ses navires voguaient vers la Virginie.

Il plongea la pointe de sa plume dans son encrier laqué et écrivit son dernier vers de la journée : la conclusion du Livre X de son épopée. Il regarda la berge du fleuve, en contrebas, et vit Kit Marlowe débarquer d'une barge. Ses pairs pouvaient regarder d'un œil railleur la fréquentation de ce dramaturge de bas étage, la compagnie de son ami n'en était pas moins d'une

---

1- Sous la plume des poètes élisabéthains, Cynthia, autre nom des divinités Artémis et Diane, désignait la reine. L'océan renvoie au surnom que le poète Edmund Spenser avait donné à Raleigh, « le berger de l'océan ».

richesse inappréciable. Son intelligence sans cesse en éveil, son parler franc et direct changeaient agréablement Raleigh des manières de la cour. Il avait trop souffert des bavardages ineptes, des mensonges et des sourires faux en usage dans l'entourage d'Élisabeth.

Raleigh avait rencontré Marlowe des années plus tôt, lors d'un séjour dans le château d'Henry Percy, dans le Sussex. Percy, neuvième comte de Northumberland, possédait l'une des bibliothèques les mieux fournies du royaume : plus de deux mille volumes remplissaient des dizaines de coffres. Marlowe y était déjà depuis plusieurs semaines, occupé à compulser les ouvrages ésotériques des plus célèbres mages d'Europe : Cornelis Agrippa, Giovanni Battista della Porta, Giordano Bruno, John Dee et tant d'autres... Ses recherches devaient aboutir à l'écriture de son célèbre *Dr Faust*. Percy et Raleigh avaient passé des journées entières à chasser au faucon pendant que Marlowe travaillait. Le soir, le dramaturge les retrouvait pour fumer, jouer aux cartes ou aux dés et échanger des considérations philosophiques.

Raleigh attacha l'épaisse liasse de feuilles avec un ruban rouge, se leva et prit le paquet avec lui en descendant l'escalier.

En apercevant son ami qui venait à sa rencontre, Marlowe sourit. Avec sa stature impressionnante, ses vêtements flamboyants, ses bijoux étincelants, son épée au côté et son teint basané, Raleigh avait tout de l'explorateur intrépide en route vers des horizons exotiques.

Marlowe l'avait pris en sympathie bien avant de faire sa connaissance. Il le considérait comme un frère spirituel, lui dont la vivacité et le refus des conventions l'avaient érigé en légende lorsque Kit était encore étudiant à Cambridge. Son affection redoubla lorsque Raleigh, qui détenait le monopole sur le négoce du vin, s'attira les foudres de l'administration puritaine de l'université en autorisant un marchand de vin à ouvrir une boutique à moins d'un kilomètre de Cambridge. Pour Marlowe, la possibilité de se fournir facilement en alcool était déjà une aubaine en soi, mais la vision de professeurs poussiéreux brandissant un poing vengeur devant des étudiants titubants était un véritable cadeau…

Ils s'étreignirent.

— Ah ! Un cadeau !

Raleigh rit.

— Pas exactement. C'est le nouveau poème sur lequel je travaille. Je pensais que tu aimerais y jeter un coup d'œil. J'ai l'intention de… euh….

— Le publier ?

Pour un gentilhomme du cercle de Raleigh, s'abaisser à une démarche aussi horriblement *commerciale* était du dernier vulgaire. Les aristocrates qui taquinaient la muse se contentaient de faire circuler leurs poèmes entre amis, pour leur simple amusement, pas pour le profit.

— Pour l'instant seule ton opinion m'intéresse, mais quand j'aurais terminé les deux dernières sections…

— Une publication anonyme qui te mettrait à l'abri de toute identification ? C'est possible.

Ils entrèrent, et Marlowe roula la liasse qu'il rangea dans sa besace tout en suivant Raleigh dans son logement privé, au dernier étage.

— Alors, mon ami, j'ai appris que tu étais en route pour une nouvelle conquête ? Toujours cette soif de terres vierges à explorer et… à déflorer…

— Mon cher Kit, tes mots sont tranchants comme le fil de l'épée ! Mais tu n'es pas le premier à me servir ce discours….

Depuis qu'il avait séduit l'une des demoiselles d'honneur de la reine, Raleigh avait essuyé d'innombrables plaisanteries dans le même registre.

La table de la salle à manger était recouverte d'une nappe d'épais tissu rouge, et des coussins assortis garnissaient les bancs. Les couverts et ustensiles en étain étaient disposés avec soin, les bougies allumées, le vin flamboyait dans les verres et un paon farci les attendait, sa queue magnifique déployée sur le rebord d'un plat en argent.

Raleigh s'assit en tirant sa jambe trop rigide.

— Je pars à la recherche d'El Dorado, la cité d'or nichée sur les rives du lac Manoa, terre des descendants d'un prince inca.

Il se pencha vers Kit.

— Selon mes sources, ce royaume regorge d'encore plus de richesses que le Pérou. Les temples sont remplis de statues en or, de véritables trésors sont enfouis dans les tombeaux...

En écoutant son ami, Marlowe se demanda dans quelle mesure ces sources étaient fiables. Des marins faits prisonniers raconteraient n'importe quelle fable pour échapper à la torture...

— J'ai envoyé des navires en reconnaissance le mois dernier. Je dois recevoir leurs premiers rapports cet été. Nous allons éclipser les Espagnols, mon ami !

— Je bois à ta réussite.

— Attends ! Je ne t'ai pas raconté le plus beau...

— Tu as réussi à financer l'expédition ?

Devant l'expression surprise de Raleigh, Marlowe ajouta :

— Le bruit court, dans les tavernes...

— Ma foi, qui ne voudrait pas investir avec l'espoir de multiplier sa fortune par mille ? Il m'a suffi de parler de la cité d'or, de présenter quelques témoins oculaires et mon bienfaiteur m'a ouvert ses coffres avec une bonne volonté généralement réservée à des transactions plus ordinaires...

— Et cette bonne fée de mécène est... ?

— Robert Cecil.

— Mais il est couvert de dettes !

— Impossible. Il m'a promis 50 000 livres.

— Alors... cette rumeur est sans doute fausse, murmura Marlowe.

Hélas, ce n'était pas une rumeur. Cecil avait tellement besoin d'argent qu'il avait même demandé à Marlowe, l'année précédente, de lui fondre de la fausse monnaie. Il n'aurait certainement pas pris le risque de se rendre coupable de trahison s'il avait été, à l'époque, riche de dizaine de milliers de livres. Il avait donc dû rentrer dans ses fonds récemment.

Était-ce Cecil, l'homme de la compagnie en affaire avec le capitaine d'Helen ?

— Quand larguez-vous les amarres ?

— Dans un an ou deux. Pour le moment, il faut définir les routes maritimes, préparer la liste des équipements...

— Quel dommage de ne pas pouvoir voyager aussi facilement là-haut, soupira Marlowe en levant les yeux au plafond.

Raleigh se leva et, avec un sourire énigmatique :

— Suis-moi.

Marlowe obtempéra, et ils se retrouvèrent bientôt dans les appartements de Tom Hariot, dans l'aile nord de la propriété.

Le bureau d'Hariot était envahi de cartes, d'atlas, de tables de conversion numérique et du bric-à-brac d'instruments qu'il utilisait pour ses expériences. Le regard de Marlowe fut d'abord attiré par un globe de verre rempli d'eau suspendu à un crochet métallique fixé au plafond, puis par un morceau de parchemin rigide troué en son centre et suspendu entre le globe et une fenêtre. *Hum...*

Diplômé d'Oxford, Hariot était un expert en mathématiques, optique, astronomie et cartographie. Outre ses expérimentations, il s'occupait de tenir les livres de comptes de Raleigh, donnait des cours de navigation aux membres d'équipage de Raleigh et dressait la carte des côtes que Raleigh projetait d'aborder.

Hariot leur tournait le dos et ne sembla pas remarquer leur entrée. Il écrivait avec des gestes frénétiques. D'après le *staccato* de ses mouvements, Marlowe devina qu'il se livrait à des calculs mathématiques. Hariot avait un esprit extrêmement rapide dans le traitement des chiffres, et c'était un allié très précieux pour parier sur des parties de piquet ou de triomphe.

Mais, au grand dam de Marlowe, peu de temps après être parvenu à maîtriser l'art de deviner les cartes en jeu et de calculer les probabilités de tirage, Hariot s'en était lassé, et il fallait déployer des trésors de séduction pour le convaincre d'y revenir de temps à autre. Marlowe ne laissait jamais passer une occasion de le solliciter, mais pour le moment il était surtout curieux de l'entendre parler de ses dernières découvertes. L'homme était exceptionnel.

— Tout va bien, Tom ?

Hariot sursauta.

— J'ai déjà été mieux, répondit-il en se retournant.

— Qu'est-ce qui te contrarie ?

— Les arcs-en-ciel.

— Iris [1] te joue des tours ?

Hariot hocha la tête, attristé.

— Mais je sais tout de même deux ou trois choses… ajouta-t-il avec une fierté paisible.

Il leur indiqua un bassin en verre rempli d'eau jusqu'à mi-hauteur, dans lequel un bâton avait été placé à la verticale. Il mesurait environ 30 centimètres et une moitié émergeait de l'eau. Hariot prit une bougie et l'approcha du bassin.

— Regardez ce bâton… que remarquez-vous ?

Marlowe soupira.

— Il n'a rien de spécial.

— Sa forme ?

— Elle est courbée…

Hariot sortit entièrement le bâton de l'eau : il était parfaitement droit.

Raleigh et Marlowe attendirent la suite, impatients.

— La lumière se déforme quand elle pénètre dans un liquide.

— Quel rapport avec les arcs-en-ciel ?

— Le ciel est constitué de minuscules gouttes d'eau en suspension, et les rayons du soleil se déforment quand ils les traversent. On appelle ce phénomène la réfraction. Quand les rayons frappent la paroi arrière de la goutte, ils se reflètent et rebondissent sur elle. L'arc-en-ciel se forme d'une façon ou d'une autre à cause de ces angles, de la réfraction du soleil et de son reflet. J'ai analysé toutes mes mesures mais…

— Si le ciel est rempli de gouttelettes, pourquoi cette mince

---

1- Dans la mythologie grecque, Iris est la messagère des dieux et son attribut est l'arc-en-ciel.

forme en arc ? demanda Marlowe. Et pourquoi l'arc-en-ciel n'apparaît-il qu'à un seul endroit ?

— C'est lié à l'angle entre les rayons du soleil, les gouttelettes d'eau dans le ciel et les yeux du spectateur.

— Et les couleurs ?

— Eh bien, je...

— Je suis sûr que tu perceras ce mystère, l'assura Marlowe. Raleigh croisa le regard d'Hariot.

— Est-ce que c'est une bonne nuit pour...

— Une nuit idéale. Pourquoi ? Vous voulez...

Raleigh acquiesça.

Hariot tira sur une corde pendant du plafond. Avec un grincement sourd, une trappe s'ouvrit au-dessus d'eux, et une échelle de corde fixée à l'un des battants se déroula. Hariot commença à monter.

Marlowe le suivit de près, et entra bientôt dans une pièce obscure. Hariot écarta une paroi dans l'un des murs : la clarté lunaire se déversa par l'ouverture. Un à un, les trois hommes sortirent par la lucarne et se retrouvèrent sur le toit légèrement pentu.

D'un coffret posé au bord d'une gouttière, Hariot retira un long tube métallique constitué de deux cylindres. Il s'assit, s'allongea sur le toit et, plaçant l'extrémité la plus mince du tube contre son œil, le dressa vers le ciel.

— La voilà, murmura-t-il après avoir fait tourner les cylindres pour les ajuster. Kit, viens regarder...

Assis à côté de lui, Marlowe prit le lourd tube et remarqua un morceau de verre incurvé inséré à l'entrée. Il était poli, comme les verres d'une paire de lunettes. Marlowe pressa un œil contre le tube.

— Utilise ton autre œil pour bien viser la Lune, lui conseilla Hariot.

Marlowe obtempéra.

— Seigneur tout puissant ! Comment est-ce...

— C'est une lunette à perspective, expliqua Hariot. Elle agrandit de plusieurs fois l'image de la Lune.

— Elle paraît si proche... les détails sont si précis !

— Je t'ai toujours entendu parler d'explorer les cieux, intervint Raleigh, et comme aucun de mes navires ne part pour cette destination...

Juchés sur le toit de Durham House, Marlowe, Raleigh et Hariot pensaient être seuls, loin des yeux fureteurs et des oreilles soupçonneuses. Ils se trompaient.

À une dizaine de mètres d'eux, un homme assis sur l'une des hautes branches d'un arbre les observait, en train de fumer et de contempler le ciel. Son nom était Richard Baines, et c'est lui qui suivait Marlowe depuis London Bridge.

Chercher à percer les mystères de Dieu est l'œuvre du Diable, se dit Baines. Pas étonnant qu'Hariot ait la réputation d'être un magicien diabolique.

L'employeur de Baines voulait une preuve de l'athéisme supposé de Marlowe. Des preuves, on pouvait toujours en fabriquer – ça se pratiquait couramment –, mais Baines prenait son travail d'espion très à cœur et il voulait que ses accusations aient, au moins, un fond de vérité.

Dès que Marlowe avait annoncé sa destination au batelier, Baines s'était dit que la soirée s'annonçait fructueuse : Marlowe et Raleigh étaient des hérétiques notoires. Et comme il avait eu raison ! Ce qu'il venait d'entendre lui garantissait que, désormais, Marlowe n'explorerait plus qu'un seul lieu : un cachot de prison.

On ne peut pas rester aussi longtemps assis sur une branche sans ressentir une certaine gêne. Un nœud de bois s'était enfoncé dans la cuisse de Baines et le mettait au supplice. Il grimaça et changea de position.

Sur l'autre rive de la Tamise, à Southwark, une Hollandaise nommée Eva changeait elle aussi de position. Mais plutôt que sur une branche d'arbre, elle était assise sur une table, et au lieu de grimacer de douleur elle frétillait de plaisir. Elle avait la tête de Robert Poley fourrée sous sa jupe et priait pour que son mari ne rentre pas trop tôt de sa taverne pour la surprendre dans une situation aussi compromettante.

Aux yeux de la plupart des gens, l'adultère est une trahison. Mais, en vertu du code déontologique personnel de Robert Poley, payer pour recevoir de l'amour était la moins grave des formes de trahison, et séduire la femme d'un autre le plus glorieux des succès. La jeune épouse blonde du maître verrier hollandais était son dernier trophée en date, mais certainement pas son plus prestigieux.

Plusieurs années auparavant, lorsque Francis Walsingham était encore en vie, Poley avait mis dans son lit la fille du grand espion, qui a l'époque était mariée à sir Philip Sidney, un poète très apprécié. À présent, l'ancienne lady Sidney était mariée au comte d'Essex et, pour le plus grand plaisir de Poley, continuait d'être sensible à ses charmes. Il nota mentalement de prendre rendez-vous avec elle. Peut-être cette fois en parlerait-il à Cecil. Son employeur serait assurément heureux d'apprendre qu'il lutinait l'épouse de son ennemi juré.

À l'inverse, le revers le plus cuisant de la vie sentimentale de Poley avait été sa rencontre avec Mary, reine des Écossais. Il avait fait sa connaissance dans les dernières années de sa vie, quand elle était en captivité à Tutbury Castle. Sa mission était de se présenter à elle comme un catholique infiltré et de lui proposer de faire passer ses lettres en secret. Il la retrouvait lors des promenades à cheval qui lui étaient accordées dans le parc de Tutbury.

Très vite, il comprit que sa réputation de maîtresse sulfureuse était on ne peut plus éloignée de la vérité. Mary était une épouse dévouée et désespérée qui écrivait des dizaines de lettres à un mari qu'elle ne reverrait plus jamais. Parfois elle sanglotait de gratitude sur l'épaule de Poley, qui lui promettait que ses lettres parviendraient à destination. C'était un mensonge, mais un mensonge qui méritait d'être dit. Poley avait été ému par la profondeur et la constance de son amour et il avait rapidement renoncé à sa mission pour devenir le dernier amant de la reine Mary.

La Némésis des services secrets de Walsingham, la source d'inspiration de tous les conspirateurs catholiques dans les îles britanniques et à travers l'Europe n'était plus qu'une femme seule et vieillissante qui se languissait de son mari. Elle ne serait jamais libérée mais, en lui prodiguant ce réconfort factice, Poley espérait au moins qu'elle mourrait en paix.

Durant ces après-midi passés auprès de Mary, Poley avait appris quelque chose sur lui-même : la trahison avait beau être son gagne-pain et le plus grand de tous ses plaisirs, elle perdait tout son sel lorsqu'elle visait un être qu'il respectait. Au-delà de ce constat, il avait également appris qu'il désirait aider ceux qui se trouvaient pris au piège des machinations du gouvernement. Ce n'était pas arrivé souvent – pas une seule fois depuis Mary, en fait –, mais en apprenant la situation inextricable dans laquelle s'était fourré Kit Marlowe, cette partie endormie de sa conscience s'était réveillée. Il avait de la sympathie pour cet auteur séduisant, dont il admirait la capacité imprudente à railler toutes les folies de leur pays.

Il boutonna sa chemise en lin et salua Eva d'un baiser.

Non loin de l'arène des combats d'animaux, Poley croisa Teresa Ramires, une fille voluptueuse à la chevelure couleur corbeau. Cette domestique d'Essex était l'une de ses informatrices les plus précieuses.

— Salut Rob ! dit-elle en lui tendant la paume de sa main.

Poley fouilla dans sa poche.

— Je suppose que ce que tu as à me dire vaut un shilling ? répondit-il en lui donnant une pièce.

Teresa hocha la tête.

— Je ne sais pas exactement où se trouve Kit Marlowe…

Poley lui reprit le shilling.

— …mais je sais que Phelippes le paye pour enquêter sur une compagnie marchande. La… euh…

— La Compagnie du Levant ? du Maroc ? Moscovite ?

— La Compagnie moscovite, c'est ça ! Phelippes la soupçonne de dissimuler je ne sais quel trafic…

— Qui est à la tête de ce trafic ? Il a dit son nom ?

— Non. Mais Marlowe doit se rendre chez Essex demain. Je traînerai dans les parages…

— Bien, conclut Poley en lui redonnant la pièce. Rendez-vous ici demain à midi.

Teresa s'éloigna, laissant Poley réfléchir à cette information tout en regardant la Tamise. Apparemment, un ou plusieurs marchands et courtiers de la Compagnie moscovite avaient des choses à cacher, et Marlowe était sans doute sur le point de les découvrir.

C'était probablement la raison du placard signé « Tamerlan » : le dramaturge allait dévoiler la vérité et le ou les trafiquants étaient prêts à tout pour l'en empêcher. *Eh bien, ils n'en feront rien. J'y veillerai personnellement.*

17

Londres, Saint-James, de nos jours. 21 h 40.

Comment va-t-il, Surina ? demanda au téléphone Tolomei, assis dans le canapé à motifs fleuris de sa suite au *Ritz*.

— Il reprend un peu de poids, monsieur. Et ses blessures cicatrisent bien. Le médecin dit qu'il pourrait se réveiller d'un moment à l'autre, mais...

— Quoi ?

— Il continue d'avoir des... spasmes. Tout à l'heure, je tenais sa main et... elle a sursauté. Plusieurs fois.

— Il est resté plusieurs années dans une terrible prison, Surina. Il a été torturé, notamment par électrochocs...

— Je peux vous demander si... euh...

— Ce n'est pas un criminel, Surina. Il a été trahi par son pays.

— Ah.

— Et vous, comment vous vous sentez ?

— Très bien, monsieur. Je n'ai jamais vécu au bord de la mer... c'est tellement beau. Et mon patient aussi, je l'aime. Je prie pour lui tous les soirs.

— Bon. Je viendrai vous voir bientôt, tous les deux.

Tolomei marqua une pause, comme s'il cherchait ses mots.

— À propos, Surina…

— Oui, monsieur ?

— Si ça vous tente, j'ai… j'ai pris un rendez-vous pour vous dans une clinique de chirurgie esthétique, à Paris. C'est une des meilleures au monde.

Surina resta silencieuse, le souffle coupé.

— Oh… je ne sais pas quoi dire… je…

Sa voix se brisa.

— … oui, ça me tente. Ça me tente beaucoup.

— Le chirurgien m'a dit que vos bandages seraient retirés avant le début de vos cours.

Surina avait expliqué à Tolomei qu'elle comptait utiliser une partie de sa paye pour s'inscrire à la Sorbonne.

— Merci.

— Eh bien, au revoir Surina.

Il raccrocha. Fermant les yeux, il poussa un soupir de satisfaction : son plan se déroulait à merveille. Et dire qu'il le devait à un ancien ennemi…

Trois années plus tôt, un officier supérieur de la CIA, travaillant pour plusieurs agences de renseignement étrangères, avait prévenu Hamid Azadi, de la Vevak, que la CIA allait lancer une opération en territoire irakien. Selon le traître américain, Téhéran voulait voir le régime de Saddam non pas simplement décapité mais pulvérisé par l'armée américaine. Il avait donc communiqué à Azadi les informations nécessaires pour localiser le jeune agent chargé de l'opération et l'éliminer.

Azadi avait envoyé un commando à la recherche de l'espion américain. Mais ses motivations à lui n'avaient aucun rapport avec les considérations géopolitiques de son pays. À vrai dire, il ne s'en préoccupait déjà plus depuis longtemps. Il voulait se servir de l'espion pour des raisons personnelles, comme monnaie d'échange pour faciliter son transfuge imminent. Il avait donc menti aux membres de son commando, leur expliquant que leur cible était un témoin détenant des informations capitales sur le Moudjahidin e-Khalq (MEK), le plus actif des groupes d'opposition iraniens, qui possédait à l'époque des camps d'entraînement et des points de rendez-vous dans tout le sud-est de l'Irak. Il avait ensuite caché le jeune espion sous une fausse identité dans la prison d'Evin, à Téhéran.

Azadi n'avait pas eu l'intention d'attendre trois ans pour finaliser ses plans, pas plus qu'il n'avait souhaité que son prisonnier souffre entre les mains des geôliers sadiques d'Evin, mais la vie est ainsi faite… La majeure partie du temps, Azadi avait obtenu que l'espion américain soit drogué et isolé des autres prisonniers. Il avait été torturé mais, avec un peu de chance, n'en garderait presque aucun souvenir.

Luca de Tolomei étant plus accoutumé que lui au fonctionnement des services secrets américains, Azadi avait demandé à son ami des conseils sur la meilleure façon d'utiliser sa monnaie d'échange.

En regardant pour la première fois la vidéo d'Azadi, Tolomei avait ressenti un choc, comme s'il avait touché un câble électrique. Après avoir attendu pendant treize ans le moment opportun pour prendre sa revanche sur l'homme qui avait ruiné sa vie, le ciel lui envoyait l'instrument parfait de sa vengeance.

Tolomei avait aussitôt proposé à Azadi de lui acheter son prisonnier pour des raisons personnelles puis d'utiliser ses nombreux contacts pour assurer la réussite de son transfuge aux États-Unis. Il lui avait expliqué que les représentants du gouvernement américain ne respectaient jamais leurs engagements jusqu'au bout. Une fois parvenus à leurs fins, Azadi pouvait être certain que les Américains commettraient une gaffe et dévoileraient sa localisation, risquant de le faire tuer. Azadi s'était empressé d'accepter l'offre.

Tolomei regarda ses mains enserrer un cou imaginaire. Quand, treize ans plus tôt, Donovan Morgan avait réduit sa vie en poussière, il n'avait rêvé que d'une chose : lui ôter jusqu'au dernier souffle de vie.

Pourtant, au fil du temps, il s'était dit que la mort était un verdict trop clément pour l'Américain.

McLean, Virginie. 16 h 44.

Alexis Cruz, directrice générale du Renseignement, se détendait dans la vaste baignoire de la salle de bains adjacente à son bureau, au septième étage du quartier général de la CIA. Elle sortait d'une succession ininterrompue de réunions et, après dix heures de travail, avait insisté pour qu'on ne la dérange pas pendant une bonne heure : elle avait, soi-disant, un coup de fil important à passer à un dirigeant d'Asie du Sud-Est.

Sa séance quotidienne de remise en forme avait été exténuante. Grâce à son nouvel entraîneur personnel, un ancien membre de la Delta Force, unité d'élite de l'armée, elle était dans une parfaite forme physique, mais ses muscles lui faisaient mal en permanence. Se réserver chaque après-midi une heure de lecture dans sa baignoire était rapidement devenu une habitude. L'un de ses gardes du corps – la seule personne à être au courant – disait en plaisantant qu'elle donnait une nouvelle signification à l'expression « mouiller la chemise ».

Elle venait juste d'ouvrir un mince dossier contenant des informations qui ne figuraient dans aucune base de données de l'agence ni dans aucun document imprimé. C'était l'histoire et les états de service d'un agent de terrain qui avait été, de loin, leur meilleur élément durant la décennie écoulée : Achéron. Si Jeremy Slade parvenait à le leur ramener sain et sauf, sans que sa couverture ait été découverte, ce serait un miracle : il valait bien plus pour son pays que n'importe quel bouclier anti-missiles – à supposer que les gars de la Défense parviennent un jour à le mettre au point, pensa Cruz en hochant la tête.

Le seul élément absent du dossier était la véritable identité de l'espion. Seuls Slade et Donovan Morgan la connaissaient. Sur la première page, elle lut que son père était égyptien et sa mère américaine, et qu'il avait grandi au Caire avec la double nationalité. Au début des années 1990, quand le gouvernement de Moubarak combattait les factions islamistes égyptiennes, plusieurs amis de l'espion avaient été tués lors de l'attaque terroriste d'un café du Caire, sur la place Tahrir. L'essentiel des revenus égyptiens provenant du tourisme, les islamistes visaient en priorité des cibles touristiques pour saper les fondements de l'économie et, par là même, du gouvernement.

Alors qu'il était encore étudiant à l'université du Caire, l'espion avait entendu des rumeurs selon lesquelles les services secrets égyptiens avaient été infiltrés par des activistes islamistes. Il avait aussitôt proposé ses services à Slade, alors patron du bureau de la CIA au Caire. Malgré son manque de préparation, l'homme était parvenu, grâce aux consignes de son patron, à infiltrer à son tour Al Gama'a al Islamiyya, le groupe terroriste le plus violent d'Égypte. Il avait gagné la confiance de ses membres en les aidant à lever des fonds selon leur méthode préférée : le cambriolage de banques.

Grand amateur de littérature grecque classique, Slade avait décidé de baptiser sa nouvelle recrue « Achéron », d'après le nom du fleuve qui avait mené Ulysse aux Enfers. Ce nom de code s'était révélé des plus adéquats : grâce aux informations communiquées par Achéron, Slade avait pu aider la police égyptienne à court-circuiter une dizaine d'attaques terroristes visant des touristes étrangers.

En 1995, Slade était rentré aux États-Unis pour prendre la direction de la section Moyen-Orient de l'agence. Deux ans plus tard, Achéron s'était inscrit à un cursus universitaire d'archéologie et avait rejoint Slade. Se servant de ses chantiers de fouilles comme d'une couverture, il avait pu mener à bien durant plusieurs années de nombreuses missions à travers tout le Moyen-Orient. Son taux de réussite avait été exceptionnel jusqu'à l'opération Hydre, en Irak, au début de l'année 2001.

Pour cette mission, il avait une couverture extraordinaire. Saddam Hussein n'était pas seulement un dictateur sanguinaire et violent, mais aussi le héraut enthousiaste de l'héritage culturel irakien. Après l'opération Tempête du désert, il avait accueilli à bras ouverts les archéologues étrangers – y compris les Anglais et les Américains – venus étudier et sauver les sites archéologiques du pays. Et l'Irak, berceau de la civilisation, terre des empires sumérien, assyrien et babylonien, en comptait des milliers. L'espion n'avait pas tardé à se rapprocher du régime de Saddam, et s'était enrôlé dans une organisation basée à Boston dont les bulletins condamnaient les ravages commis contre l'héritage archéologique irakien par l'aviation militaire américaine et britannique, dont les bombardiers, survolant les zones interdites, avaient apparemment détruit presque toute la ville d'Ur, lieu de naissance d'Abraham, ainsi que d'autres sites.

Les archéologues en Irak étaient autorisés à emporter de petits ordinateurs portables – pour décrypter des tablettes cunéiformes vieilles de plusieurs milliers d'années – mais aussi des armes, pour se défendre d'éventuels pillards. Après Tempête du désert, le chaos et la pauvreté régnant dans le pays étaient tels que le problème du pillage obligeait les archéologues à être mieux armés que des soldats. *Accueilli chaleureusement, autorisé à emporter un ordinateur et un pistolet... Le rêve de tout espion !* pensa Cruz.

En mars 2001 s'était déroulée à Bagdad une cérémonie de commémoration pour fêter les 5 000 ans de l'invention de l'écriture. Archéologues et experts en écriture cunéiforme étaient arrivés des quatre coins des États-Unis, de Grande-Bretagne et d'Europe pour confronter les résultats de leurs dernières recherches et discuter de nouvelles théories avec leurs collègues irakiens. Achéron avait ainsi pu, avec des dizaines d'autres Occidentaux, visiter le pays et reprendre le travail laissé en plan sur plusieurs sites. L'objectif de sa mission aurait été brillamment atteint si l'espion n'avait pas été trahi au bout d'un mois. Cruz n'avait aucune preuve, mais elle soupçonnait le délateur d'être un cadre supérieur de la CIA.

À l'époque, elle ne travaillait pas encore à l'agence. Elle avait certes commencé sa carrière comme chargée de mission, mais avait démissionné avant ses 30 ans pour passer un diplôme juridique. Elle avait brièvement rempli la fonction d'avocate fédérale avant d'être élue membre du Congrès pour l'État de New York. Peu après le 11 Septembre 2001, le président lui avait demandé de prendre la tête de l'agence qui faisait alors l'objet de violentes critiques. Sa mission, lui avait-il dit, était de « nettoyer toutes les toiles d'araignées » : le nettoyage s'était révélé lent et douloureux. Cruz n'avait pas encore pu identifier ce traître, s'il existait réellement.

Le téléphone d'une de ses lignes sécurisées sonna.

— Cruz ?

— Lexy ? Jeremy à l'appareil.

— Je suis en train de lire le dossier. Est-ce que tu as vraiment retrouvé sa trace ?

— Oui. Crois-le ou non, après des années passées dans une prison forteresse imprenable, il se trouve dans une villa à peine sécurisée sur la côte tunisienne. En ce moment même, une de mes équipes se prépare à intervenir.

— Comment as-tu réussi à...

— Il a été transféré d'Evin par camion et chargé à bord d'un cargo qui quittait le golfe pour la Méditerranée. La nuit dernière, le cargo avait rendez-vous avec un yacht privé au large de Tunis. Un KH-12 était au bon endroit au bon moment : il nous a envoyé des dizaines de clichés du déchargement.

— Et tu penses que ce Tolomei, quel qu'il soit, a acheté notre homme à Azadi pour nous faire chanter ?

— Apparemment, c'est son activité principale. Si c'était Azadi, je suppose qu'il nous proposerait un échange de prisonniers, mais avec Tolomei...

— Exact. Sauf que, même si Don a des moyens, il ne brasse sûrement pas autant d'argent que les cibles habituelles de Tolomei...

— Il veut autre chose que de l'argent, la coupa Slade.

— L'amnistie du gouvernement ? S'il a changé d'identité, c'est peut-être une sorte de fugitif...

— Cela pourrait coller, admit Slade. De toute façon, nous allons récupérer notre homme, mais un autre problème pourrait se poser : tu te souviens des traces de piqûre sur ses bras ? Azadi a sans doute enregistré une cassette complète d'aveux.

— Ce qui pourrait valoir à tous ceux pour qui il travaillait d'être poursuivis par le Congrès, le tribunal de La Haye... voire d'être inculpés. Mon prédécesseur, toi, Donovan, sans parler du président...

L'esprit d'Alexis survolait à toute vitesse le territoire trouble des lois internationales concernant le projet d'assassinat d'un homme politique dans un pays étranger.

— Nous ne pourrons pas nous défendre en prétextant le contexte de guerre au début de 2001, reprit-elle. Donc, nous serons accusés de violation de l'article 1 de la résolution 1974 de l'ONU sur les actes d'agression illégaux. Évidemment, nous ne pourrons pas plaider la légitime défense par anticipation. Oui, mieux vaut plaider l'intervention humanitaire...

— Ça pourrait marcher ? demanda Slade.

— Sur un plan légal ? Sans problème. Mais sur le plan de la communication, c'est un pur cauchemar. Surtout avec les élections présidentielles en ligne de mire... Autant servir directement au président ma tête sur un plateau d'argent.

— Je te promets que je ne laisserai pas l'affaire en arriver là, Lexy.

— Je sais, murmura-t-elle.

Pour délasser sa jambe engourdie, elle changea de position, produisant un petit bruit de clapotis.

— Dans ta baignoire, on dirait ?

— Flagrant délit, j'admets...

— Dommage que je ne sois pas là, avec toi...

Malgré la chaleur de son bain, Cruz sentit un frisson la parcourir.

Sidi Bou Said. 23 h 56.

La lune et les réverbères éclairaient Sidi Bou Said, ville pittoresque tout de blanc et de bleu perchée sur une falaise surplombant le golfe de Tunis. Les habitations rectangulaires étaient toutes peintes à la chaux blanche, avec des portes bleues et des moucharabiehs ornés de bougainvilliers luxuriants. Les rues grouillaient de touristes, essentiellement des

Européens habillés avec élégance pointant leur nez dans des allées pavées, examinant les échoppes aussi attentivement qu'ils s'observaient entre eux.

Vêtus de lin, Connor Black et Jason Avera, les deux anciens paramilitaires de la CIA aux ordres de Jeremy Slade, déambulaient eux aussi. Ils étaient arrivés en début d'après-midi par le vol Istanbul-Tunis. Ils se rendaient dans un petit café au bord de la falaise avec une vue plongeante sur le golfe, situé à un demi-kilomètre au nord-est de la villa surveillée par leur commando de quatre hommes.

— Dire qu'on était censés s'occuper d'une prison iranienne… Ça va être du gâteau, dit Jason.

Connor acquiesça. Puis, apercevant deux femmes qui les reluquaient ostensiblement, il prit la main de Jason. Pour éviter d'attirer l'attention, ils avaient choisi de se faire passer pour un couple gay.

Jason sourit, tout en marmonnant :

— Mon salaud, tu as les mains moites.

Connor sourit à son tour.

— C'est pour mieux te caresser, mon mignon.

— Tu ne trouves pas que nos chemises rose et violette sont suffisamment explicites ?

— Apparemment pas, répondit Connor en attendant que les deux femmes soient passées avec un air dépité pour lâcher la main de Jason.

Ils arrivèrent dans une étroite ruelle bordée de cafés et cherchèrent la table où ils s'étaient déjà assis quelques heures auparavant. Par chance, elle était libre : ils s'installèrent. Ils commandèrent un thé à la menthe, deux baklavas et un narguilé pour fumer du tabac à la pomme, puis, comme s'ils admiraient la vue, scrutèrent la côte s'étendant sous leurs yeux.

Les flots paresseux du golfe scintillaient sous la lune et les étoiles. Sur le rivage, à une trentaine de mètres de la villa, un homme s'offrait une petite balade à cheval. Il portait un T-shirt Led Zeppelin, des écouteurs aux oreilles et un lecteur de CD à la taille, et chantait à haute voix des bribes de paroles.

La carte, qu'il consultait de temps en temps à la lumière d'une lampe de poche, achevait le portrait d'un touriste à moitié saoul.

Connor porta son attention sur la villa. Blottie dans un bosquet de palmiers, elle reprenait les couleurs en vigueur à Sidi Bou Said – bleu et blanc – et son balcon à deux niveaux donnait sur la mer. Il se mit à parler et Jason le regarda en hochant la tête et en gloussant, mais ce n'était pas à lui que Connor s'adressait : il parlait dans le micro dissimulé dans son col de chemise.

— Jockey, ici Gay 1. Que vois-tu ?

— Deux chats sur le balcon, répondit en langage codé l'homme à cheval. Curieusement, ils ont l'air d'être équipés de M4.

Ces fusils d'assaut spécialement conçus pour les Forces spéciales américaines sont équipés d'une lunette de visée nocturne et d'un lance-grenades.

— À l'intérieur ?

L'homme à cheval tourna une minuscule molette sur sa monture de lunettes pour activer le mode de vision thermique.

— Trois corps : à l'étage, « monsieur Rossignol » allongé. Apparemment, « mademoiselle Rossignol » est penchée sur lui, elle lui touche la tête. Un autre chat, en bas, près de la porte d'entrée.

— L'éclairage ?

— Actif sur un rayon d'environ cinq mètres autour de la maison.

— Estimation globale ?

— Pas de caméras. Pas de système de détection laser non plus. Une maison de vacances ordinaire.

— Parfait. À bientôt.

Il se tourna vers Jason et pencha la tête vers lui.

— Chasseur, au rapport.

L'homme, auquel Connor parlait, était assis sur un confortable monticule de terre et de feuilles de l'autre côté de la route menant à l'entrée de la villa. Caché par un épais massif d'arbres et de buissons, il n'en avait pas moins une excellente ouverture sur la route et le portail de la villa. Surtout, il était équipé d'un micro directionnel et d'une puissante paire de jumelles.

— Salut Gay 1. Une voiture est entrée et ressortie aujourd'hui à deux reprises. À chaque fois, elle est restée environ 25 minutes. Selon les plaques d'immatriculation, elle appartient à un médecin.

— Et au niveau du son ?

— Mademoiselle Rossignol a reçu un appel il y a environ un quart d'heure, de celui qui l'a embauchée. Il doit la payer cher car elle semblait très reconnaissante. Elle semble beaucoup l'aimer. Sinon, elle a aussi parlé avec son patient. Un long monologue pour lui dire qu'elle tient à lui, qu'elle veut qu'il l'accompagne à Paris... Elle lui pose des questions puis imagine ses réponses...

— Que dit le médecin ?

— Que monsieur Rossignol est dans un coma léger, qu'il pourrait se réveiller n'importe quand. Il a donné d'autres poches de goutte-à-goutte à mademoiselle Rossignol, des crèmes antibiotiques, ce genre de choses...

— Reçu. Tu rentres vers 2 ou 3 heures.

Observant à nouveau son collègue à cheval, Connor le vit trottiner devant la villa et prendre la direction de la marina, au pied de la falaise. Il vit aussi que leur dessert était servi, et prit une bouchée de baklava qu'il glissa avec un sourire doucereux entre les lèvres de Jason, sous le regard ébahi d'une tablée de femmes.

— Bien joué, dit Jason en buvant une gorgée de thé.

Le téléphone de Connor vibra.

— C'est moi, dit la voix de Jeremy Slade. Comment ça se présente ?

— Sans problème.

— Prêts pour une extraction demain soir ?

— Prêts. Ils annoncent un ciel très couvert.

— Parfait.

— Quelles consignes pour les gardes ?

— Ils savent qui ils surveillent ?

— Non. Et apparemment son visage est tellement abîmé qu'il est méconnaissable.

— Neutralisez-les.

— Et la fille ? C'est une espèce d'infirmière, une gamine on dirait. Elle ne sait pas qui est son malade, mais elle connaît parfaitement l'identité de son patron.

— Alors vous l'emmenez aussi.

Londres, Mayfair. 22 h 10.

Assise devant son ordinateur, Kate entendit frapper à la porte. C'était la voix désormais familière d'un garçon d'étage qui lui apportait un message. Elle prit le carton et fut surprise de découvrir une suite de lettres sans signification.

— Le monsieur m'a dit que vous pourriez avoir besoin de ceci, ajouta le garçon d'étage en lui tendant ce qui ressemblait à une grille de Cardan.

Kate le remercia et retourna dans sa chambre. Elle plaça la grille par-dessus le message et six mots apparurent dans les fenêtres découpées : Je suis au bar de l'hôtel.

Kate n'avait pas encore décidé d'appeler ou non Medina ce soir... *mais on dirait qu'il a choisi pour moi.* Et avec humour.

Encore vêtue de sa robe fourreau noire, elle enfila les escarpins Prada pointus prêtés par Adriana mais, alors qu'elle nouait la bride autour de sa cheville, elle se ravisa. *Pas la peine d'en faire trop.* Elle se rabattit sur de banales pantoufles aux armes de l'hôtel. Elle contempla le résultat dans la glace de la salle de bains puis inspecta ses dents à la recherche de traces de rouge à lèvres.

Au troisième étage du *Connaught*, un nouvel arrivant jetait des coups d'œil dans la cage d'escalier.

— Avez-vous passé une bonne soirée ? lui demanda une vieille Allemande.

— Excellente, répondit-il en imitant l'accent américain. Je suis allé au théâtre. Une pièce délicieuse...

Il fouilla dans sa poche de veste à la recherche de ses clés, le temps que l'Allemande s'éloigne, puis retourna à sa surveillance de la cage d'escalier.

Au bout de quelques minutes, il vit Kate Morgan descendre les marches. Elle avait pris son sac à dos mais peut-être que...

Il descendit rapidement au deuxième étage et, en quelques secondes, ouvrit la porte de la suite de Kate. Il remarqua tout de suite le téléphone portable posé sur une console.

Medina tournait le dos à Kate quand elle entra dans le bar aux lumières tamisées et aux murs habillés de boiseries. Il paraissait plongé dans la contemplation d'une tête de cerf ou d'une peinture équestre. Elle en profita pour l'observer. Sa veste et son pantalon noirs et gris charbon mettaient parfaitement sa silhouette en valeur. À supposer qu'elle en ait eu besoin...

— Jolies chaussures, dit-il en voyant Kate.

— Merci, je...

— Pas la peine de vous expliquer. Je sais que c'est votre façon de me montrer que vous n'essayez pas de m'impressionner. Mais si c'était vraiment le cas, vous auriez plutôt enfilé un sweat-shirt...

Bien vu. Hum...

— Pour me faire dévisager par tous les snobs de l'hôtel ? Merci bien.

— Bon sang. J'essaye de vous prendre de court, au moins une fois, mais...

— Cidro, badiner c'est comme jouer au tennis : c'est plus facile de frapper un coup gagnant quand votre adversaire joue bien que quand il tente un mauvais lob.

— Et vous réussissez à me retourner un compliment... Joli ! Bien, dites-moi, qu'est-ce que je peux vous offrir ?

— Eh bien... j'ai déjà bu quelques verres ce soir, alors...

— Vous plaisantez, j'espère ? Allons !

Kate rit.

— C'est bon. Je prendrai un amaretto avec du lait. Mais rappelez-vous, je vous ai prévenu : trop d'alcool et mon système de censure interne tombe en panne.

— C'est là que les choses deviennent intéressantes.

— Possible. Seulement ne vous formalisez pas si je me mets à vous traiter de... je ne sais pas, frimeur, prétentieux, ou ce genre d'amabilité.

— J'ai l'habitude.

Medina alla au bar. Quand il revint, Kate s'était installée dans un fauteuil en cuir, près d'une haute fenêtre aux draperies de velours rouge.

— Alors, racontez-moi un peu votre soirée, dit-il en posant les verres sur la table basse.

— Très agréable. Je suis allée à une vente aux enchères chez Sotheby's avec une ancienne amie de fac. Et vous, vos réunions ?

— Ça s'est bien passé aussi. Les affaires... avancent. Mais ce qui m'intéresse vraiment, c'est ce que vous aimez faire quand vous ne travaillez pas.

— Je croyais que nous étions d'accord pour parler uniquement travail.

— Ma chère, je ne sais pas dans quel monde vous vivez, mais même dans les affaires les gens bien élevés échangent plus de deux plaisanteries avant de se mettre au travail.

— Je suis désolée, dit Kate en se frappant légèrement le front. Mais entre nous, Cidro, me demander de vous parler de ce que j'aime dans la vie ? C'est dans le premier chapitre du manuel du dragueur, ça... Je vous vois venir, avec vos gros sabots.

— On a déjà pu me reprocher de poser cette question sans être vraiment sincère, mais dans votre cas j'aurais vraiment voulu savoir.

— Ah. Eh bien... j'aime voyager. Découvrir un pays que je ne connais pas, son art, son architecture, puis enchaîner sur quelque chose de plus physique : randonnée, escalade... Et vous ?

— Attendez, vous n'avez pas encore terminé. Au quotidien, ça donne quoi ?

Kate soupira.

— Dernière question personnelle, je vous le promets, dit-il.

— D'accord. J'aime la musique pop, un peu de country aussi quand je suis d'humeur. J'ai pris des cours de danse hip-hop, j'adore les films d'action quand je suis un peu bourrée, surtout quand le héros passe son temps torse nu, et je suis assez accro au chocolat. Vous savez, de temps en temps j'ai besoin de mon fix. Pas comme un junkie, plutôt comme un expert-comptable qui a besoin de sa calculette quand arrive le moins d'avril. J'en ai besoin, mais je ne pense pas que je recourrais à la violence si j'en étais privée. Ça ira pour vous ?

Medina sourit en hochant la tête.

— Prêt pour le point sur votre affaire ?

— Tout à fait.

— Bien. Un de mes collègues a vérifié les appels téléphoniques et les e-mails reçus et envoyés par le Chat – vous savez, Simon Trevor-Jones – ces dernières semaines, car il a forcément dû avoir un contact avec l'homme que nous recherchons ––même indirectement.

Elle s'arrêta et but une gorgée d'amaretto.

— J'ai mis hors de cause tous ceux que j'ai pu identifier. Un seul numéro de téléphone a résisté aux recherches de mon collègue. Mais quand il aura trouvé le nom qui lui correspond…

— …notre homme ne sera pas loin.

— C'est ce que l'on espère. Il est possible que Trevor-Jones et Dragon de Jade se soient toujours rencontrés en tête-à-tête, ou que Trevor-Jones se servait d'un agent comme intermédiaire. Dans ce cas, je ferais mieux de chercher ma réponse dans *L'Anatomie des Secrets*.

— J'ai une autre question.

Devant l'expression du visage de Kate, il ajouta :

— D'ordre professionnel.

— Je vous écoute ?

— L'autre jour, au *Pierre*, vous avez piqué ma curiosité.

Quand vous m'avez parlé de votre sujet d'étude à l'université… Vous vous demandiez si, durant la Renaissance, il était plus dangereux d'essayer de percer à jour des secrets d'État ou les mystères du divin. Je sais que vous vous êtes arrêtée avant d'avoir terminé votre mémoire, mais aviez-vous déjà une réponse à cette question ?

— Plutôt un point de départ. Quelques idées préliminaires.

— Lesquelles ?

— Tout dépend de l'usage que l'on voulait faire de ce savoir secret. Si on cherchait à le découvrir par pur plaisir intellectuel, ou pour détenir un pouvoir. Dans ce dernier cas, il s'agit de déterminer qui était menacé par ce pouvoir, et de quelle façon.

Medina la regardait avec intérêt.

— Vous voulez vraiment que je développe ?

— Oui ! répondit-il, surpris qu'elle pose la question.

— Eh bien, pour commencer, j'ai restreint mon champ d'études aux débats idéologiques et religieux portant sur les secrets politiques et militaires, par opposition aux découvertes de la philosophie de la nature – ce que nous appelons la science. Les deux domaines se superposaient, bien sûr, comme ils le font aujourd'hui. Mais la partie militaire et politique est la plus simple : personne n'a jamais cherché à percer leurs mystères pour le simple plaisir de la découverte. Il y avait toujours à la clé l'argent et le pouvoir. Ainsi, un espion de la Renaissance possédant des informations sensibles sur une stratégie militaire pouvait se faire tuer – exactement comme à notre époque. De même, s'il détenait des informations compromettantes sur une personnalité politique de son gouvernement, ou de celui d'un autre pays. La partie concernant les découvertes scientifiques est plus complexe.

À cet instant, une serveuse se matérialisa à leur table.

— Désirez-vous une autre boisson ?

— La même chose pour moi, dit Medina : un sapphire tonic. Et madame prendra…

— Un Bailey's avec de la glace. Merci.

Sitôt la serveuse disparue, Medina relança Kate :

— À propos des découvertes scientifiques, donc…

— Ceux qui cherchaient à percer les énigmes du savoir scientifique agissaient parfois par simple curiosité intellectuelle. Dans ce cas-là, ils ne couraient aucun danger. Prenez Copernic. Pour beaucoup, sa théorie selon laquelle le Soleil est au centre de l'univers a ébranlé les fondements de l'Église catholique et causé la mort de nombreuses personnes. Mais c'est faux. Il n'a jamais été inquiété par personne. Les hommes d'Église l'ont même soutenu dans ses recherches.

— Vraiment ?

— Oui. Copernic n'avait aucunement l'intention de défier l'autorité de l'Église, qu'elle soit catholique ou protestante. Il aimait simplement l'idée d'approcher au plus près la vérité du mouvement de ce qu'il appelait les « sphères célestes ». Il aimait aussi les chiffres et il savait qu'avec un univers aristotélicien centré autour de la Terre, ses calculs tombaient faux. C'était aussi agaçant pour lui qu'avoir un caillou dans sa chaussure.

Medina sourit.

— En 1543, il publia sa théorie d'un univers centré autour du Soleil et, bien qu'elle contredise entièrement les Écritures, les dignitaires religieux ont à peine sourcillé pendant les cinquante années qui ont suivi. À vrai dire, le pape aimait assez ses idées et voulait se servir des mathématiques pour réformer son calendrier. Quant aux protestants – du moins les rares qui s'y entendaient vraiment en astronomie –, ils reconnurent que Copernic renvoyait Aristote à ses chères études d'un point de vue mathématique et validèrent ses théories, sans se soucier de leurs implications théologiques. Aussi étrange que cela paraisse, ils trouvèrent un moyen d'adopter la nouvelle astronomie sans la rattacher au monde physique.

— Mais Galilée a bien été arrêté, intervint Medina. Et quelqu'un n'a pas été exécuté parce qu'il y avait fait référence ? Il y a une place, à Rome…

— … où Giordano Bruno a été brûlé sur un bûcher en 1600. Vous avez raison. Mais voilà le problème : Galilée et

Bruno n'étaient pas seulement des adeptes de ces idées nouvelles, des penseurs enthousiastes à l'idée de découvrir la vérité de l'Univers : ils utilisaient le système astronomique copernicien pour marcher sur les pieds des puissants. Et c'est *là* que les ennuis ont commencé pour eux.

— Comment ça ?

— Eh bien, au tout début, Galilée avait pour mécènes de hauts dignitaires catholiques, y compris des papes, mais en gros quand il s'est mis à leur expliquer comment réinterpréter les Écritures – alors que la guerre avec les protestants faisait rage –, ils se sont sentis menacés et ont fait arrêter Galilée. Quant à Bruno, le prêtre fou du Soleil, il considérait le judaïsme et le christianisme comme des perversions de vérités anciennes et recourait à l'astronomie copernicienne pour symboliser ses idées de réforme. Il est allé voir plusieurs chefs d'État pour promouvoir sa nouvelle doctrine religieuse en leur expliquant que, comme le Soleil était le centre de l'univers, ils étaient le centre du monde – eux, et non le pape.

— Alors le pape a envoyé ses tueurs.

— Exactement. Les gens croient que les découvertes astronomiques ont provoqué un affrontement terrible entre la science et la religion aux tout débuts de l'ère moderne, mais cet affrontement n'a jamais vraiment eu pour cause l'astronomie. Il s'agissait uniquement de politique, et de qui menaçait le pouvoir de qui... Vous êtes toujours réveillé ?

— Bien sûr. Et je viens enfin de comprendre pourquoi je n'ai jamais réussi à l'université.

Kate dressa un sourcil.

— Essentiellement parce que je n'avais pas de jolie fille pour tout m'expliquer...

Oubliant provisoirement de recadrer son client, Kate rougit. *Qu'est-ce qui m'arrive ? Ah, oui, l'alcool... bon...*

— Mais ne me laissez pas vous interrompre. Revenons à ces eaux infestées de requins promises aux esprits curieux de la Renaissance... Vous parliez des découvertes scientifiques.

— Oui. L'astronomie. Pour moi, elle symbolise la quête *verticale* des secrets de Dieu. Une quête mortelle si on se sert de ce qu'on a découvert pour menacer les rois et les papes. Mais les découvertes géographiques, qui relèvent d'une quête horizontale, c'est tout autre chose. Vous êtes sûr que vous avez envie de...

— Oui, Kate.

— D'accord. D'une certaine façon, les explorateurs cherchaient eux aussi à percer le mystère divin : ils naviguaient vers des contrées lointaines qui passaient pour être hantées par des monstres et des démons, et donnaient la preuve qu'il n'en était rien. Certes, ils étaient davantage intéressés par l'argent et la gloire que par une satisfaction intellectuelle, mais voyager était bel et bien une entreprise de démythification, une manière d'épuiser l'envoûtement de lieux mystérieux. La seule différence, c'est que le gouvernement ne faisait pas tuer les explorateurs à cause de leurs découvertes. Au contraire : s'ils trouvaient une nouvelle route pour le commerce, ou un endroit où fonder une nouvelle colonie, ou même s'ils se comportaient en vulgaires pillards, ils devenaient des héros de la patrie. Certains ont même reçu un titre de noblesse. Ceux qui revenaient les mains vides étaient ruinés, évidemment, mais sains et saufs. Toutefois, la quête du savoir dans une dimension horizontale n'était pas moins dangereuse que les autres quêtes dont je vous ai parlé : c'est juste que les menaces provenaient de sources différentes : tempêtes, malnutrition, pirates, tout ce qu'on peut imaginer. Parfois, des marins étaient capturés et torturés pour obtenir des informations géographiques ayant une valeur économique potentielle – comme par exemple des rumeurs sur la localisation de la ville mythique d'El Dorado.

Kate sourit.

— Et maintenant, Cidro, les découvertes dans le domaine de l'optique. Ça a l'air ennuyeux, comme ça, mais j'ai une théorie assez croustillante. Vous êtes preneur ?

— Tout à fait.

— Les gens croient que dès que le télescope a été inventé – par des maîtres verriers hollandais au début XVIIe siècle –, la technique s'est propagée dans le monde entier comme un feu de brousse. Autrement dit, personne n'en a jamais vraiment tiré d'avantage militaire, par exemple en repérant un navire ennemi avant d'être soi-même repéré. Pourtant, on trouve dans un texte du XVIe siècle écrit par un philosophe un passage assez ambigu laissant supposer que son auteur a utilisé un télescope. On peut en conclure qu'il a été découvert quelques années avant la date supposée, et que son inventeur a préféré garder pour lui sa découverte. Et il est tout à fait possible de penser que quelqu'un a été tué pour que cette invention reste secrète.

— Autrement dit, intervint Medina en remuant machinalement les glaçons dans son verre, si les deux activités pouvaient être considérées comme mortelles à l'époque, vous avez dû arriver à la conclusion que le métier d'espion était bien plus dangereux que celui d'homme de science, car alors le risque était *permanent*, n'est-ce pas ?

— Plus ou moins. La situation la plus sûre était celle de l'homme de science en quête de savoir par pure curiosité intellectuelle, loin des jeux de pouvoir de la cour. Mais je vous ai réservé le meilleur pour la fin.

Medina l'interrogea du regard.

— Dans l'Angleterre élisabéthaine, beaucoup d'hommes menaient de front ces deux types de quête du savoir. Francis Walsingham et Robert Cecil, par exemple. Tous deux étaient des espions de grande envergure et les mécènes d'explorateurs tels que Francis Drake et Walter Raleigh. Quant à l'intellectuel le plus célèbre de la cour d'Élisabeth – un dénommé John Dee –, on le soupçonnait d'être un espion et de chercher à percer le mystère de Dieu… Des rumeurs prétendaient qu'il était capable de faire apparaître des anges et qu'il cherchait à dévoiler le mystère de la connaissance divine. On le soupçonnait aussi de pratiquer la magie noire. Un jour, une foule aussi furieuse que terrifiée a fait irruption chez lui, a saccagé sa bibliothèque et détruit ses instruments scientifiques. Cela ne l'a pas empêché de vivre jusqu'à un âge vénérable. À côté de ça, il y a un homme qui a poursuivi pendant toute son existence ces deux types de savoir et qui a été assassiné sans que l'on sache pourquoi. Toutes sortes d'hypothèses ont été émises, bien sûr, mais...

— Qui est-ce ? la coupa Medina en se penchant vers elle.

— Christopher Marlowe.

— Un grand auteur de théâtre, c'est ça ?

Kate confirma d'un signe de tête.

— Doublé d'un espion. Il détenait des informations compromettantes sur certaines figures politiques assez dangereuses. Et il cherchait aussi à percer à jour les mystères divins – à travers des fictions plutôt que des actes.

— Comment ça ?

— Les pièces qu'il écrivait allaient très loin dans la remise en cause du dogme religieux. Son Faust demande à l'émissaire du Diable où se trouve l'enfer, puis il explique que selon lui, l'enfer est une mystification. Plus tard, on voit Faust monter dans un char tiré par des dragons pour partir explorer l'univers et *Découvrir les secrets de l'astronomie / Gravés dans le livre de Jupiter, au plus haut des cieux*. Des propos très subversifs en ces temps-là.

Kate but une autre gorgée de Bailey's.

— Pendant le dernier mois de la vie de Marlowe, nous savons que le gouvernement enquêtait sur lui, à cause de son athéisme et de son esprit contestataire. Parce que, forcément, s'attaquer à l'Église revenait à s'attaquer à l'État. Quelques jours avant la date de sa mort, un informateur rédigea un rapport expliquant que le prosélytisme athée de Marlowe représentait un tel danger qu'il fallait lui coudre les lèvres.

— Alors on l'a arrêté et exécuté ?

— Non. Marlowe a été interrogé mais relâché le jour même. Sa mort est survenue peu de temps après. Nous connaissons l'identité des trois hommes présents avec lui au moment du meurtre, mais nous ne connaissons ni le coupable ni ses motivations.

— Quel est votre avis ?

— Eh bien, pour commencer, je ne pense pas que Marlowe était athée. Il était curieux et sceptique, indéniablement, et aussi écœuré par le pouvoir de l'Église – dont l'enseignement n'avait sans doute rien de très plaisant, à une époque où le scepticisme était considéré comme un crime. Quelles qu'aient pu être ses conceptions, je ne crois pas qu'elles soient la cause de sa mort. Je pencherai plutôt pour un traquenard tendu par une personnalité politique qui voulait soit protéger un secret, soit obtenir des informations pour s'en servir contre l'un de ses adversaires.

— Qui ?

— Je ne pourrais pas le dire avec certitude.

Medina sourit.

— Eh bien, en tout cas, vous aviez raison : cette histoire est pleine de ressort et de suspense.

— Merci.

— Mais dites-moi, Kate… ce Marlowe, vous l'aimez *vraiment*, n'est-ce pas ?

— Ah ! ça, pour l'aimer… Tout ce que j'ai lu sur lui pendant mes études montre qu'il était fascinant par bien des aspects.

La vérité, c'est que le dramaturge élisabéthain était bien plus qu'un intéressant sujet d'études pour Kate. Lorsqu'elle s'était retrouvée confrontée à l'éventualité de quitter l'université pour entrer au service de Jeremy Slade, elle avait pensé à Marlowe et à son va-et-vient entre la littérature et l'espionnage. Finalement, elle avait décidé de suivre ses pas – jusqu'à un certain point, du moins. Elle n'avait pas l'intention de mourir à 29 ans, un couteau planté dans l'œil. Mais, indépendamment de ce choix professionnel influencé par Marlowe, Kate se sentait un lien de parenté avec lui. Depuis la mort de Rhys, elle savait qu'elle vivrait jusqu'à la fin de ses jours avec un désir brûlant pour quelque chose d'inaccessible, et cette douleur la rapprochait des héros tragiques de Marlowe, tous marqués par la même soif inextinguible.

Medina croisa les bras et plissa les yeux.

— Et l'expression sur votre visage, en ce moment, c'est à quelqu'un de *ce* siècle que vous la devez ?

Kate continua de boire en silence.

— Allons… Comment s'appelle-t-il ?

— Qui ?

— Le type qui vous fait tourner la tête ?

— Qu'est-ce qui vous fait penser ça ?

— Je vous tourne autour depuis le premier jour.

— Et d'habitude on ne vous résiste jamais, n'est-ce pas ?

— Pour ainsi dire jamais. On m'a même déjà dit que cinq minutes en ma présence transformerait une bonne sœur arthritique en gymnaste nymphomane...

Kate éclata de rire.

— Un ego grand comme le Texas et pourtant, inexplicablement, toujours charmant... C'est très impressionnant.

— Je suis sérieux, Kate. Nous nous entendons à merveille et malgré cela... Ma foi, je ne vois qu'une conclusion possible : votre cœur est déjà entièrement occupé par un autre homme. Alors, de qui s'agit-il ? Et quand puis-je le provoquer en duel ?

— Cela ne va pas être possible. Mais il vous aurait laminé. Il a gagné une compétition d'escrime, au Japon...

— Où est-il en ce moment ?

— Je ne sais pas... Il est mort.

Les traits du visage de Medina s'effondrèrent.

— Oh mon dieu... Je suis désolé.

— C'était il y a longtemps. Mais vous avez raison : mon cœur lui appartient aussi sûrement qu'un terrain qu'il aurait acheté et sur lequel il aurait bâti une forteresse.

— Comment vous êtes-vous rencontrés ?

— Au printemps de ma dernière année de fac. Je donnais des cours de kick-boxing, mais je n'avais plus vraiment pratiqué d'arts martiaux depuis des années. C'était justement son domaine. Après avoir terminé ma thèse, j'ai commencé à participer à ses entraînements et...

— L'amour vous est tombé dessus.

— En quelques jours.

Elle vida son verre. La liqueur n'avait plus aucun goût. Kate se rappelait le goût salé du cou de Rhys sous ses baisers quand ils rentraient de la salle de sport...

— Je suis incapable d'imaginer la perte que ce doit être.

Personne n'est encore mort dans mon entourage proche. Comment êtes-vous arrivée à...

— Oh, pendant quelque temps j'ai caressé le rêve de disparaître à mon tour. Je ne voulais pas me suicider, juste m'évanouir dans les airs. Mais je n'avais pas le droit d'abandonner mon père, alors je me suis contentée d'avancer, lourdement, un pas après l'autre. J'ai fini par me rappeler que le bonheur pouvait se trouver ailleurs, dans des endroits moins évidents.

— Vous pensez vraiment que vous ne pourrez plus jamais tomber amoureuse de quelqu'un ?

Kate hocha la tête.

— Rhys était... irremplaçable, mais ce n'est même pas le problème. C'est un truc physiologique, le processus chimique qui gouverne des émotions comme l'amour s'est dilué – à cause du chagrin, et de l'âge aussi, peut-être. Comme si vous coupiez de la cocaïne avec de l'aspirine.

— Vous êtes en train de me dire qu'à mon âge avancé, puisque je suis encore célibataire, je suis condamné à mener une existence sans amour ?

— Non. Je dis simplement que, si vous étiez encore un ado, vous laisseriez plus facilement parler vos sentiments, façon Roméo.

En un geste faussement consolateur, elle posa brièvement la main sur celle de Medina.

— Mais attendez un peu... Je crois me rappeler avoir entendu quelque part que vous vous étiez entiché dernièrement d'une ravissante top model...

— *Entiché* n'est pas le terme exact. Quoi qu'il en soit, ajouta-t-il en agitant la main, je l'ai renvoyée

Soudain, il s'approcha de Kate et écarta une mèche sur son front.

— Cidro, j'ai promis à une amie de venir courir avec elle demain à l'aube, et j'aimerais encore travailler au maximum sur le manuscrit avant de partir demain après-midi pour un court voyage... alors...

— Vous m'abandonnez ?

— Pas pour longtemps.

— Ah.

— C'est l'affaire d'une demi-journée. Je suis certaine que vous survivrez.

Elle remarqua son expression pensive.

— Vous essayez de vous rappeler la dernière fois qu'une fille vous a quitté de son propre gré ?

Il rit.

— Comment avez-vous deviné ?

— Cela fait partie de mon boulot.

— À propos de l'*Anatomie*, Kate... je voulais vous donner un conseil, directement tiré de mon expérience avec les romans policiers...

— Je croyais que vous ne lisiez pas ?

— Eh bien, il m'arrive d'ouvrir un polar de temps en temps. Par exemple quand je me retrouve coincé quelque part sans...

— ... filles, drogue ou voitures de sport ?

— Vous me l'ôtez de la bouche.

Kate sourit en anticipant sur ce qu'il allait dire.

— Vous commencez à lire, mais vous êtes trop impatient pour attendre la résolution des énigmes alors vous allez directement au dernier chapitre.

— À chaque fois.

De retour dans sa chambre, Kate suivit le conseil de Medina : elle se rendit à la fin de *L'Anatomie des Secrets*. Comme elle l'avait expliqué à son amie libraire, Hannah Rosenberg, elle voyait deux raisons pour lesquelles Phelippes s'était précipité chez son relieur avec le manuscrit : pour le cacher d'éventuels enquêteurs juste après avoir dérobé les rapports de feu Walsingham, ou pour éviter que l'une des victimes de ses chantages ne mette la main sur son dossier en particulier.

Aucune de ces deux hypothèses ne permettait de croire que l'ultime rapport du manuscrit était la pièce à conviction que Kate espérait tant, mais puisque la lecture chronologique n'avait encore rien donné, elle pouvait bien tenter sa chance.

D'accord, on commence par la fin. Je me demande ce qu'il y a dans les dernières pages… Walsingham est mort en 1590, et si Phelippes a inclus les rapports de cette année-là… Voyons voir. Je doute que l'un d'eux se soit intéressé aux pièces de Shakespeare, mais après tout ils ont peut-être trouvé des preuves irréfutables et définitives que c'était bien lui, le véritable auteur. À cette date-là, il avait déjà écrit la version perdue de Hamlet *et la première partie de* Henri VI…

Elle alluma son ordinateur et ouvrit les dernières pages scannées du manuscrit. Elles ne contenaient aucune lettre : seulement des chiffres. Ils étaient regroupés par petites séquences, comme s'ils formaient des mots.

— Ce serait si facile ? se demanda-t-elle à haute voix en cherchant la clé du code de décryptage.

Ses pensées dérivèrent jusqu'à Christopher Marlowe.

— Quel dommage que ça n'aille pas jusqu'à 1593…

18

Vit-on jamais trahison
Si joliment conçue, et si bien accomplie ?
Ithamore, in *Le Juif de Malte* (Marlowe)

Londres, mai 1593. Matin.

À deux cents mètres au nord de London Bridge, au cinquième étage d'une maison à colombages non loin de Leadenhall Market, Thomas Phelippes était dans son bureau, accroupi devant un coffre en bois de cèdre. Il était rempli de vêtements et de papiers, mais ce n'est pas ce qui l'intéressait. Il cherchait autre chose.

Le meuble n'avait pas de double fond ; c'est ce que chercherait en priorité quiconque viendrait fouiller chez lui. En revanche, un compartiment secret avait été aménagé dans son lourd couvercle de cinq centimètres d'épaisseur. Il inséra la pointe d'un couteau dans le mince panneau de velours garnissant le dessous du couvercle et, en exerçant une pression, révéla une cavité d'environ 60 centimètres sur 20. Au centre de la cavité, protégé par des touffes de laine, se trouvait un coffret en étain.

Phelippes le prit et s'installa à sa table de travail. Ses doigts sortirent de son pourpoint la clé attachée à son cou par une cordelette, qu'il ne retirait jamais. Il l'inséra dans la serrure et, ouvrant le couvercle, posa un regard presque amoureux sur son plus précieux trésor : la liasse de documents qu'il avait prélevés dans les dossiers de Francis Walsingham. Son arsenal de secrets.

Juste après la mort de Walsingham, Phelippes avait rapporté en cachette l'ensemble des dossiers, dissimulé les rapports qui pouvaient se révéler utiles et brûlé les autres. Après des décennies de loyaux services, il les méritait amplement, mais le Conseil privé les avait officiellement déclarés « volés » – et Phelippes n'avait aucune envie d'être arrêté pour ce vol.

Il avait l'intention de faire prochainement relier ces documents. Avant l'automne, sans doute. D'ici-là, il ajouterait quelques nouveaux rapports, jusqu'à ce que la taille du volume dépasse celle de la boîte hermétique qu'il avait spécialement conçue pour l'accueillir. Il avait décidé d'attendre, car il voulait ajouter au recueil *le* document parfait – un rapport contenant des informations qui vaudraient à Essex d'accéder au rang de secrétaire d'État, soit parce qu'elles impressionneraient la reine à cause de leur portée, soit parce qu'elles signeraient l'arrêt de mort de son éternel rival : Robert Cecil. Pour y parvenir, Phelippes avait mis plusieurs fers au feu. Il se demandait lequel aboutirait le premier.

Il rangea le coffret dans sa cachette et sortit du bureau après avoir refermé la porte à clé. Il avait choisi d'habiter cette maison car elle était située à côté de l'ancienne cour de justice romaine, à l'époque où Londres s'appelait Londinium. L'ironie lui plaisait : certes, il ne faisait pas partie du système judiciaire de la Londres moderne, mais posséder les dossiers de Walsingham lui donnait le pouvoir de rendre lui-même justice, à sa façon. Pour le moment, il menait de front quatre chantages, grâce auxquels il pouvait financer plusieurs missions d'espionnage à l'insu de son employeur.

En atteignant London Bridge, il récupéra le dernier message laissé par Kit Marlowe dans leur cachette de St. Thomas' Chapel, puis héla un passeur.

— À Essex House, lui ordonna-t-il.

La gigantesque propriété gothique située sur la rive nord de la Tamise était à la fois la demeure du comte et le centre nerveux de son réseau d'espionnage.

En pénétrant dans le hall monumental, Phelippes mit directement le cap sur la salle de réception. Passant le message laissé par Marlowe au-dessus du chandelier posé sur la table, il vit bientôt apparaître des lettres brunes au contour jaunâtre. Le code utilisé était simple.

— Palsambleu ! s'écria-t-il en apprenant qu'aucun marin de la Compagnie moscovite n'avait découvert de passage au Nord-Est.

La phrase suivante lui apprit l'existence d'une alliance illégale avec un pirate de Barbarie. Phelippes sourit.

— Et Marlowe croit pouvoir démasquer les coupables avant la fin de cette semaine ?

En montant vers les appartements privés de son employeur, au dernier étage de la maison, Phelippes entendit un murmure étouffé et un bruit de papiers froissés provenant de l'un des bureaux du premier étage. C'était sans doute Anthony Bacon, responsable de la collecte et de l'analyse des informations de l'ensemble de leur réseau. Obligé de garder la chambre à cause de sa goutte, cet homme pâle travaillait dans son lit. Caressant du bout des doigts la clé sous son pourpoint, Phelippes ricana. Bacon n'avait aucune idée du rapport qu'il avait désormais en sa possession, concernant ses escapades coupables en France.

Phelippes arriva devant la porte de la chambre d'Essex et entreprit de crocheter discrètement la serrure. Il aimait surprendre les gens, car on ne connaît jamais vraiment quelqu'un tant que l'on n'a pas de lui une autre image que celle qu'il veut bien montrer. Il se faufila par l'embrasure de la porte et avança dans l'antichambre, plaqué contre le mur, s'efforçant de marcher uniquement sur les tapis de jonc odorants. Puis il agrippa le bord d'une tenture et jeta un coup d'œil.

Oh mon dieu !

Les jambes entrelacées, Essex et une femme voluptueuse se

tortillaient, nus, sur l'énorme lit de plume trônant au milieu de la pièce. Une seconde femme, si possible encore plus plantureuse, était agenouillée au pied du lit et suçotait les orteils du comte tout en se caressant des parties intimes que personne ne devrait avoir le droit de se caresser... Écartant quelques mèches de cheveux plaquées sur son visage en sueur, Essex tendait le cou pour mieux la voir.

— Mon doux seigneur... gémissait la suceuse d'orteil... je vous veux en moi...

Au même instant, la femme vautrée sur le comte commença à pousser des cris inconvenants et Essex, à la fois fasciné et écœuré, l'observa tandis que ses jambes étaient prises de violents tremblements. Quand elle se calma, il l'écarta et s'assit en faisant signe à l'autre femme d'approcher. Elle rampa jusqu'à lui, s'accroupit en lui tournant le dos et, lorsqu'il saisit à pleines mains son postérieur angélique pour l'attirer sur lui, elle murmura : « Oh, mon seigneur... » avec une excitation maladive.

L'autre femme, pour sa part, couvrait son dos de baisers.

Ces sorcières dévergondées n'en auront donc jamais assez ?

Phelippes venait d'amorcer sa retraite quand la voix d'Essex résonna.

— Thomas ! Je sais que vous êtes là...

Maudits soient les saints !

— Je suis désolé de vous interrompre, mais je dois vous entretenir d'une affaire de la dernière urgence.

— Hmmm... réfléchissons un peu... Teresa, dirais-tu que *notre* affaire est de la dernière urgence ?

— Oh, oui mon seigneur... soupira la femme en agitant sa crinière sombre.

— Mais il s'agit d'une affaire d'État !

— Dans mon cas aussi, Thomas ! Et maintenant, avez-vous envie de voir ce que nous faisons quand nous prenons notre bain, ou préférez-vous m'attendre en bas ? Si cela vous titille, je peux même demander à un garçon d'étable de nous rejoindre...

— Dites-moi un peu, Thomas : selon-vous, pourquoi est-ce que je détiens un pouvoir aussi immense ?

Phelippes se retourna et ne put s'empêcher d'admirer le spectacle. Les joues fraîchement nettoyées d'Essex étaient toutes roses et il avait tiré en arrière ses mèches rouge sombre. Son gilet – soie couleur noisette striée d'or – enserrait à la perfection son torse musclé. Il arborait une fraise en dentelle neuve et savamment ornementée.

— Parce que la reine est impressionnée par la qualité des informations que nous lui fournissons et…

— Certes. Tout cela est bel et bon. Mais mon lit, Thomas… C'est aussi dans mon lit que j'impressionne la reine.

Essex lui fit signe de s'asseoir à table, où Teresa était en train de disposer plusieurs plats.

— Mon seigneur, si ma question ne vous semble pas déplacée, comment êtes-vous passé de ça à… eh bien…

— Élisabeth ?

Phelippes acquiesça.

— Quand j'ai commencé à rechercher ses faveurs à la cour, c'était… par pure nécessité.

Cela, Phelippes le savait : Essex était, depuis sa naissance, le comte le plus désargenté d'Angleterre. Sans l'amour de la reine, il n'aurait jamais pu survivre financièrement.

— Mais aujourd'hui, lorsque je la regarde – même si elle n'est plus au printemps de sa vie –, je vois simplement une femme que je veux posséder, dominer. Et c'est une sensation fascinante. Bien plus qu'avec…

Il indiqua la porte d'un mouvement de tête.

Phelippes observa Essex piquer, à l'aide d'une sorte de trident miniature, un morceau de matière végétale verte. *Par dieu, qu'est-ce que c'est que…*

— De la laitue. Excellent pour la digestion. Et très à la mode. Le dessert est une recette jalousement gardée par Catherine de Médicis. J'ai dû soudoyer le cuisinier en chef de la cour de France pour l'obtenir. Il appelle ça de la « glace à la crème italienne ».

Phelippes serra les lèvres pour dissimuler sa réprobation.

— Vous vous rappelez ce que je vous ai dit à propos de Kit Marlowe ?

— Qu'il a découvert des contrebandiers au sein de la Compagnie moscovite ? Des hommes qui ont peut-être découvert le passage du Nord-Est ?

— Hélas non, pas de passage, mais l'information peut tout de même avoir son intérêt. *Peut-être.* Je ne compte pas vraiment dessus, car démasquer des marchands malhonnêtes n'a rien d'une affaire monumentale. En outre, obtenir la preuve de leurs malversations n'est pas tâche facile. C'est mon *autre* plan qui doit vous assurer une avance confortable sur Cecil.

— De quoi s'agit-il ? demanda Essex en prenant le pot de confiture de citrouille.

— En tant que membre de la commission chargée de découvrir l'auteur des placards menaçants, je peux diriger l'enquête comme il me plaît. Et je la dirige vers Marlowe. D'ici peu, il sera ligoté sur le chevalet et avouera tous les trafics illicites que la rumeur attribue à Cecil. Il en va de même pour Raleigh. Nous serons bientôt en position de les anéantir tous les deux.

— Mais, Thomas, vous savez que j'apprécie Marlowe. Vous n'avez pas vu son *Massacre à Paris*, l'hiver dernier ?

— Non, répondit Phelippes d'un ton sans appel. Je préfère les drames qui se déroulent dans la vraie vie.

— Eh bien vous avez tort. C'était spectaculaire. Le théâtre de la Rose était plein à craquer, la reine et moi-même nous sommes mêlés à la foule, à l'abri derrière nos masques. Et ses élégies ! J'en ai lu une pas plus tard que ce matin à Anne et Teresa… il y était question de… quoi, déjà ? Ah oui, une belle jambe et… et…

Il se frappa le front du plat de la main et ferma les yeux.

— … oui ! Une cuisse leste !

Phelippes soupira. C'était très décevant de travailler pour quelqu'un d'aussi différent de Walsingham que le comte d'Essex. Pourquoi ce dernier était-il incapable de ressentir la beauté de cette manœuvre consistant à abattre plusieurs oiseaux avec une seule pierre ? Au moins, il avait cessé de bouder. Si certains hommes aimaient à prendre des poses mélancoliques parce que la mode l'exigeait, Essex était sujet à des accès de déprime aussi authentiques que périlleux pour la conduite des affaires.

— Vous devriez arrêter de vous acharner contre Raleigh, reprit le comte. Il s'est déjà suffisamment ruiné lui-même avec son mariage...

— Vous avez commis exactement la même erreur voici trois ans et regardez où vous vous trouvez aujourd'hui. La reine ne vous a pas banni trop longtemps.

— Moi, je n'ai pas fécondé l'une de ses suivantes. Qu'est-ce qui a bien pu traverser l'esprit de Raleigh ?

Phelippes se mordit la langue pour ne pas éclater de rire devant tant d'hypocrisie. Essex s'était déjà rendu coupable de plus d'imprudences que quiconque, y compris Raleigh.

— Thomas, vos manœuvres traîtresses sont inutiles. Raleigh est en exil, et Cecil, bah, nous ne devrions pas tarder à le supplanter. Peut-être grâce à Marlowe, qui enquête sur lui en ce moment même. Ce qu'il va découvrir vous surprendra, j'en suis sûr.

— Mon seigneur, vous n'êtes membre du Conseil privé que depuis trois mois ! Nous devons absolument légitimer votre position et asseoir votre autorité. Et je vous en prie, ne perdez pas de vue qu'un ennemi ne devient inoffensif que lorsqu'il est *entièrement* détruit. Cecil est de plus en plus prisé par Élisabeth et Raleigh, à ce qu'on m'a dit, prépare une nouvelle expédition dans le Nouveau Monde. S'il en revenait couvert d'or, comme il l'espère...

Essex se leva et avança vers la porte.

— Je préfère agir à ma façon, déclara-t-il en ajustant son nouveau chapeau en velours.

Dans ce cas je cesserai d'espionner pour votre compte.

— Où allez-vous ?

— À Greenwich. La reine souhaite jouer aux cartes.

— Aux cartes, mon seigneur ?

Avec un grand rire, Essex attacha son épée incrustée de diamants à son ceinturon et sortit pour rejoindre la Tamise.

Le surnom que la reine avait donné à son amant impétueux était « Cheval fougueux ». Phelippes regarda partir le comte en se demandant auquel de ses attributs Essex devait cette appellation…

— Je pense avoir découvert ce que vous vouliez, sir.

Surpris, Phelippes regarda l'espion en plissant les paupières.

— Des nouveaux éléments pour le rapport sur Marlowe. Je l'ai entendu discuter avec Raleigh et Tom Hariot. Il raillait Notre Seigneur et la splendeur de Sa Création. Ils se servaient aussi d'un étrange ustensile : un très long… comme une sorte de…

— C'est… c'est intéressant, Baines. Mais totalement inutile. Je vous ai dit ce que j'attends de vous : amplifier les accusations dont je vous ai parlé. C'est très simple.

— Mais je n'ai rien entendu concernant.

— Ah, et ajoutez quelque chose sur Hariot, si vous le pouvez.

Puis il se rappela un détail que lui avait rapporté l'un de ses informateurs.

— Laissez entendre que Marlowe considère Moïse comme un escroc… et un homme bien moins doué que Hariot.

Baines hocha la tête.

Phelippes se ravisa.

— Cela ne suffira pas… Nous allons l'écrire maintenant, ce rapport !

Il regarda vers la porte.

— Teresa !

La servante apparut dans l'embrasure.

— Oui, sir ?

— Apportez-nous du papier, de l'encre et une plume.

Il alla ensuite chercher, dans une réserve au deuxième étage, une copie de l'interrogatoire de Kyd et les rapports des autres espions, puis retourna dans la salle de réception.

— Assurez-vous d'inclure dans votre texte les déclarations les plus accusatrices que vous trouverez dans ces documents.

Baines s'assit et pressa les doigts de sa main droite sur son front.

— Un titre, un titre….

Il leva les yeux vers Phelippes.

— *Rapport sur les opinions du sieur Christopher Marlowe concernant la religion et les œuvres de Dieu…* Cela vous irait ?

Phelippes secoua la tête.

— Trop fade, Baines. Disons plutôt… voyons… *Rapport sur les opinions blâmables du sieur Christopher Marlowe et ses propos blasphématoires concernant la religion et les œuvres de Dieu.*

Baines trempa la pointe de sa plume dans l'encrier. Puis il lut les accusations de Kyd.

— Marlowe ridiculise les Saintes Écritures et conteste ce qu'ont dit les prophètes et les saints…

— Dites qu'il considère le Nouveau Testament comme un tissu d'insanités et qu'il prétend pouvoir le réécrire bien mieux. Dites aussi…

La plume de Baines s'agitait furieusement.

— … qu'il traite le Christ de bâtard et la Sainte Vierge de catin.

— Mais, sir ! Ce n'est pas…

— Vous voulez peut-être connaître le même sort que lui ?

Baines reprit la plume, à contrecœur. Puis, relevant la tête :

— Je me rappelle l'avoir entendu traiter les protestants de… bon sang, quel mot a-t-il utilisé ?

— Racailles.

— Non, sir… hypocrites.

— Eh bien, racailles hypocrites, alors !

Phelippes s'approcha de Baines et regarda ce qu'il écrivait par-dessus son épaule.

— N'oubliez pas le passage sur le Christ et saint Jean l'Évangéliste, mais en moins allusif. Dites qu'il les a accusés de… coucher ensemble.

— Puisque vous abordez le sujet, sir, j'ai entendu plusieurs rumeurs selon lesquelles Marlowe… hum… aime…

— Quoi ? l'interrompit Phelippes, impatient.

— ... les garçons, sir.

— Magnifique. Apparemment vous n'êtes pas complètement inefficace, Baines. Vous penserez à conclure sur une note forte : quelque chose qui ne laisse aucun doute sur la dangerosité de Marlowe et la nécessité de mettre un terme rapide à ses agissements.

La plume suspendue en l'air, Baines réfléchit aux possibilités qui s'offraient à lui.

Phelippes alla se poster devant la fenêtre. Puis, après quelques minutes :

— Quand vous remettrez votre rapport au chef de la commission, précisez que Marlowe se trouve en ce moment à Scadbury House, la résidence de Tom Walsingham dans le Kent.

— Il va bientôt être arrêté ? Je croyais qu'il enquêtait sur...

Phelippes eut une moue dédaigneuse.

— S'il n'a pas encore terminé son enquête, il livrera les derniers éléments à Topcliffe. De toute façon, il vaut sans doute mieux que nous la terminions nous-mêmes. Marlowe a toujours été un esprit indépendant. Je ne lui ai jamais fait entièrement confiance...

Robert Poley était en colère.

Teresa Ramires n'était toujours pas arrivée.

Il trompait l'attente en faisant les cent pas près de l'arène de combats d'animaux. Ils avaient rendez-vous à midi et, à en juger la dernière fois qu'il avait vu une horloge, elle devait avoir une demi-heure de retard. *Qu'elle soit maudite !*

Pourtant, lorsqu'il la vit approcher et qu'il remarqua l'expression sur son visage, il oublia instantanément son agacement. Chaque fois qu'il l'avait vue sourire de la sorte, c'est qu'elle lui apportait exactement l'information dont il avait besoin.

19

Londres, rive sud, de nos jours. 9 h 14.

K ate ouvrit sa bouteille d'eau et regarda Adriana.
— Cela te dérange si je passe un coup de fil ?
— Pas du tout, répondit son amie en posant un
pied sur la rambarde de pierre de Westminster Bridge pour
s'étirer le mollet.

Elles s'étaient retrouvées à Saint James Park une heure
plus tôt et avaient couru jusqu'à London Bridge en suivant la
Queen's Walk, une promenade en bois longeant la rive sud de
la Tamise. Au retour, elles s'étaient acheté à boire dans l'un
des nombreux kiosques bordant Westminster Bridge.

— Bonjour, dit Medina en décrochant.

— J'ai du nouveau, répondit Kate en contemplant, de
l'autre côté du fleuve, les flèches irréelles au sommet de Big
Ben et du Parlement.

— Je vous écoute.

— Eh bien, j'ai suivi votre conseil, je suis allée directement
à la fin du manuscrit, et je me suis aperçue que Phelippes
avait continué d'ajouter des rapports après la mort de Walsingham, en l'occurrence jusqu'à 1593. J'ai du mal à décrypter

la dernière page, mais l'avant-dernière date du mois de mai semble avoir été écrite par Christopher Marlowe.

— Et de quoi parle-t-elle ?

— Apparemment, Marlowe enquêtait à la demande de Phelippes sur une compagnie marchande élisabéthaine, la Compagnie moscovite, première société par actions d'Angleterre. Marlowe a découvert que l'un de ses principaux responsables fournissait illégalement des armes à un pirate de Barbarie en échange de richesses venues d'Orient. Il assure pouvoir identifier cet homme en l'espace de quelques jours. Le problème, c'est que Marlowe est mort dans le courant du mois. Je ne peux pas m'empêcher de penser...

— Qu'il a été assassiné à cause de ce qu'il a découvert ? Par le marchand, qui voulait continuer son trafic en secret ?

— Oui. Et je soupçonne aussi Marlowe d'avoir écrit lui-même le dernier rapport. Il emploie un code entièrement numérique et je n'en suis pas encore complètement venue à bout, mais je ne pense pas que Phelippes aurait inséré le document évoquant le trafic s'il ne dévoilait pas l'identité du marchand. Aucune des affaires dont il est question dans *L'Anatomie des Secrets* n'est présentée sans sa résolution, donc...

— Cette dernière page pourrait répondre aux questions que vous vous posiez l'autre soir : qui a tué Marlowe et pourquoi.

— Possible. Je prends peut-être mes désirs pour des réalités, mais...

— Tout cela me paraît logique. Et dites-moi, Kate, vous croyez que c'est pour cette dernière page que quelqu'un, aujourd'hui, veut récupérer le manuscrit ?

— Ce serait surprenant. Beaucoup d'universitaires et de fans de Marlowe aimeraient savoir ce qui s'est réellement passé, mais je doute que l'un d'entre eux soit prêt à assassiner un inoffensif professeur d'Oxford pour le découvrir.

— Logique. À propos, où êtes-vous ?

— En route pour rendre une petite visite à lady Halifax. J'y serai dans un quart d'heure. Vous vous rappelez la bague au rubis ? C'est à elle que le Chat l'a volée, et j'ai l'intention de lui poser quelques questions sur lord Trevor-Jones. Elle joue au tennis à Eaton Square et m'a proposée de passer boire une limonade après sa partie. Vous serez dans les parages en fin de matinée ?

— Oui.

— Parfait. Je vous verrai bientôt. J'ai encore besoin d'examiner quelques pages...

À moins de deux kilomètres de là, l'homme que Kate connaissait sous le nom de Dragon de Jade passait un doigt sur la lame à double tranchant de son couteau Gerber. D'après ce qu'il venait d'entendre, Kate Morgan avait, comme prévu, découvert le rapport final de Christopher Marlowe. Et puisqu'elle avait déjà révélé l'emplacement exact du manuscrit...

Il était temps de passer à l'action, et rapidement.

Londres, Belgravia. 9 h 30.

— Lady Halifax ?

— Appelez-moi Perry, répondit la petite femme aux cheveux argentés qui se tenait à la porte de sa demeure d'Eaton Square.

Vêtue d'une combinaison de tennis magenta, elle portait des baskets d'une blancheur éclatante et arborait une paire de lunettes de soleil cerclées d'or.

— Vous jouez ? demanda-t-elle à Kate en lui tendant une raquette.

— J'ai arrêté au lycée mais...

— Eh bien, ça suffira. Vous jouerez toujours mieux qu'Ella qui vient d'annuler sous prétexte qu'elle avait mal au genou.

Lady Halifax secoua la tête.

— Zut alors, tous les gens de mon âge passent leur temps assis à ne rien faire, sauf à se plaindre de je ne sais quelles douleurs. Ou alors, ils sont morts.

— Je suis désolée.

— Jouez un set avec moi et je me ferais un plaisir de répondre à vos questions.

— Marché conclu.

— Vous avez l'air exténuée, ma chère. Buvez donc un peu de limonade.

Elle lui tendit une bouteille thermos, en prit une autre ainsi qu'une raquette dont le cordage rose était assorti à sa tenue puis sortit et ferma la porte.

Elles traversèrent la rue et marchèrent vers le portail d'entrée du parc d'Eaton Square. Savourant l'odeur agréable des fleurs blanches et roses ornant les frondaisons, Kate avala une gorgée de limonade. À sa grande surprise, le breuvage la fit tousser.

— J'y ai ajouté quelques gouttes de Pimms [1], ma chère. Personne ne devrait jamais boire de limonade pure. Et maintenant, à propos de cette bague...

— Elle se trouve dans les bureaux de Scotland Yard. Mais vous ne pouvez pas encore passer la prendre. Elle doit être analysée.

— Comment l'avez-vous retrouvée ?

— Eh bien, à vrai dire...

— Allons, parlez ! l'interrompit lady Halifax. Je sais que vous ne vous seriez pas déplacée si ce n'était pas vous qui l'aviez retrouvée...

Kate sourit.

— J'ai été engagée pour enquêter sur un cambriolage raté. Un voleur non identifié a été découvert mort dans une maison. Il portait votre bague. Il s'agissait du Chat.

— Seigneur ! Après toutes ces années... Eh bien, quel était son nom ?

— Simon Trevor...

— ... Jones ?

Lady Halifax fixait Kate, les yeux écarquillés.

— Lord Astley... Ah, ça par exemple, j'aurais dû m'en douter ! J'ai toujours trouvé qu'il s'amusait *un peu trop* dans tous ces cocktails assommants. Oh, Peregrine, vieille femme aveugle ! C'était pourtant évident...

1- Cette liqueur de fabrication anglaise peut être à base de gin, de whisky, de brandy, de rhum ou de vodka.

— Vous le connaissiez bien ?

Lady Halifax entra sur le court.

— Non. Mais je suis désolée d'apprendre sa mort. Il pimentait nos réunions : nous nous demandions si un voleur se cachait réellement parmi nous...

— Avait-il des amis proches, ou des associés ?

— Je ne m'en souviens pas. Mais une de mes amies pourrait vous renseigner. Je vais l'appeler.

— Merci.

— Mais d'abord, ma chère, tenez-vous prête, dit lady Halifax en débouchant sa bouteille thermos. Je vais vous balayer de ce court !

Kate soupira en entrant dans Wilton Crescent. La vieille marquise ne plaisantait pas : elle avait épuisée la jeune femme qui n'avait pas réussi à marquer le moindre jeu.

Son téléphone sonna.

— Allô ?

— Hugh Synclair à l'appareil.

— Bonjour, inspecteur.

— Kate, je viens de parler au médecin du professeur Rutherford. Il m'a appris que son patient souffrait d'un cancer de la prostate avec métastases. Il n'en avait plus que pour quelques mois à vivre et il souffrait beaucoup. Du coup, je me demande s'il n'aurait pas payé quelqu'un pour...

— Il était catholique ?

— Oui.

— Autrement dit, en cas de suicide il risquait de ne pas avoir droit à un enterrement en bonne et due forme.

— En effet. C'est plausible, vous ne trouvez pas ?

— Oui. Mais les papiers qui ont disparu de son bureau ?

— Le tueur était peut-être un maniaque de l'ordre. Il a voulu faire un peu de rangement.

— Que vous disent vos tripes, inspecteur ?

— Eh bien, j'espérais un peu que vous auriez trouvé quelque chose de votre côté qui aurait éclairci l'affaire.

— Je vous appelle dès que j'ai du nouveau. Merci pour l'information en tout cas.

— Je vous en prie. Bonne journée à vous.

Kate pressa le bouton de sonnette de la porte d'entrée de Medina tout en se demandant si payer quelqu'un pour vous tuer était vraiment acceptable pour ceux qui considéraient le suicide comme un péché. Si c'était le cas, peut-être qu'en fin de compte le manuscrit n'était pas la cause de la mort d'un homme bon et innocent. Peut-être, comme elle l'avait d'abord cru, M. Dragon de Jade était-il simplement un adepte du thé de cinq heures et des messes basses...

C'est Charlotte qui vint ouvrir.

— Que se passe-t-il ? demanda Kate en voyant le visage livide et les mains tremblantes de la gouvernante.

— Je suis sortie faire des courses et quand je suis revenue, j'ai vu que M. Medina avait été... que quelqu'un l'avait...

Elle avala sa salive.

— ... poignardé.

— Quoi ?

— Il est dans sa chambre. Il refuse d'aller à l'hôpital, il me repousse quand j'essaye d'entrer.

— À quel étage ?

— Quatrième.

Choquée, Kate monta les escaliers à toute vitesse. Elle trouva Medina dans la salle d'eau attenante à sa chambre, occupé à ouvrir un flacon de lotion antiseptique. Il avait noué une serviette foncée autour de sa taille, par-dessus sa chemise.

— Cidro, vous êtes...

— Non. Je vais bien, c'est juste une égratignure. Charlotte a été impressionnée à cause du sang. Je suis désolé qu'elle vous ait inquiétée.

— Je me sens nulle. J'aurais dû vous obliger à prendre un garde du corps.

— Vous savez, au fond c'était assez excitant... Je ne m'étais encore jamais battu contre un homme avec un couteau.

Kate essaya de se composer une expression de désapprobation sévère – en vain.

— Que s'est-il passé ?

— On a sonné à la porte. Un jeune type m'a dit qu'il avait un paquet pour moi en provenance de Scotland Yard. Et comme j'avais reçu un peu plus tôt un coup de fil d'une femme se faisant passer pour la secrétaire du commissaire…

— Quelqu'un nous a espionnés. Et a dû voir le sergent Davies chez vous hier. Oh, je suis tellement désolée…

— Kate, vous n'avez rien à vous reprocher. C'est moi, le crétin trop orgueilleux pour accepter d'être chaperonné par des gardes du corps.

— Exact, reconnut-elle en ouvrant le placard à pharmacie. Donc, vous êtes descendu ouvrir, il a bondi dans l'entrée et…

— Je pense que son plan était : me planter son couteau dans le foie et s'emparer du manuscrit. Mais c'est moi qui me suis emparé de son couteau.

— Et lui ?

— Il s'est enfui. Il n'était pas de taille à…

— … se mesurer à votre force colossale ? dit Kate d'une voix cassante, en retirant la serviette éponge.

— Oh mon dieu…

La chemise bleue était assombrie d'une large tache de sang dans le dos. Kate la sortit du pantalon de Medina, et écarquilla les yeux en voyant la plaie profonde au bas de son dos, s'étirant de l'os iliaque jusqu'à la colonne vertébrale.

— Cidro, s'il n'avait pas raté son coup vous seriez mort en moins d'une minute.

Elle posa une main sur l'épaule de Medina et le força à se tourner vers elle.

— Je sais que vous ne dites jamais non à une petite poussée d'adrénaline, mais vous pourriez peut-être vous limiter à la drogue et au saut à l'élastique ?

Elle passa un gant de toilette sous l'eau tiède.

— Vous allez trouver que je parle comme votre mère mais tant pis : si vous continuez à vous comporter de façon aussi inconsidérée, vous allez vous faire tuer. Je vais appeler le bureau pour qu'on vous envoie un garde du corps, et vous allez me promettre de ne pas le renvoyer dès que j'aurai le dos tourné, d'accord ?

— Promis, madame.

— Et quand j'en aurai fini avec vous, j'irais déposer à Scotland Yard le couteau et les bandes de vos caméras de surveillance. Et *vous*, vous aurez droit aux points de suture.

— Je n'ai rien à dire, je suppose.

— Effectivement. Et maintenant, retirez votre chemise.

Côte tunisienne. 13 h 42.

— Le parc Monceau est magnifique, dit Surina Khan en plongeant une grosse éponge naturelle dans le bassin d'eau savonneuse posé sur la table de chevet. Avec pleins de parterres fleuris, et des cascades ravissantes. Il est aménagé pour illustrer certaines périodes historiques et certains sites célèbres. On y trouve de fausses ruines romaines, une pyramide égyptienne, une pagode chinoise... Avec mon frère, on s'amusait à aller dans des endroits interdits : sur les pelouses, en haut de la butte avec la chute d'eau, dans le ruisseau...

Elle prit dans ses mains la main gauche de son patient, leva le bras et passa doucement l'éponge sur sa peau, avec des mouvements circulaires. Quelques secondes plus tard, la main tressauta. Pour la quatrième fois de la journée. Était-ce encore un spasme dû aux électrochocs ? Ou une pression volontaire de sa main ? Essayait-il de communiquer avec elle de la seule façon possible ?

— Peut-être aurez-vous envie de visiter Paris avec moi cet été ? Nous pourrions pique-niquer près de l'étang et des colonnes en ruines...

Elle posa doucement ses lèvres sur le front du patient, puis laissa le doux chuintement des vagues sur le sable, les cris des mouettes et le bruit régulier de la perfusion la bercer dans une rêverie éveillée.

Londres, Belgravia. 10 h 50.

— Euh... Kate ! grogna Medina en serrant les dents.

— Cidro, vous êtes un homme ou une *souris* ? le railla-t-elle en nettoyant sa plaie avec de l'eau oxygénée.

— C'est vrai. Allez, Cid, tiens bon ! dit-il en grimaçant. Pense à autre chose... voyons... euh... aïe ! Bordel de bordel ! OK, OK, concentre-toi... Un terrain de cricket, par un beau dimanche après-midi... euh... 100 points pour gagner et huit guichets détruits...

Kate aussi essayait de trouver une diversion. Se trouver à quelques centimètres de Medina, qui avait retiré sa chemise... Un sacré challenge. *Bon... mes factures... je suis en train de vérifier les souches de mon carnet de chèques... l'abonnement au club de gym, un vrai gouffre... le dentiste, avec son haleine de phoque...*

— Aïe ! Vous êtes vraiment obligée de vous la jouer médiévale, femme ?

— Oh, pardon, Cid...

Elle avait par mégarde un peu trop appuyé sur la plaie de Medina en faisant pénétrer le baume antibactérien. Elle finit par appliquer un large bandage sur la blessure.

— Merci, dit-il quand elle eut terminé.

— Pas de problème.

Il tourna son visage vers elle.

— Vous êtes sûre ? Vous avez l'air...

— Bien. Rassurée de vous voir tiré d'affaire.

Guère capable de soutenir son regard, elle rangea un à un les ustensiles dans l'armoire à pharmacie.

Puis elle cessa de penser.

Elle sentit Medina poser une main sur sa nuque, une main qui l'attirait vers lui. Son visage n'était plus qu'à quelques centimètres du sien, il plongea son regard en elle un instant puis pressa ses lèvres sur la bouche de Kate. Au troisième baiser, il entrouvrit doucement sa bouche et sa langue effleura la lèvre supérieure de la jeune femme. Puis il l'aspira doucement, entre ses propres lèvres, avant de la relâcher et de s'écarter.

Il fixait Kate d'un regard intense.

— J'en rêvais depuis notre première rencontre.

— Ah.

— *Ah* ? Je n'ai droit qu'à un « ah » ?

— D'accord… je reconnais que j'ai un peu le vertige, là…

— Tant mieux. Dieu sait que c'est l'effet recherché.

— Le truc, c'est que j'ai couru très longtemps ce matin, puis j'ai enchaîné sur un match de tennis… je n'ai pas eu le temps de m'arrêter pour manger quelque chose, et il fait assez chaud aujourd'hui, donc… Mais je me sens mieux, là. Merci de vous en inquiéter.

— Je vois, dit Medina en l'attirant à nouveau à lui et en passant un doigt sur ses lèvres.

— Et là… vous vous sentez toujours mieux ?

— Toujours.

Il l'embrassa dans le cou.

— Et là ?

— Je ne me plains pas.

— Allons, Kate ! Dites-moi quelque chose de sirupeux…

— Sirupeux ?

— Quelque chose de mièvre, si vous préférez.

— Eh bien…

— J'attends, insista Medina en lui caressant le dos.

— D'accord ! Quand vous me touchez comme ça, je n'arrive pas à penser clairement, à voir clairement… je ne suis même pas sûre de pouvoir marcher droit. Ça vous va ?

— Pour l'instant.

Une heure plus tard, après avoir remis entre les mains expertes du sergent Davies le couteau et les bandes des caméras de surveillance de Medina, Kate se trouvait dans sa chambre d'hôtel. Elle rangeait ses affaires dans sa valise tout en écoutant Medina au téléphone.

— J'avais l'intention de vous accompagner moi-même à Heathrow, mais puisque votre agence me retient en otage…

— Je profite de l'arrivée d'un client VIP à bord d'un de nos hélicoptères pour me greffer sur le vol retour.

— Ah. Quand revenez-vous ?

— Hmmm... demain après-midi, sans doute. Peut-être plus tôt. Tout dépend de l'avancée de nos affaires.

— Dois-je me faire du souci pour vous ?

— Non, du tout. C'est juste une vérification d'identité, la routine. « Reconnaissez-vous cette personne ? », ce genre de choses...

— Et cette personne, elle est dangereuse ?

Kate n'avait pas envie de mentir. *Comment formuler ça...*

— C'est un marchand d'art sympathique. Je ne crains rien.

— Vous m'appelez dès votre arrivée ?

— Entendu.

Ils se dirent au revoir, puis Kate s'assura qu'elle avait bien mis son portefeuille et son billet d'avion dans son sac à main. *Parfait.*

— Oups ! Heureusement que je m'en suis souvenue ! s'exclama-t-elle à voix haute en sortant l'étui blanc contenant le pistolet du Chat. *Les agents de sécurité à Heathrow n'auraient sûrement pas apprécié...*

Et si c'était une arme de neutralisation ? se demanda-t-elle en serrant la crosse en bois dans sa main. Ce serait plus logique, de la part d'un homme qui a toujours pris garde de ne blesser personne. Curieuse de voir ce que contenait le chargeur, elle glissa deux doigts derrière la détente pour presser le bouton d'ouverture. Elle n'en trouva pas. *Tiens... pas de sécurité sur le côté non plus.* Son doigt se posa sur une fleur de lys en nacre incrustée à côté de la détente. Elle appuya et... un déclic se fit entendre, en même temps qu'une pointe d'acier d'environ cinq centimètres surgit du canon.

— Un pistolet à crocheter... murmura-t-elle. Évidemment !

Si le Chat avait été équipé d'un pistolet à fléchettes anesthésiantes, nul doute qu'il aurait neutralisé le gardien de Medina et se serait enfui par le toit.

Mais alors, pourquoi le Chat n'était-il pas armé ? S'il savait que la maison n'était pas encore équipée d'un système de surveillance complet, pourquoi n'était-il pas au courant de la présence d'un gardien ? Selon Medina, le gardien était là chaque fois qu'il quittait la maison. Jamais le Chat n'aurait négligé un détail si crucial. Kate ne savait que penser. Elle sentait qu'elle passait à côté de quelque chose...

Il n'avait peut-être pas repéré lui-même les lieux. Alors pourquoi avoir accepté ce cambriolage ? Ce n'était pas lui, Dragon de Jade, ce n'était pas lui qui se sentait menacé par cette information mystérieuse contenue dans le manuscrit, alors pourquoi avait-il accepté de commettre ce vol en étant si mal renseigné ? D'ordinaire, il dérobait des objets d'une valeur bien plus grande avec des risques minimum... tout cela ne tenait pas debout.

À moins d'être un ami de Dragon de Jade. Peut-être avait-il reçu un appel désespéré de son ami Dragon qui lui demandait un service en urgence... Peut-être Dragon s'était-il occupé lui-même du repérage foireux. Il avait assuré au Chat que le coup était sans danger parce qu'il était trop impatient de mettre la main sur *L'Anatomie des Secrets* pour se soucier de la sécurité de son ami. Si c'était le cas, alors D.J, d'une certaine façon, était responsable du meurtre du Chat. Ajouté au meurtre d'Andrew Rutherford. Et à la tentative de meurtre sur Medina.

Elle dissimula le pistolet à crocheter dans une veste et quitta le *Connaught*. Ses mains tremblaient d'une colère contenue.

Sidi Bou Said. 14 h 48.

Les mains de Connor Black étaient parfaitement fixes. Debout dans une ruelle tortueuse au bord de la falaise, il tenait un appareil photo, en réalité une paire de jumelles à imagerie thermique, et inspectait le rivage en contrebas. Il aperçut le garde en faction dans la villa, assis à sa place habituelle, près de la porte d'entrée. Les deux autres, sur le balcon du premier étage, étaient apparemment occupés à jouer à un jeu de société. La jeune fille – l'infirmière que les membres du commando avaient baptisée mademoiselle Rossignol – se trouvait sur le balcon juste au-dessus d'eux, plongée dans la contemplation des eaux turquoises toujours calmes du golfe.

C'était la première fois que Connor la voyait autrement que comme une silhouette rouge derrière les murs de la maison.

— Elle est superbe... murmura-t-il en zoomant sur son profil.

Grande et mince, elle avait la peau sombre des Indiennes, des cheveux noirs longs jusqu'à la taille et le genre de visage sur lequel les poètes usent leur encre jusqu'à la dernière goutte.

Il baissa son faux appareil photo et jeta un coup d'œil derrière lui. Il était seul.

— Jockey, ça se présente comment ?

— Bien, lui répondit une voix dans son oreillette. Gay 2 a loué un hors-bord à la marina. On est en train de remplir la glacière.

— Je pars.

— Moi aussi.

Jockey se rendait au café habituel pour prendre son tour de surveillance.

En entrant dans la chambre qu'il occupait avec Jason Avera, Connor vit que le matériel dont ils auraient besoin dans quelques heures était déjà chargé dans la glacière.

— En route ! dit-il en prenant une poignée.

Transporter la glacière dans les rues de la ville en plein jour paraîtrait parfaitement naturel. La même opération, le soir, leur aurait valu des regards soupçonneux, voire des questions.

Ils marchèrent vers la marina. Avec leur short et leurs lunettes de soleil, ils ressemblaient à n'importe quels touristes en route pour une petite sortie au large de la côte.

— Gay 1, il se passe quelque chose, dit une voix dans l'oreillette de Connor.

C'était Chasseur, toujours caché dans les broussailles devant le portail de la villa.

— Oui ?

— Les silhouettes thermiques ont disparu. J'ai vu mademoiselle Rossignol rentrer mais, maintenant, elle et monsieur Rossignol ne sont plus du tout visibles, à part quelques contours flous, parfois. Sinon j'entends encore des bruits mais...

— Problème de jumelles, tu penses, ou brouillage de sécurité ?

Connor savait que s'ils souhaitaient se rendre invisibles, les gardes n'avaient qu'à couper l'air conditionné de la villa. Avec la chaleur nord-africaine, la température dans la maison ne tarderait pas à égaler celle du corps humain, empêchant ainsi l'imagerie thermique de fonctionner correctement.

— Difficile à dire, répondit Chasseur. Oh ! Attends ! Une camionnette vient d'arriver... « Majid Réparations – Confort Froid / Chaud » Leur système d'air conditionné a dû tomber en panne...

— Reste à ton poste. Personne ne doit sortir. Jockey s'occupe de la plage.

— Entendu.

Rome. 18 h 35.

Le *palazzo* était d'une couleur jaune pâle avec de lourdes portes en bois, des fenêtres surmontée d'une arche de pierre et, au deuxième étage, un balcon agrémenté de pots de bégonias rouges. Des scooters étaient alignés dans la ruelle pavée devant sa façade, ainsi que des voitures, qui passeraient aux yeux d'un Américain pour des jouets d'enfant.

Le bâtiment avait certes connu des jours meilleurs – la peinture s'étiolait par endroits, et des graffitis maculaient sa façade à hauteur de piéton – mais, pour Kate, il était parfait.

— *Ciao* Giuseppe ! dit-elle en serrant dans ses bras le vieux propriétaire de l'hôtel.

— Tu as un nouvel amoureux. Je suppose que je n'ai plus qu'à... comment dites-vous ? Jeter l'éponge.

— Pas du tout. Je ne sais même pas de quoi tu parles.

— Katie...

Avec un regard faussement sévère, il se baissa et sortit de sous son comptoir un petit sac qu'il tendit à Kate. Elle reconnut le nom de sa confiserie locale préférée.

— Cet homme sait quels chocolats tu aimes.

— Oh ! C'est mon nouveau client, dit-elle en jetant un coup d'œil à la carte sur laquelle Medina la remerciait pour leur matinée.

— Un client ? Hum…

Giuseppe secoua la tête, sceptique, puis donna à Kate la clé de sa chambre.

— Avant que tu sortes ce soir, nous pourrions monter boire un verre sur la terrasse ?

— Bien sûr. Laisse-moi juste vingt minutes.

Quatre étages plus haut, elle entra dans sa chambre, déposa valise et sac à dos et fit couler de l'eau chaude dans la douche. Elle retirait ses baskets lorsque Medina l'appela.

— Bonsoir. Merci pour les chocolats… Alors, qu'est-ce que Max vous a dit ?

Elle se doutait que Medina avait contacté Max pour savoir où elle se trouvait.

— Que vous n'arrêtiez pas de penser à moi.

— Bon dieu, comment a-t-il *osé…* ?

— Kate, pour demain, j'ai un dîner de travail, mais ensuite…

— Est-ce que vous essayeriez d'interrompre ma mission ?

— Eh bien, j'avais imaginé que vous accepteriez de sortir avec moi, surtout après…

— Ce matin ?

— Hmmm hmmm.

— Mais enfin, c'était juste un baiser amical ! Vous aviez mal, alors… Ça ne signifiait rien, vous comprenez ?

— Menteuse.

— Allô ? Qu'est-ce que vous dites ? On a été coupés, je crois, plaisanta Kate.

— À votre aise. Mais dès que vous serez rentrée…

— … je pourrai vous parler du dernier rapport de Marlowe,

et des autres pages aussi, peut-être. Après mon rendez-vous professionnel de ce soir, je vais y travailler jusqu'à…

— Attendez ! Vous avez réussi à décrypter la dernière page ?

— Pas encore, mais cela ne saurait tarder... C'est plus complexe que je ne le croyais, alors j'en ai envoyé une copie à Max. Les chiffres, c'est son truc. Cette page ne lui résistera pas longtemps. Et de votre côté, comment ça s'est passé avec le sergent Davies ? Vous avez réussi à identifier votre jeune agresseur ?

— C'est en cours. Il portait des gants et une casquette de base-ball, et il a baissé la tête devant la caméra de surveillance. Davies m'a interrogé pour établir un portrait-robot avec un dessinateur. Avec un peu de chance, on va obtenir un permis de conduire ou quelque chose de ce goût-là.

— Malheureusement, il n'a sans doute jamais rencontré l'homme qui lui a donné ce contrat. Et on peut parier que Dragon de Jade a fait appel à quelqu'un de difficilement repérable – un immigré clandestin, peut-être.

— Hmmm.

— Le couteau, rien d'inhabituel n'est ce pas ?

— En effet. Un Gerber Expedition IIB.

— Bon. Je vous appelle demain. Avec des réponses, j'espère.

— Ça me va !

Kate sortit de la douche dix minutes plus tard et extirpa plusieurs accessoires de son sac à dos et de sa valise. Rien n'endort autant la méfiance que des fleurs et des lunettes, songea-t-elle en enfilant une longue robe en soie noire à motifs floraux verts et bleus. Les lunettes à montures noires, qui lui donnaient l'air si studieux, étaient *pourtant* bel et bien menaçantes – pour Tolomei, en tout cas. Elle les avait récupérées au bureau local de l'agence Slade en rentrant de l'aéroport. Les montures étaient en effet équipées d'un scanner rétinien.

Kate enfila ensuite un soutien-gorge à armature réservé pour ce genre de circonstances. Rien ne le distinguait d'un simple Victoria's Secret à balconnets pigeonnants, mais l'armature avait été retirée et remplacée par un système d'enregistrement audio miniature. Les minuscules piles se vidaient en trois minutes, mais c'était plus que suffisant pour obtenir une empreinte vocale identifiable.

Elle passa ensuite un pull noir assorti et observa le résultat dans la glace. Cheveux relâchés, sans hésiter, décida-t-elle. Créoles dorées aux oreilles. *Et voilà. Le parfait rat de bibliothèque. Jamais Tolomei ne me soupçonnera.*

Rome, Il Borgo. 19 h 53.

— Paolo ! cria un petit garçon en courant sur les pavés.

Quelques secondes plus tard, un ballon de football atterrit dans ses pieds. Il fit une feinte à droite, déborda un adversaire, mais un scooter coupa sa trajectoire et l'empêcha de tirer dans la cage de but improvisée.

— *Vaffanculo !* hurla-t-il à l'intention du conducteur.

Il se retourna et tomba nez à nez avec Kate.

Elle rit. L'expression indignée du garçon se colora de pourpre.

— Toi, tu joues pour la Lazio, pas vrai ? lui demanda-t-elle en italien, pour le flatter.

— *Mai ! Manco morto !*

Jamais, plutôt mourir !

— *Forza A.S. Roma !* corrigea-t-il avec une moue méprisante.

Oops, mauvaise équipe ! Pauvre Kate… Mouchée par un gosse de 10 ans. C'est du joli…

Manœuvrant entre des tréteaux couverts de rosaires et des religieuses portant des sacs pleins à craquer, Kate reprit son chemin en direction du Borgo, un quartier vivant où venaient se restaurer, depuis des siècles, les pèlerins catholiques et le personnel du Vatican. Par une trouée entre les cordes à linge et les enseignes d'hôtel criardes, elle aperçut un bout de la place Saint-Pierre, puis ses pensées se tournèrent à nouveau vers Luca de Tolomei. Il avait besoin de son aide pour récupérer une œuvre d'art qu'il recherchait depuis des années, et il préparait quelque chose qui avait mis Slade dans un état d'excitation tel que Max ne l'avait jamais vu.

Le premier point semblait logique : en tant que marchand d'art réputé, Tolomei engageait souvent des gens comme elle pour mener l'enquête aboutissant à la découverte d'une œuvre perdue ou volée. Mais qu'est-ce qui se cachait derrière le second point, cette caisse mystérieuse acheminée en Tunisie ? Selon Max, Tolomei s'occupait autant d'art que d'informations confidentielles. Mais quel genre d'information transportait-on dans une caisse en bois ? Et qu'est-ce qui, hormis une arme, pouvait paraître aussi menaçant à Slade ?

Soudain, elle se rappela l'étrange sensation éprouvée lors de la vente chez Sotheby's. Elle s'était demandée si Tolomei n'avait pas joué au chat et à la souris, comme s'il savait déjà qui elle était. Savait-il qu'elle enquêtait sur son compte ?

Elle arrivait à la hauteur du siège de la Vigilanza, la police du Vatican, lorsqu'elle se dit qu'un maître chanteur professionnel tel que Tolomei pouvait être extrêmement intéressé par *L'Anatomie des Secrets*. Avait-il eu vent de la découverte de Medina ? Était-ce pour cette raison qu'il avait changé ses plans au dernier moment et s'était finalement rendu chez Sotheby's ? Il avait demandé à Kate de chercher pour lui non pas un tableau mais « une autre forme d'œuvre d'art ».

Était-ce le manuscrit de Phelippes qu'il convoitait depuis plus de dix ans ? Non, pensa Kate, ses deux affaires ne pouvaient pas converger de la sorte, ce serait une coïncidence trop extraordinaire.

— Je viens pour la visite guidée, déclara-t-elle au gardien derrière son guichet en lui montrant son passeport.

L'homme le feuilleta, jeta de petits coups d'œil au visage de la jeune femme, puis passa un doigt sur une liste de noms, décrocha son téléphone, parla, acquiesça, avant de tendre à Kate un formulaire. Après qu'elle l'eut rempli et rendu, il lui imprima un laissez-passer et lui montra du doigt le Palais apostolique.

— Ils attendent devant les portes du Bernin, *signorina*.

Et Kate pénétra alors dans le plus petit État du monde, dont la taille, lui avait-on dit un jour, représentait environ un huitième de celle de Central Park. Elle passa devant des enfants de chœur et aperçut le groupe. Des cardinaux en soutane noire et *zucchetti* écarlates bavardaient avec des hommes d'affaires sanglés dans leur costume de marque, tandis qu'un autre groupe, plus réduit, se tenait à l'écart, composé d'hommes et de femmes habillés plus simplement. Kate les identifia aussitôt comme des journalistes et des policiers en fin de service.

Edward Cheery l'avait informée que cette réunion célébrait l'ouverture prochaine d'un chantier de fouilles financé par une association de banquiers – les costumes cravates, sans nul doute. Mais elle faisait également office de cadeau pour certaines personnes ayant rendu des services aux éminences du Vatican. Tolomei était peut-être leur principal marchand d'art, hasarda Kate.

La collection d'art du Vatican était si importante que seule une infime fraction d'œuvres avait les honneurs d'une exposition publique, et la rumeur voulait que beaucoup d'objets qui ne sortaient jamais des réserves avaient été obtenus illégalement pendant la Seconde Guerre mondiale. De temps en temps, Tolomei organisait peut-être pour le compte du Vatican des ventes discrètes, afin d'éviter toute publicité négative pour le Saint-Siège. Elle scruta les visages : il n'était pas encore arrivé.

Kate admira les statues bordant la colonnade complexe du Bernin – éclairées à contre-jour par les bureaux privés du pape – puis s'approcha du garde suisse en faction devant l'entrée principale du palais. Avec son pantalon bouffant, ses manches et ses bottes à rayures jaunes et bleues, sa cape noire et son béret, il évoquait quelque bouffon du roi, mais l'épée à son côté et la hallebarde de deux mètres – mi-pique, mi-hache de soldat – laissaient entendre qu'il pouvait au besoin se montrer belliqueux.

La visite commencerait par le commencement, expliqua-t-il à Kate, c'est-à-dire le chantier de fouilles sous la basilique Saint-Pierre, puis quelques salles choisies dans deux des musées, et enfin une réception au Palais.

Elle remarqua une religieuse isolée et vint se présenter. La femme lui apprit qu'elle supervisait les travaux de rénovation des tapisseries. Quelques instants plus tard, un conservateur vint saluer les invités et la visite débuta.

Luca de Tolomei choisissait une cravate. Il en essaya quelques-unes avant d'arrêter son choix sur la rouge à impression cachemire. Le motif était parfaitement approprié aux circonstances : sinueux comme un serpent. Diabolique. Face au miroir en pied, Tolomei la noua consciencieusement.

La visite privée de ce soir s'annonçait comme un plaisir inattendu mais ô combien savoureux. Quelle ironie du destin, pensa Tolomei : la propre fille de Morgan le démarchait pour agrandir son fichier client ! Il la trouvait charmante, il devait bien l'admettre – non sans réticence –, mais il la détruirait sans hésitation. Les enjeux étaient trop importants.

Cité du Vatican. 20 h 26.

Le long tunnel exigu était humide. Les bougies électriques fichées sur les appliques perçaient difficilement la pénombre. Marche après marche, couche après couche, Kate descendait à travers les différentes périodes de l'histoire romaine. La restauratrice de tapisserie la tenait fermement par le coude.

Au pied de l'escalier, une pâle lumière bleue les accueillit. Dans un silence solennel, le groupe pénétra dans l'ancien site funéraire, passant devant des pierres tombales et des urnes disposées dans des niches profondes. Des carreaux de mosaïque scintillaient au plafond et les parois laissaient apparaître des fragments de fresques où les signes païens se mêlaient aux symboles chrétiens – un Bacchus en plein délire, brandissant sa coupe, une profusion d'inscriptions latines, un Apollon traversant le ciel sur son char, sa tête cernée d'un halo lumineux en forme de croix.

Le conservateur avança jusqu'à un mur couvert d'inscriptions indéchiffrables. Il indiqua aux visiteurs un trou dans la paroi, fermé par une vitre derrière laquelle on distinguait des ossements que certains considéraient comme les reliques de saint Pierre. Le conservateur se lança dans le récit des fouilles qui, débutées en 1939, avaient abouti à cette découverte.

Kate n'était jamais descendue à une telle profondeur. Fascinée, elle n'en gardait pas moins Tolomei présent dans un coin de son esprit. Peu à peu, la voix du conservateur se fondit dans un ronronnement lointain. Et Kate se sentit soudain – peut-être à cause de l'odeur de renfermé, de la lumière irréelle ou de la proximité des restes d'hommes et de femmes morts dans d'atroces souffrances – déchirée par une sensation croissante de malaise.

Elle faisait face à une fresque montrant des satyres dansants, et, l'espace d'un instant, elle crut les voir s'animer sous ses yeux, et se moquer d'elle avec des rictus haineux.

Le voile derrière lequel Tolomei dissimulait sa véritable identité était à portée de main – elle le sentait presque frôler ses doigts –, mais pourquoi Kate se sentait-elle brusquement assaillie d'un sombre présage ? Elle n'avait plus connu cette sensation depuis l'enfance...

Les pics d'adrénaline, la perspective d'un danger physique imminent – elle y était habituée. Mais *ça*... c'était inhabituel.

La nuit était tombée sur Rome, mais le soleil de l'après-midi brillait dans le ciel de New York quand Jeremy Slade reçut l'appel de Connor Black sur sa ligne sécurisée.

— Nous sommes en route. Fin des communications jusqu'au débarquement sur la plage.

Slade reposa le combiné sur le téléphone et se surprit à adresser une prière muette – à qui ou à quoi, il l'ignorait. Trente interminables minutes venaient de commencer.

20

Sur l'Hellespont, séparant le cœur de deux amants,
S'élevaient deux villes, opposées et voisines,
Bordant les flots marins où régnait Neptune :
L'une Abydos, l'autre Sestos nommées.
Héro et Léandre (Marlowe)

Chislehurst, Kent, mai 1593. Après-midi.

Marlowe étira les bras au-dessus de sa tête, et se pencha pour prendre sa pipe en terre.

Sur la table devant lui était posée une feuille de papier vierge. Par la fenêtre, il voyait la maison de Tom Walsingham, et aperçut une femme ramassant des herbes dans le jardin potager tandis qu'un papillon voletait parmi les primeroses.

Il exhala quelques anneaux de fumée, puis prit sa plume et écrivit les premiers vers de son nouveau poème.

Les bois étaient épais. À la droite de Robert Poley, le contour lointain des collines au-dessus des ramures. À sa gauche, le chuintement précipité d'une cascade.

Plus que deux kilomètres.

Il piqua des deux, et son cheval fourbu accéléra jusqu'au petit galop. Un mandat d'arrêt était sur le point d'être lancé contre Marlowe – si ce n'était pas déjà le cas. Tout le monde savait que l'écrivain avait passé la majeure partie du mois à Scadbury House, et les hommes du Conseil Privé ne tarderaient pas à l'y chercher. Poley était décidé à les devancer.

Certes, il avait été stupéfait par les révélations de Teresa. Jamais il n'aurait imaginé que Phelippes – l'employeur de Marlowe – était l'homme qui s'efforçait de provoquer sa perte.

Si Phelippes était prêt à sacrifier l'un des espions les plus doués de son écurie, il devait être sûr que le jeu en valait la chandelle. Avait-il entendu parler des contrefaçons de monnaie ? C'était possible, Poley en avait conscience, et si Marlowe passait aux aveux…

Poley secoua la tête. Cela causerait certainement des dégâts, mais il fallait un peu plus que des aveux extorqués sous la torture pour abattre un homme de la stature de Cecil. D'un autre côté, il suffisait qu'une enquête soit ordonnée et que la confiance de la reine s'effrite, même de façon infime…

Peu importe. C'est à moi de jouer, maintenant.

Londres. Après-midi.

Chez Essex, Thomas Phelippes contemplait le fleuve en pianotant sur le carreau de la fenêtre.

Peu après avoir lu le rapport de Baines, le chef de la commission avait ordonné l'arrestation immédiate de Marlowe et envoyé un policier le chercher – exactement comme Phelippes l'avait espéré. Baines se trouvait dans la Chambre étoilée, attendant l'arrivée de Marlowe.

Phelippes avait beau savoir qu'il était encore trop tôt, il ne pouvait s'empêcher de scruter chaque bateau en provenance de Westminster. D'un instant à l'autre, Baines gravirait les marches menant au quai et viendrait lui rapporter tous les détails de l'opération.

21

Côte tunisienne, de nos jours. 23 h 47.

C'était la nuit idéale pour passer à l'action. L'épaisse couverture nuageuse masquait la lune et réduisait la clarté au minimum. Le vent redoublait et l'écho lointain du tonnerre avait conduit la plupart des gens à se calfeutrer chez eux.

Jockey pilotait un hors-bord de cinq mètres de long. En sortant de la marina, il avait mis le cap au nord-ouest, au large du golfe de Tunis. De cette façon, les falaises de Sidi Bou Said s'interposaient entre lui et les gardes de la villa côtière. Ce n'était pas une précaution inutile : en début de soirée, il avait remarqué que l'un des gardes utilisait un modèle de jumelles qu'il connaissait bien, les Rigel 2150, dotées d'un mécanisme d'amplification de lumière résiduelle, mais aussi d'un capteur infrarouge. Autrement dit, malgré l'obscurité complète, ce garde était capable de repérer tout objet dégageant une source de chaleur dans son champ de vision.

Au bout d'un kilomètre, il coupa le moteur. Sans dire un mot, Connor Black et Jason Avera sortirent de sous une bâche. Ils ouvrirent le couvercle de l'énorme glacière et en sortirent combinaisons, masques et palmes de plongée.

Après les avoir enfilés, ils sanglèrent sur leur dos les bouteilles d'oxygène et fixèrent à leur ceinture des poches étanches. Assis chacun d'un côté du hors-bord, il hochèrent la tête puis, dans un parfait mouvement d'ensemble, basculèrent en arrière et se laissèrent glisser dans l'eau.

Jockey regarda les deux sillages de bulles filer rapidement en direction du golfe. Quand ils furent suffisamment loin, il pressa le bouton de démarrage du moteur, qui gargouilla puis vrombit, et repartit en direction de la marina.

À pleine vitesse, il dit :

— Gay 1 et Gay 2 en place.

De l'autre côté de la villa, Chasseur, appuyé contre un arbre, finissait une barre énergétique, quand il entendit les paroles de Jockey. Il se leva, tira de son sac à dos un *dishdash* blanc – une tunique de coton – et se changea. Il compléta le déguisement par une fausse barbe poivre et sel, un *keffieh* à damier et une paire de sandales en cuir fatiguées. Du sang turc coulait dans ses veines, sa peau était sombre et, habillé ainsi, il pouvait sans problème passer pour un autochtone. Il rangea l'équipement dans son sac à dos et se mit à marcher le long de la route.

À cinquante mètres de la villa, il s'arrêta et consulta sa montre : cela commencerait dans environ cinq minutes.

Washington D.C. 16 h 09.

Dans le Senate Hart Building, Donovan Morgan tentait d'écouter un expert de la Defense Intelligence Agency analysant l'érosion de l'avance technologique de l'armée américaine. Selon lui, certains ennemis seraient bientôt capables de pirater le système GPS guidant les troupes américaines et les bombardiers de l'US Air Force. L'expert de la DIA était un orateur passionnant, pourtant sa voix s'était brouillée dans l'esprit de Morgan en un murmure indistinct.

Morgan avait glissé son *pager* dans la poche poitrine de sa veste. D'un instant à l'autre, Slade le contacterait pour lui faire part du résultat de leur opération de sauvetage. Son cerveau n'enregistrait pas les douleurs qui lui nouaient l'estomac ; seulement le poids et l'immobilité du *pager* dans sa poche.

Golfe de Tunis. 0 h 10.

Il faisait aussi sombre que dans un placard fermé à clé. À deux mètres sous la surface, Jason Avera nageait dans le sillage de Connor Black mais, sans l'intensificateur de vision infrarouge de son masque de plongée, il aurait été incapable de le voir.

Connor s'arrêta. Régulièrement, ils marquaient ainsi une pause pour vérifier la boussole et le système GPS fixés à leurs poignets. Jason calcula que la façade de la villa côté plage n'était plus qu'à une vingtaine de mètres.

Ils repartirent. Une minute plus tard, ils étaient en vue de la douce pente sablonneuse du rivage. Connor laissa Jason arriver à sa hauteur.

Les pieds sur le sable, il se releva lentement en tendant les bras au-dessus de sa tête, jusqu'à ce que ses doigts effleurent la surface. Ils nagèrent sur quelques mètres encore, il fit à nouveau le test : parfait. Le niveau de l'eau atteindrait leur ceinture. Il appuya deux fois sur un bouton de sa montre et regarda les chiffres du compte à rebours. Dans soixante secondes, ils sortiraient de l'eau.

Dès qu'il entendit les deux signaux sonores dans son oreillette, Chasseur avança sur la route, jusqu'à une camionnette garée sur le bas côté. Assis au volant, Jockey lui donna son sac à dos et les clés du véhicule.

Boitant et voûtant le dos comme le ferait un vieil homme, Chasseur mit le cap sur la villa en jouant avec ses clés.

Il frappa à la porte.

— S'il vous plaît ! dit-il en arabe.

— Qu'est-ce que c'est ? demanda une voix étouffée.

— Ma voiture vient de tomber en panne. Juste là, sur la route. J'aurais besoin de téléphoner...

La porte s'ouvrit.

— Entrez, je vous...

— Bonne nuit l'ami, dit Chasseur en pressant la détente du pistolet paralysant qu'il cachait dans sa large manche.

Le garde n'eut pas le temps de se rendre compte de ce qui se passait.

Connor et Jason étaient à peu près certains que leur approche n'avait pas été détectée, mais un danger persistait : si le garde aux lunettes à vision nocturne surveillait le rivage au moment précis où ils surgissaient de l'eau, il n'aurait besoin que de deux secondes pour réagir et attraper son M4, puis de deux secondes supplémentaires pour se positionner et viser. Ce qui laissait quatre secondes à Connor et Jason pour réussir à obscurcir son champ de vision.

Toutefois, avec un peu de chance, les gardes seraient trop distraits par ce qui se passait au portail pour remarquer quoi que ce soit.

Ils ouvrirent leurs poches étanches et, quand leur tête sortit hors de l'eau, ils se précipitèrent d'un seul coup en lançant deux grenades écran en direction de la plage. Comme les grenades aveuglantes ou à saturation sensorielle, les grenades écran servent à désorienter l'ennemi en brouillant ses perceptions, mais sans l'aveugler ou le rendre sourd.

Elles explosèrent en silence en générant un nuage de fumée noire et une épaisse brume de chaleur carbonique. L'écran de fumée d'une hauteur de dix mètres rendait Connor et Jason invisibles et neutralisaient les lunettes de vision nocturne sophistiquées des gardes. La fumée brouillait les systèmes d'amplification de lumière, et la brume – composée de fines particules plus chaudes que la température d'un corps humain – brouillait la vision infrarouge.

Connor et Jason piquèrent un sprint sur la plage et prirent position à moins de cinq mètres de la villa. Ils dégainèrent leurs pistolets équipés de silencieux et, visant le balcon, attendirent que la brume refroidisse. Quand ce fut le cas, ils ouvrirent le feu.

Cité du Vatican. 22 h 16.

— Chaque fois qu'Hitler est venu à Rome pour rendre visite à Mussolini, le pape a ordonné la fermeture de cette salle, prétextant des travaux de réfection, expliquait le conservateur en regardant le plafond. Hitler rêvait depuis l'enfance d'admirer ce spectacle, mais Pie XI puis Pie XII l'en ont empêché.

Le groupe venait d'entrer dans la chapelle Sixtine lorsque Luca de Tolomei l'avait rejoint. Il s'excusa auprès du conservateur, avant de se lancer dans une discussion avec un opulent cardinal.

Kate l'observa un moment, puis retourna à sa contemplation du plafond. Elle avait déjà eu l'occasion de voir cette salle, mais au coude à coude avec d'autres touristes dont le flot était régulé par une voix dans un haut-parleur... pas exactement les conditions idéales pour admirer l'une des visions les plus intimidantes au monde.

La tête penchée en arrière, Kate marchait d'un pas lent, scrutant chaque panneau, lorsqu'elle sentit Tolomei avancer vers elle. Elle fit semblant de se gratter l'épaule, pour activer le système d'enregistrement audio.

— Bonsoir, Kate.

— À votre place, je ferais attention, dit-elle en lui montrant *Le Jugement Dernier* au-dessus de l'autel. Saint Pierre est fâché contre vous : il n'aime pas les retardataires.

Tolomei accueillit la remarque avec un petit rire.

— Tout à fait entre nous, Kate, j'ai cessé de croire depuis bien longtemps.

— Pour quelle raison ?

Question indiscrète, mais elle n'avait pas pu s'empêcher de la poser.

— Ma fille a été violée et assassinée. Elle avait sept ans.

— Oh mon dieu… lâcha Kate dans un souffle, prise de court par la franchise de Tolomei.

— C'était il y a plusieurs années.

— Je… je suis désolée, c'était très indiscret de ma part. Je vous prie de…

— Bien sûr. Tenez, à propos de pères et de filles… Vous savez que j'ai connu votre père, autrefois ? Dans une autre vie, pourrait-on dire…

Un maelström se déchaîna dans l'esprit de Kate. Le visage impassible, elle demanda d'une voix calme :

— Dans quelles circonstances ?

— Je vivais à Washington à l'époque. Nous évoluions dans certains cercles communs, vous savez…

Une idée la frappa de plein fouet : si ce que disait Tolomei se confirmait, alors Donovan Morgan pourrait probablement reconnaître sa voix. Kate pourrait apprendre l'identité de Tolomei dès ce soir.

— D'ailleurs, vous pourrez lui dire que son secret est en sécurité auprès de moi.

À ces mots, Kate résista à l'envie de regarder le plafond peint par Michel-Ange. Elle savait qu'ils se trouvaient juste sous le panneau représentant le péché originel. Ce n'était pas un hasard. Tolomei la testait, mais dans quel but ?

Côte tunisienne. 0 h 21.

Quand Chasseur entra dans la chambre où dormait monsieur et mademoiselle Rossignol, il s'arrêta net. Un jeune couple de type nordique – peau très claire et cheveux blonds – se tenaient enlacés sur le lit.

Il regarda Connor Black. Leur conversation de l'après-midi lui revint en mémoire. En quelques secondes, il comprit. *Il y avait sûrement deux compartiments dans la camionnette. Air conditionné devant, air chaud à l'arrière. Un pour faire entrer les blonds, l'autre pour faire sortir les Rossignol.*

— Bordel de merde !

À moins de 200 kilomètres au nord-est de la villa, le yacht de Tolomei, le *Sabina*, venait de dépasser la côte ouest de la Sicile. Dans la suite du commandant, Surina Khan tenait la main de son patient en lui parlant doucement à l'oreille.

22

Puisque toutes les cartes sont dans tes mains
Pour que tu les battes ou les coupes, sois assuré
Qu'à tort ou à raison, tu viens de te donner un roi.
Guise, in *Le Massacre à Paris* (Marlowe)

Chislehurst, Kent, mai 1593. Après-midi.

De lourds nuages gris couraient dans le ciel et prenaient une teinte sombre en s'agglomérant. Seuls quelques rayons de soleil opiniâtres perçaient encore au travers, enluminant les fleurs sauvages jonchant la route. Le tonnerre déchira le silence. Quelques secondes plus tard, les premières gouttes tombèrent.

Par tous les diables !

Les poignets entravés par les rênes, Marlowe se tenait à califourchon sur son cheval, suivant le policier renfrogné en direction de Londres. Pourquoi diable avait-il laissé cette maudite diseuse de bonne aventure lui tirer les cartes ? Fatale erreur. Le policier l'avait interrompu alors que les mots coulaient sans effort de sa plume, plus tumultueux que les flots de l'Hellespont auquel il consacrait justement ses vers... Il n'aurait jamais dû s'arrêter au Tarot de Grizel.

Robert Poley galopait le long de l'allée familière bordée d'arbres. La pluie frappait le rebord de son chapeau de velours et dégoulinait sur son pourpoint.

— Kit ! cria-t-il en attachant sa monture à une barrière.

Il traversa en courant le pont-levis de Scadbury, cria à nouveau, plus fort.

— Kit !

Quand il entra dans le hall, il entendit des pas dans l'escalier. De hautes bottes noires apparurent, puis des hauts-de-chausses rouges enserrant une paire de jambes musclées. Mais, au grand désarroi de Poley, ce n'était pas le visage de Marlowe.

— Où est-il ? demanda-t-il à Tom Walsingham.

Ils se connaissaient depuis de nombreuses années. C'est Tom qui avait aidé Poley à travailler pour sir Francis, le défunt secrétaire d'État, et cet appui lui valait la reconnaissance éternelle de Poley.

— Il a été emmené par un agent de la police municipale – un certain Maunder – il y a vingt minutes. Est-ce que vous savez...

Poley hocha la tête.

— Il est accusé de trouble à l'ordre public. Et de propager l'athéisme.

Imperturbable, Tom haussa les épaules.

— Dans ce cas, comme chaque fois que ça s'est passé, son employeur – qu'il s'agisse d'Essex ou de Cecil – interviendra et les membres de la Chambre étoilée verront bien qu'il s'agit de mensonges. Ils verront que Kit sert la reine, sa souveraine, et que s'il a pu donner l'impression de se comporter d'une autre façon, ce n'était qu'une attitude de sa part.

— Cette fois, cela dépasse le stade de la rumeur. Tout a commencé la nuit du 5. Un poème a été placardé à la porte d'une église hollandaise, un texte violent, rempli de menaces de mort et signé Tamerlan. Il contenait aussi d'autres allusions aux pièces de Kit. Nul ne s'en est vraiment inquiété jusqu'à ce qu'un document – prétendument hérétique – soit trouvé lors de la fouille d'un ancien logement de Kit. Entre autres stupidités, Kyd a avoué que ce document devait effectivement appartenir à Kit. Suite à quoi deux informateurs ont présenté des rapports relatant les supposés blasphèmes de Kit et juré qu'il avait tenté de propager l'athéisme auprès de nombreuses personnes.

Tom pâlit.

— Qui pourrait…

— Phelippes, cracha Poley. Il fait partie de la commission d'enquête sur les placards anti-immigrants. Il a engagé un rimailleur pour écrire le poème puis s'est débrouillé pour que l'enquête aboutisse à Marlowe. Lorsqu'il s'est rendu compte que le chef de la commission restait sceptique, il a fabriqué de toutes pièces les rapports des espions. Il se tenait littéralement dans leur dos, leur soufflant ce qu'ils devaient écrire…

— Mais Kit travaille pour lui… et avec efficacité. Je ne vois pas pourquoi…

— Phelippes considère ce que Kit sait ou ne sait pas de Cecil comme bien plus important que ses compétences d'espion, ou même sa vie.

— Vous l'empêcherez d'aller jusqu'au bout ?

Un éclair traversa le regard de Poley.

— Oui. Kit était avec vous le soir du 5, n'est-ce pas ?

Tom acquiesça.

— Écrivez une lettre l'attestant.

— Tout de suite.

— Avez-vous un échantillon de son écriture ?

— Oui.

— Bien.

Poley posa une main sur l'épaule de Tom.

— Nous allons le tirer de ce mauvais pas.

Rassuré, Tom esquissa un sourire. Il se retourna et prit une feuille de papier avant d'aller s'asseoir à son écritoire.

Poley prit une chaise.

— Et moi ? J'ai une lettre à écrire, aussi.

Il sortit un anneau gravé de sa poche et le montra à Tom. Ce dernier eut l'air surpris.

— Cecil vous a donné son sceau ?

— Bien sûr que non. J'en ai fait réaliser une copie. Quand nous en aurons terminé, si vous me donnez un cheval en pleine forme, je pourrai peut-être atteindre la ville avant eux.

Westminster. Crépuscule.

L'orage était passé et le ciel avait pris la teinte rose d'une jeune fille effarouchée lorsque Marlowe comparut devant la Chambre étoilée. À l'extrémité de la salle, les juges – membres du Conseil privé et juges des cours civiles ou criminelles – prêtaient serment. Un témoin prétendit avoir vu une femme voler trois bourses et délester cinq poches en moins d'une heure près de l'entrée sud de London Bridge.

Marlowe tendit le cou et distingua l'accusée, une jeune femme correctement vêtue dont les chevilles étaient enchaînées. *C'est peut-être sa main que j'ai sentie l'autre jour...*

Deux autres témoins avancèrent à la barre —des victimes, du moins c'est ce qu'ils prétendaient— qui l'identifièrent. Les juges délibérèrent rapidement.

— Une semaine de pilori, déclara le président, et la jeune femme fut conduite au-dehors.

Marlowe regarda le fond de la salle. La Chambre étoilée était un lieu ouvert au public et les spectateurs étaient nombreux, surtout depuis la fermeture des théâtres. *Excellent. Si je suis arrêté, la nouvelle se répandra comme une traînée de poudre et, avec un peu de chance, Phelippes interviendra avant la tombée de la nuit.*

Il scruta les visages dans la foule et reconnut quelques habitués – une vieille femme crasseuse picorant une galette d'avoine, un pasteur puritain vêtu de la sempiternelle cape noire effilochée. Puis Marlowe aperçut Richard Topcliffe. Le bourreau royal. Il était en grande conversation avec un homme dont le visage était caché par le bord d'un chapeau de feutre gris. Comme s'il sentait le regard de Marlowe, Topcliffe leva les yeux. *Il me regarde comme si je figurais au menu de son déjeuner. Il ne pense quand même pas que...*

La main de Maunder se posa sur son épaule, et Marlowe se laissa conduire devant les juges.

— Christopher Marlowe. Vous avez été informé que vous étiez accusé d'athéisme et de sédition ?

— Sur quelles preuves, monseigneur ?

— Nous avons reçu trois témoignages concernant vos nombreuses déclarations blasphématoires et insultantes. Sous serment, ces hommes ont évoqué votre mépris de la parole divine et votre zèle à propager des idées athées, partout où vous allez.

— Des mensonges, monseigneur.

— Vous m'avez entendu, j'ai bien parlé de *trois* témoignages. Des rapports qui se corroborent l'un l'autre.

— Dans ce cas, monseigneur, j'ai le regret de vous apprendre qu'il existe au moins trois hommes en Angleterre dont la parole est à vendre.

Des éclats de rire secouèrent l'assistance.

— Silence ! aboya le président qui chaussa ses lunettes et lut une feuille posée devant lui. Selon ce document, vous avez déclaré : la religion a été inventée pour maintenir l'homme dans un état de peur. Vous prétendez que le Nouveau Testament est un torchon illisible et que vous seriez capable d'en écrire un autre bien plus admirable. Vous dites que si Dieu existe et qu'il existe une bonne religion, ils sont forcément catholiques car les cérémonies catholiques sont plus belles. Mais vous préféreriez que les Saints Sacrements soient administrés à l'aide d'une pipe…

Le président avait achevé sa phrase en vociférant. Tous les muscles du visage de Marlowe étaient tendus, il luttait contre son envie de rire et se forçait vaillamment à afficher une expression terrifiée.

Le président passa au document suivant, et grimaça d'horreur.

— Vous avez déclaré que l'archange Gabriel, celui de l'Annonciation, était le larbin de Notre Seigneur, un vulgaire messager envoyé à Marie ?

Marlowe entendit des ricanements derrière lui.

— Monseigneur, je jure solennellement que je n'ai jamais tenu de tels propos.

— Dans ce cas, comment expliquez-vous *ceci* ? demanda le président furieux en tendant plusieurs feuilles au greffier.

Sur la première, Marlowe lut un poème. Après avoir parcouru les mauvais vers, il secoua la tête.

— Le rythme est complètement bancal. Impossible de m'attribuer un texte aussi mal écrit.

La logique du raisonnement de Marlowe ne parut pas frapper les juges.

— Et l'autre ? Celui trouvé dans votre ancien logement ? Celui où vous niez la nature divine du Christ ? Thomas Kyd a avoué que vous l'aviez écrit.

— Eh bien il… s'est trompé, monseigneur. Je n'ai jamais vu ce texte auparavant et ce n'est pas du tout mon écriture.

Une voix inconnue résonna dans la salle.

— Messeigneurs, j'ai la preuve que ce que dit Marlowe est vrai.

Un murmure de stupeur parcourut le public. Marlowe se retourna. *Poley ?*

— Approchez !

Robert Poley obéit. Il tenait à la main deux rouleaux de papier scellés et une feuille usée pliée en deux.

Après les avoir examinés pendant quelques minutes, le président déclara :

— Ni le poème ni le texte hérétique ne semblent être de votre main. Et Thomas Walsingham jure que vous vous trouviez dans son manoir, à la campagne, le soir du 5 mai…

Marlowe se demanda si la lettre de Tom pouvait lui être utile. Il ne faisait certes plus partie du gouvernement, mais son statut de riche propriétaire terrien et son nom lui conféraient un poids certain.

Un instant plus tard, la question ne se posa plus : après voir lu le second rouleau, le président changea radicalement d'expression.

— Je vois, dit-il en passant le document aux autres juges.

Leur silence consterné ne pouvait avoir qu'une signification :

quelqu'un d'extrêmement puissant était intervenu. Compte tenu de la série de missions que le comte lui avait récemment confiées, Marlowe aurait pensé à Essex, mais Poley ne pouvait être le messager que d'une seule personne : sir Cecil.

Le président fit signe à Marlowe d'approcher.

En observant le visage de l'homme, Marlowe constata que le dégoût avait laissé place à une admiration pleine de réticence.

— Jeune homme, vous ne serez pas inculpé. Mais considérant la gravité des accusations, les juges de cette Chambre vous ordonnent de vous présenter chaque jour au Conseil privé jusqu'à ce que cette affaire soit résolue. Le Conseil se trouvera demain à Greenwich Palace.

Marlowe hocha gravement la tête. En son for intérieur, il s'émerveillait de sa bonne fortune. Manifestement, sa chance n'avait pas tourné. Plutôt que d'avoir à imaginer un plan risqué pour pénétrer le jour suivant au Palais – un territoire truffé de gardes –, voilà qu'on lui *ordonnait* de s'y rendre !

— Je suppose que tu es venu me trancher la langue ?

Poley rit.

— Kit, ça fait tellement longtemps ! Dis-moi, tu savais que ton sourire est accroché à la cour du roi de France ? Je le croyais unique, mais...

— Pardon ?

— Un célèbre peintre italien. Leonardo quelque chose.

— J'ai entendu dire qu'il était magnifique ?

— Leonardo ?

— Le sujet du portrait.

— C'est une femme. Une belle brune, en l'occurrence.

Marlowe était en train d'imaginer une réplique quand il sentit quelqu'un l'attraper par le bras. Il se retourna et vit le puritain à la cape effilochée. L'homme les avait suivis dans le hall et brandissait un pamphlet sous leur nez. Sur la couverture, Marlowe vit un homme ailé tombant dans la mer. Icare. Il plissa les paupières pour tenter de déchiffrer l'inscription latine : « Défie-toi de tout orgueil, en toutes choses reste craintif », suivie par : « Ce qui est au-dessus de nous ne dépend pas de nous. »

— Écoute ma supplique ! le pressa le puritain. Le diable t'a égaré, mon fils, mais tu peux encore sauver ton âme. Repends-toi ! Abjure tes paroles insensées !

— Demain, peut-être.

— Sauve ton âme avant qu'il ne soit trop tard ! Ou alors encours le châtiment terrible de Notre Seigneur.

— Plus tard, dit Marlowe en repoussant le pamphlet et en se dégageant de la poigne de l'homme. Et maintenant, s'il te plaît, disparais !

Ils montèrent un escalier.

— Kit, dit Poley en riant, j'ai du mal à croire que c'est moi qui parle mais je suis d'accord avec lui. Pas à propos de ton âme, mais de ta personne.

Il y avait une salle vide au deuxième étage. Poley y poussa Marlowe.

— Je te supplie de quitter la ville.

— À cause de quelques calomnies ? Rob, tu sais que je…

— Cette fois, c'est différent. Phelippes est derrière tout ça.

— Tu ne te rappelles pas, Rob ? Tes petites ruses ne marchent pas avec moi !

— Ce n'est pas une ruse. Phelippes a décidé que te soumettre à la torture est la meilleure façon de discréditer Cecil et je ne le vois pas renoncer à cette idée. J'ai préparé un plan pour te faire quitter l'Angleterre en secret. Je donnerai mes ordres dès que…

Marlowe roula des yeux.

— C'est tellement limpide, ce que tu me racontes. Je sais bien que…

— Oui, Cecil est *effectivement* inquiet que tu puisses révéler l'histoire de la fausse monnaie, mais ce n'est pas pour cette raison que je…

— Bon sang, pourquoi ne me dis-tu pas simplement que vous voulez m'empêcher de révéler le trafic avec la Compagnie moscovite ?

— En quoi cela pourrait-il m'intéresser le moins du monde ?

— Parce que Cecil est mon principal suspect et que je suis à deux doigts de prouver sa culpabilité.

Poley ne put cacher sa surprise.

— Tu sais qu'il vient de promettre à Raleigh la somme de 50 000 livres pour son expédition à la recherche d'El Dorado ?

— 50 000 livres ? Impossible. Il n'a pas… oh !

Sa surprise ne paraît pas feinte. Sainte Vierge Marie ! Cela signifie que…

— Ce que tu as dit à propos de Phelippes…

— … est la vérité. Sur ma vie, Kit.

Marlowe ferma les yeux et soupira.

— Cecil a une cousine à Deptford, Eleanor Bull. Elle tient une pension, c'est une femme très discrète. À compter de ce soir, elle ne reçoit plus personne. Elle t'attend, Kit. Vas-y, je te rejoindrai plus tard avec tout ce dont tu auras besoin : nouveaux papiers d'identité, nouveaux vêtements. Raleigh a un vaisseau privé dans le port qui largue les amarres après-demain pour la Méditerranée. Le capitaine est d'accord pour te prendre à son bord et te conduire… où tu voudras.

— Tu me demandes de faire confiance à l'homme le moins fiable de toute l'Angleterre ? Tout ceux qui s'y sont risqués ont fini pendus au bout d'une potence.

Poley sourit.

— Tu ne t'es jamais vraiment tenu à l'écart du danger, Kit. Et je dirais que tu n'as pas beaucoup d'autres choix.

— Qu'est-ce que tu gagnes dans cette affaire ?

— Je hais Phelippes. Je le méprise pour ce qu'il a fait à Mary Stuart. Je l'avais mise en garde moi-même. Je l'avais prévenue de ne jamais rien écrire sur un éventuel assassinat de la reine, et elle ne m'a pas écouté. La preuve qui a conduit à son exécution était fausse. Il l'a fabriquée. Cette fois-là, il a gagné ; aujourd'hui, c'est mon tour.

Marlowe respira profondément.

— D'accord. Mais pas ce soir. J'ai besoin d'un jour supplémentaire.

— Kit, je ne crois pas…

— Je resterai caché, promis. Et demain soir je te retrouverai chez la *Veuve Bull*. Je sais où se trouve la pension.

Poley acquiesça à contrecœur.

— Peux-tu obtenir la libération de Kyd ? demanda Marlowe.

— J'essayerai.

— À demain soir, alors.

Lorsque Marlowe et Poley approchèrent de la porte pour sortir, l'homme au chapeau de feutre gris, qui avait épié leur conversation, s'écarta et quitta sans tarder le palais. Franchissant le pont sur le fleuve, Richard Baines courut en direction de Westminster Bridge.

Londres. Crépuscule.

Quand Baines eut achevé de relater les derniers événements survenus à Westminster, Phelippes le congédia. Arpentant le grand hall d'Essex House, il réfléchit à son prochain coup.

Marlowe s'était tiré du piège qu'il lui avait tendu mais, étrangement, c'était plutôt une bonne nouvelle. À la grande surprise de Phelippes, le résultat de l'enquête sur la Compagnie moscovite dépassait toutes ses espérances. Apparemment, l'homme qui avait noué une alliance illicite avec un pirate de Barbarie n'était autre que son ennemi et celui d'Essex, Robert Cecil. Et, pour une raison que Phelippes ignorait, Marlowe était déterminé à boucler son enquête malgré la menace de son arrestation imminente – il était même sur le point de découvrir une preuve de la culpabilité de Cecil. Quelle chance !

Cecil serait à coup sûr disgracié, voire exécuté. Essex pourrait bien être nommé secrétaire d'État d'ici à l'été.

Mais un problème subsistait. Phelippes, qui avait eu la ferme intention de détruire Cecil au printemps, avait lancé une campagne contre Marlowe avant la fin de son enquête sur la Compagnie moscovite. Il considérait alors l'arrestation de Marlowe comme le scénario le plus intéressant. Comme il s'était trompé ! Et maintenant, malheureusement, Marlowe avait appris la trahison de Cecil au pire moment... Qui savait ce que ce sale petit fouineur ferait de la preuve qu'il allait découvrir ? Bah, pensa Phelippes, il lui suffirait de l'arracher de force à Marlowe.

Il ne pouvait pas confier à Baines une mission aussi délicate. Qui, du reste, était capable de s'en charger ? Ce devait être quelqu'un travaillant exclusivement pour le réseau d'Essex, ce qui éliminait presque tous les espions auxquels il avait fait appel ces derniers temps, hormis... ah, oui. Nick Skeres. Il s'était lié d'amitié avec Marlowe, se souvint Phelippes, mais cela ne devait pas poser de problème. Skeres pouvait être acheté, et il était plus qu'habile à l'épée.

Phelippes fit appeler un messager et l'envoya au domicile de Skeres, près de Blackfriars. Puis il se tourna vers le portrait cloué à une planche à l'extrémité nord du grand hall. Déchiré en plusieurs endroits, il était méconnaissable.

Essex avait parlé de le remplacer mais... *j'ai l'impression que ce ne sera pas nécessaire.*

23

Rome, de nos jours. 22 h 34.

Traversant d'un pas rapide le Borgo Santo Spirito, Kate appela Slade. Elle avait eu qu'une seule hâte dès que Tolomei lui avait annoncé qu'il connaissait son père : quitter la Cité du Vatican. Mais elle avait réussi à dompter son impatience, voulant que son départ ait l'air naturel, et avait donc décidé de rester au cocktail suivant la visite. Puis, après un laps de temps acceptable, elle s'était esquivée.

Slade ne répondant pas, elle essaya son père, puis Max.

— Je ne peux pas te parler, là. Slade m'a demandé de suivre la trace du *Sabina*.

— Le *quoi* ?

— Le yacht de Tolomei. Il a quitté Sidi Bou Said hier.

— Ah, d'accord. Je te laisse, alors. Mais tu peux prévenir Slade que j'ai vu Tolomei ce soir et qu'il m'a dit : « Le secret de votre père est en sécurité auprès de moi. » Je suppose que mon père comprendra l'allusion – apparemment, ils se sont connus à une certaine époque. J'ai réussi à obtenir un enregistrement de sa voix, je te le fais parvenir dans quelques minutes. Mon père est en réunion, mais Slade ne devrait pas tarder à découvrir qui est réellement Tolomei.

— Compris.

— Préviens-moi quand tu auras fini.

— Promis.

Traversant le Tibre sur le pont Vittorio Emmanuele II, Kate réfléchit à sa rencontre avec Tolomei. Tout cela ressemblait à une entrée en scène chorégraphiée, avec un décor minutieusement choisi. Elle se dit qu'il s'était délibérément approché d'elle sous le sixième panneau de la chapelle Sixtine, celui montrant Satan – sous les traits d'une femme à corps de serpent – enroulé autour de l'Arbre de la connaissance offrant le fruit défendu à Adam et Eve, puis leur expulsion du paradis. En choisissant d'évoquer le prétendu secret de son père sous cette scène précise, Kate avait eu l'impression que Tolomei détenait une information potentiellement choquante pour elle.

Tolomei et son père s'étaient connus, avait-il dit, « dans une autre vie », donc sans nul doute au moins treize ans plus tôt, avant son changement d'identité. Le père de Kate était alors en poste à Washington, au bureau du ministre de la Justice. Avait-il poursuivi Tolomei pour des malversations ? Si c'était le cas – si Tolomei avait fui les États-Unis pour échapper à sa condamnation –, cela expliquerait le changement d'identité. À moins que cela ait un rapport avec la fille de Tolomei ? L'enquête sur son meurtre avait-elle abouti à une impasse, et nourri la rancune de Tolomei à l'égard de son père ?

Kate avait quitté la réception avant que Tolomei lui ait reparlé de l'« autre forme d'œuvre d'art » qu'il recherchait. Ce n'était pas une peinture, il l'avait dit, alors... une sculpture ? Le manuscrit ? À moins qu'il s'agisse d'une œuvre d'art *intangible* ? Peut-être cherchait-il à accomplir sa *vengeance* depuis plus de dix ans... Une vengeance rendue possible par un des documents composant *L'Anatomie des Secrets* ? Tolomei était-il Dragon de Jade ?

Pour la seconde fois de la soirée, Kate rejeta ces hypothèses qui relevaient trop de coïncidences. Deux enquêtes distinctes se fondant en une seule ? Ce n'était pas plausible. Quel que soit ce qui se tramait, elle comprit soudain pourquoi Slade avait été si catégorique, la veille au soir, en lui retirant l'affaire : Tolomei nourrissait un intérêt envers elle et envers son père, et cet intérêt n'avait rien d'amical.

De retour dans sa chambre d'hôtel, Kate envoya par e-mail l'enregistrement digital de la voix de Tolomei et s'aperçut juste après qu'un message de Max l'attendait dans sa boîte. Il datait du moment où elle avait atterri à Rome.

— Flûte ! lâcha-t-elle en le parcourant rapidement.

Max expliquait qu'il n'était pas arrivé à décrypter le codage numérique de la dernière page de l'*Anatomie*, celle que Kate pensait avoir été écrite par Christopher Marlowe peu de temps avant sa mort.

« J'ai passé tous les chiffres à la moulinette et *nada*. Le code doit renvoyer à des mots ou des phrases dans un livre. Ou à une grille de décryptage qui n'a servi qu'une seule fois. »

C'était ce que Kate redoutait, mais elle avait espéré que les compétences de Max lui donneraient tort. Elle soupira. À présent, elle le savait, le décodage du message de Marlowe prendrait un temps fou, à supposer que ce soit possible. Il avait pu utiliser n'importe quel type d'ouvrage pour mettre au point son cryptage. Comme il avait eu accès à d'innombrables livres, pamphlets et poèmes, les possibilités étaient infinies. Et même si le texte en question était l'une de ses propres pièces, Kate ne serait pas capable de le décoder. Les pièces de Marlowe, dans leur état actuel, avaient subi trop de modifications depuis leur version d'origine, à cause d'erreurs de transcription, d'impression, et des révisions opérées par d'autres dramaturges. Faire coïncider les nombres du code avec une réplique particulière d'une scène n'était tout simplement pas réaliste.

Pourtant, Kate refusait de s'avouer vaincue. Elle décida que, dès qu'elle aurait un peu de temps devant elle, elle dresserait une liste de tous les livres susceptibles d'être passés entre les mains de Marlowe en devinant celui qui lui permettrait de décoder ce qu'elle croyait être le dernier rapport d'espionnage de l'écrivain. D'ici là, elle avait un meurtrier à arrêter.

Dragon de Jade courait toujours et avait presque réussi à faire tuer Medina ce matin. Quelque part dans *L'Anatomie des Secrets*, dans un des rapports qu'elle était *capable* de décrypter, se trouvait la clé du secret de son identité.

Elle glissa son ordinateur dans son sac à dos et partit en quête d'un café ouvert après minuit du côté du Panthéon. Ce soir, aussi longtemps que cela doive durer, elle irait jusqu'au bout.

Elle était plongée depuis deux heures dans les fichiers et avait déchiffré quarante rapports, mais sans trouver celui qu'elle cherchait. Frustrée, elle commanda un troisième café. Soudain, alors qu'elle s'apprêtait à saupoudrer de sucre le breuvage, une conversation à la table voisine lui fit verser la moitié à côté.

Quelques secondes plus tard, elle se ressaisit, s'excusa auprès du garçon, lui laissa un énorme pourboire et disparut.

Les deux adolescentes avaient parlé de cinéma et de leurs films préférés. C'est l'un de leur commentaire à propos de *Titanic* qui provoqua l'avalanche de sucre dans la tasse de Kate.

— Je n'ai jamais vu la fin, dit l'une.

— Pourquoi ? demanda l'autre, incrédule.

— C'était *trop* beau, ce film je l'aime *trop* ! Je ne voulais pas voir Leonardo mourir. Alors j'ai juste arrêté le DVD et j'ai imaginé ma propre fin de l'histoire...

Kate avait alors repensé à une autre discussion qu'elle avait eue avec l'un de ses professeurs de littérature de la Renaissance, plusieurs années auparavant. Elle l'avait interrogé sur la raison pour laquelle le *Héro et Léandre* de Marlowe paraissait inachevé, Léandre restant en vie à la fin.

Pour beaucoup d'universitaires, Marlowe avait travaillé à ce poème en mai 1593 et la raison de son inachèvement était tout simplement la mort brutale de son auteur. Kate avait accepté ce scénario comme plausible. Mais son professeur lui avait proposé une autre théorie : le poème n'était pas du tout un fragment inachevé. Marlowe avait délibérément laissé en vie Héro et Léandre car il souhaitait travailler sur une histoire portant en elle-même une issue cruelle, tout en proposant un dénouement dénué de cruauté. Faire le portrait d'amants tragiques, mais omettre leur *fin* tragique.

Jack et Rose dansent toujours sur le *Titanic*, pensa Kate en montant les escaliers. Léandre ne se noie pas, Héro ne plonge pas pour repêcher son corps. La tragédie poignante, sans la conclusion déchirante.

Kate alluma son ordinateur et se connecta à Internet, priant avec ferveur pour qu'un internaute ait mis en ligne le texte complet de *Héro et Léandre*. Les librairies romaines étaient fermées depuis longtemps, et elle ne voulait pas attendre une minute de plus. Elle lança un moteur de recherche qui – *grâces te soient rendues, qui que tu sois !* – afficha une liste de sites proposant le poème en accès libre.

Quelles que soient les raisons de son inachèvement, le texte n'avait été publié que cinq ans après la mort de Marlowe – ce qui, selon Kate, en faisait le texte parfait pour coder le rapport qu'il écrivait en mai 1593. S'il y travaillait encore, alors il l'avait en permanence avec lui. C'était un choix pratique, sans compter que le message devenait indéchiffrable sans l'unique version manuscrite du poème. Pour Kate, cela représentait l'argument décisif. Si Marlowe considérait que les révélations de son rapport étaient particulièrement importantes, il n'aurait sans doute pas eu envie de les transmettre à Thomas Phelippes.

En balayant le poème, Kate comprit qu'elle avait vu juste. Chaque « mot » numérique du rapport contenait entre trois et cinq chiffres, et commençait par un chiffre entre 1 et 8. Le poème contenait 818 vers, et aucun ne semblait être composé de plus de dix mots.

C'est parti ! Le premier nombre du rapport était 3006. Kate se rendit au vers 300 et lut le sixième mot : *Reine*. Le second nombre, 2164, donnait le quatrième mot du vers 216 : *adorée*. 23, troisième mot du deuxième vers : *Et*. 6044, quatrième mot du vers 604 : *puissante*.

Il écrit à Élisabeth !

« Reine adorée et puissante… » lut-elle à voix haute en progressant lentement dans le rapport. « Je dois révéler à Votre Majesté une trahison… »

Quelques minutes plus tard, Kate avait terminé. Elle téléphona à Medina.

— Vous êtes réveillé ?

— Hmmm…

— Cidro, j'ai trouvé ! Le mobile ! Et ce n'est pas du tout ce que nous pensions ! Où serez-vous demain, disons à midi ?

— La City.

— Vous pourrez vous échapper ?

— Pour vous retrouver ? Bien sûr.

— Nous allons faire une croisière sur le fleuve et mettre au point un petit cambriolage. Cela vous tente ?

Il rit.

— Tout à fait. Quant au cambriolage, hum…

— Nous en discuterons demain. Vous me retrouvez à la Marina de Saint-Katharine ? Dans un pub, le *Dickens Inn*.

— J'y serai.

— Et, à tout hasard, vous auriez un panier de pique-nique ?

— Oui. Mais qu'est-ce que vous…

— Demain à midi. Je vous raconterai tout.

— Vous allez vraiment me laisser mariner *toute la nuit* ?

— Vous m'avez expliqué que vous aviez besoin de pimenter votre vie. J'essaye juste de vous aider.

Elle raccrocha, persuadée que son appel à Medina avait échappé à toute écoute. Elle se trompait : la veille au soir, un mouchard avait été placé dans le combiné du téléphone.

Vingt minutes plus tard, Kate contemplait le plafond au-dessus de son lit en se demandant si, oui ou non, elle arriverait à dormir cette nuit, lorsque le téléphone sonna.

— Tu es toujours à Rome ? demanda Max.

— Oui.

— Où ?

— Hôtel habituel. Près du Campo dei Fiori.

— Deux types de notre bureau de Rome viennent te chercher dans moins de vingt minutes. Ils vont t'emmener à l'aéroport, attendre avec toi et t'escorter jusqu'au premier vol pour New York. Slade exige que tu reviennes tout de suite.

— Entendu, dit-elle en allumant sa lampe de chevet. Je pars tout de suite, mais je dois faire un crochet par Londres.

— Slade ne plaisantait pas, Kate. Il ne m'a pas expliqué les détails mais tu es en danger. Apparemment, Tolomei mène une *vendetta* contre ton père. Tu *dois* rappliquer !

— C'est une vendetta, oui. Qu'est-ce que Slade a dit à ce sujet ?

— Qu'il s'en occupe personnellement. C'est tout.

— OK. Je rentre au bercail, mais j'ai besoin d'une journée à Londres. J'ai fait une découverte importante dans le dossier Medina et… je *dois* aller à Londres. Tu n'imagines pas ce que ça signifie pour moi.

— Peut-être est-ce une vengeance à cause de la mort de sa fille, je ne sais pas, mais Slade pense que Tolomei va s'en prendre à toi. Que son petit ballet à la chapelle Sixtine n'était que le prélude.

— Tu connais sa véritable identité ?

— Oui. Slade ne m'a rien dit, mais après avoir lu ton e-mail, j'ai commencé à chercher quelqu'un que ton père aurait poursuivi à l'époque où Tolomei a changé d'identité, quelqu'un qui se serait volatilisé pendant sa libération sous caution. Le seul candidat possible était un ancien agent du FBI : Nick Fontana. Membre de la section antiterroriste avant son mariage, puis de la section Trafic d'œuvres d'art. C'est de là que viennent les contacts de sa nouvelle vie. Il se trouve que, comme celle de Tolomei, la fille de Fontana a été violée et assassinée. Elle s'appelait Sabina, au passage. Son meurtrier a réussi à se faire relâcher…

— Et Fontana l'a tué.

— Oui. Mais pas seulement. Il y a eu torture et actes de barbarie. Pendant trois jours. Le temps durant lequel sa fille avait été séquestrée.

— Et c'est mon père qui a instruit le dossier ?

— Oui.

— OK. Mais, même si ses actes ont pu trouver un écho favorable chez certaines personnes, Tolomei-Fontana devait savoir qu'il ne s'en tirerait pas comme ça. Un agent du gouvernement, coupable d'avoir torturé un homme pendant trois jours... J'imagine que l'affaire a déclenché tout un remue-ménage médiatique, en plus. Laisser Fontana s'en sortir serait revenu à envoyer au public un message dangereux : la loi du Talion vient d'entrer en vigueur. N'importe quel procureur aurait agi comme mon père.

— C'est vrai, seulement voilà : Fontana a effacé toutes ses traces et il n'a laissé aucune preuve derrière lui. Seulement ton père a réussi faire témoigner l'épouse de Fontana contre lui. Je n'ai rien trouvé dans la presse de l'époque pour expliquer comment il s'y est pris.

— Max, je crois que c'est ça ! Dans la chapelle Sixtine, j'ai eu l'impression que Tolomei essayait de me dire quelque chose qui dévaloriserait mon père à mes yeux. Me montrerait sa face obscure. Je dois être l'outil de sa vengeance. Mon père a retourné sa femme contre lui, il doit imaginer qu'il peut me retourner contre mon propre père.

— Ou bien il veut te tuer pour apprendre à ton père ce que c'est que de perdre une fille.

— Je n'y avais pas pensé...

— Tu veux toujours te balader à Londres avec ce malade à tes trousses ?

— J'ai besoin de 24 heures, pas une de plus. Slade est dans les parages ou... ?

— Il est parti pour l'aéroport. La mission de Tunis a cafouillé.

— Tu veux bien me couvrir pour la journée ?

— Tu me demandes de te laisser te faire buter ? Pas question.

— Et si j'utilise un pseudo et un déguisement ? Tolomei ne pourra pas me reconnaître. Je peux boucler le dossier Medina et rentrer à la maison sans que Slade s'en aperçoive. Qu'est-ce que tu en dis ?

— Cette affaire est vraiment importante pour toi ?

— Oui.

— Je suppose que c'est inutile de vouloir te barrer la route. Mais alors, tu rends compte toutes les heures, compris ?

— Promis. Ah, un truc : tu voudrais bien te lancer dans quelques recherches généalogiques pour moi ?

— Pas de problème.

— Merci. Je t'envoie par mail les noms de quatre types et j'aimerais que tu me dises qui sont leurs descendants encore en vie.

— Pour demain, ça ira ? Parce que là, je rentre chez moi.

— Ça ira. Encore merci.

L'homme qui se faisait appeler Dragon de Jade se régalait d'un tiramisu fait maison quand il apprit que Kate Morgan avait déchiffré la page cruciale.

Demain, songea-t-il, il aurait enfin la possibilité de laver la dignité bafouée de son ancêtre. Quelle chance que Kate Morgan soit si brillante... il en était impressionné.

En seulement quelques jours, elle avait cassé le code qui avait résisté pendant des années à Thomas Phelippes, « le Décrypteur ».

Malheureusement pour elle, il ne lui laisserait pas l'occasion d'admirer le résultat de ses efforts...

24

J'ai soumis les Parques, enchaînées par des fers,
Et tourne seul la Roue de la Fortune
Tamerlan, in *Tamerlan, partie I* (Marlowe)

Greenwich, mai 1593. Soir.

Depuis le navire à aubes qui approchait rapidement du palais, Robert Poley aperçut la silhouette voûtée de son employeur devant l'une des fenêtres des étages supérieurs. Il faisait les cent pas, sans doute mécontent. Poley ne s'en étonnait pas : un peu plus tôt dans la journée, il avait envoyé à Cecil un message concernant l'enquête menée par Marlowe pour démasquer les trafiquants de la Compagnie moscovite. À ce moment-là, Poley ne savait pas encore que le principal suspect était Cecil lui-même. Poley écrivait aussi dans son message que Phelippes, leur ennemi juré, manœuvrait pour jeter Marlowe dans une salle de torture afin de lui extorquer d'autres informations compromettantes sur son employeur.

Arrivé au troisième étage, à la porte des appartements de Cecil, Poley entendit le murmure d'une conversation à voix basse. Sans faire de bruit, il colla son oreille contre la porte.

— … vraisemblablement, je trouverai Marlowe ce soir, disait une voix.

— Et dans le cas contraire ? demandait Cecil.

— Demain, sir. Ce sera fait.

Poley recula et se cacha derrière une tenture murale. C'est alors qu'il prit la mesure du danger menaçant Marlowe : Phelippes était déterminé à le faire torturer, et Cecil complotait pour l'éliminer définitivement. L'un voulait le faire parler, l'autre le réduire au silence. Deux des hommes les plus puissants d'Angleterre avaient chacun déclenché leur machine infernale, Poley serait-il capable d'enrayer l'engrenage ?

De lourds pas écrasèrent le jonc qui parsemait le couloir. Poley écarta la tenture et, jetant un coup d'œil rapide, vit l'assassin aux ordres de Cecil. C'était Ingram Frizer, un négociant à la réputation d'escroc. Selon une rumeur, Frizer et un associé venaient juste de délester un jeune homme de 34 livres en lui refilant une dizaine de pistolets à rouet. Où les avait-il récupérés ? Poley l'ignorait.

Il laissa s'écouler quelques minutes avant de sortir de sa cachette, puis il traversa le couloir et entra dans les appartements de Cecil.

— Vous avez reçu mon message ? demanda-t-il.

— Oui.

— J'ai fait ce que vous m'aviez demandé, sir. Marlowe a recouvré la liberté et j'ai tout préparé pour qu'il quitte l'Angleterre en secret.

— Vous savez où il se trouve ?

— Non.

Il se réjouit rétrospectivement de ne pas avoir mentionné la maison de Nelly Bull dans son dernier message.

— Malheureusement, Marlowe estime qu'il n'est pas nécessaire pour lui de partir tout de suite. Il suppose que Phelippes va renoncer à son stratagème tortueux maintenant qu'il…

— Eh bien, il se trompe, l'interrompit Cecil. Phelippes ne se laisse pas facilement décourager. Mais peu importe. J'ai choisi de résoudre la situation d'une nouvelle façon.

— Laissez-moi deviner… Vous avez envoyé un tueur s'occuper de Marlowe ?

Cecil hocha la tête.

— Oui. Marlowe est devenu trop dangereux. Enquêter sur la fausse monnaie, passe encore… Mais sur *ça* !

— Sir, je ne sais pas de quoi vous parlez.

— Marlowe va peut-être bientôt découvrir que j'ai noué une alliance avec l'un des ennemis de la Couronne. Un partenariat financier, rien de plus. Mais il repose sur un trafic d'armes, et la reine n'en a pas connaissance…

— Vous avez raison, dit Poley. Cela ne doit pas parvenir aux oreilles de Sa Majesté.

— J'ai trouvé un homme qui connaît bien les différents lieux où Marlowe aime se rendre. Il m'a juré qu'il le trouverait d'ici à demain. Si Marlowe changeait d'avis et acceptait de fuir, il en serait empêché : tous les ports sont sous surveillance. Il ne représentera plus très longtemps une menace…

— Vous ne craignez plus d'être impliqué dans un meurtre, sir ?

— Non. En outre, mon homme s'arrangera pour maquiller le meurtre en acte de légitime défense. Il m'a donné sa parole et il a toute ma confiance. C'est un gentilhomme, il possède des terres… Et il n'a jamais eu de contact officiel avec moi.

— Quand bien même, ne trouvez-vous pas qu'il serait préférable de mettre un terme à votre… partenariat financier ? Une fois Marlowe éliminé, un autre peut très bien le découvrir à son tour.

— Je ne crois pas. Sa conception est très ingénieuse. Et aucun des espions de Phelippes n'arrive à la cheville de Marlowe.

— En effet.

— J'ajouterais que cette opération est extrêmement lucrative, et réussir à gagner les faveurs de la reine coûte très cher.

— La voler pour l'impressionner… C'est un cercle joliment vicieux, je dois l'avouer, ironisa Poley.

Mais Cecil ne l'écoutait plus. Debout à la fenêtre, il jetait un regard absent en direction du parc, lorsqu'une expression maussade assombrit son visage.

Poley rejoignit son employeur et regarda à son tour : Élisabeth et Essex se promenaient dans l'obscurité, main dans la main.

Les désignant d'un geste, Cecil observa :

— Il a sa manière, j'ai la mienne.

Southwark. Matin.

L'épée aurait perforé la poitrine de Kit Marlowe si sa pointe n'avait été mouchetée.

Debout dans la fosse du théâtre de la Rose, Ingram Frizer regardait Marlowe se dépenser sans compter dans un faux duel avec un jeune homme blond. Enchaînant fentes et parades, les deux adversaires zigzaguaient sur la scène, faisant craquer les planches et voleter des brins de foin.

Ma foi, ce rustre s'y entend dans l'art de bretter… Il faudra assurément trouver un autre lieu.

Remarquant la présence de Frizer, Marlowe fit une pause.

— Nous sommes fermés, Ingram, au cas où cela t'aurait échappé.

— Et c'est une bonne chose, répliqua Frizer.

Balayant d'un regard circulaire la salle polygonale partiellement recouverte de colombages, il murmura : *Par dieu, cet endroit est un vrai foyer de maladie et de corruption…*

— Je suppose que tu n'es pas venu applaudir au spectacle ?

Frizer et Marlowe s'étaient plusieurs fois croisés chez Walsingham, et Frizer se demandait comment ce dernier avait pu accepter de prendre sous son aile ce fieffé voyou.

— Maître Walsingham désire s'entretenir avec toi, Kit. C'est urgent. Tu ferais mieux de me suivre.

Au même instant, une voix furibarde résonna au-dessus de leur tête.

— Tu ne vois donc pas qu'il travaille à sa nouvelle pièce ?

Frizer leva les yeux et vit, sur sa gauche, un homme dodu au visage écarlate s'agitant sur la passerelle. C'était Philip Henslowe, propriétaire du théâtre, qui avait surgi de son bureau et entendait défendre son bien le plus cher : Marlowe.

— Tu vois cette tunique à franges brodée d'or ? aboya Henslowe en montrant un morceau de tissu tendu entre deux chaises placées au bord de la scène. Et ce jupon de soie blanche ? Et ce plastron rouge que j'ai fini de peindre moi-même ? Marlowe écrit sur Penthésilée, la reine des Amazones, et ni toi ni personne d'autre n'a le droit de l'en empêcher. Et maintenant, qui que tu sois, sors d'ici ! Ou je te fais jeter dans la rue comme un malpropre.

Frizer lui lança un regard noir et s'apprêta à partir lorsque, à sa surprise, Marlowe l'arrêta.

— Attends !

Frizer approcha de la scène.

— Dis à Tom qu'il peut me trouver à Deptford demain matin, à la première heure, dit Marlowe à voix basse. Chez Eleanor Bull. Je ne sais pas exactement quand j'y arriverai, mais ce sera durant la nuit.

— Oh, ça ira, Kit. Ça ira parfaitement.

En quittant le théâtre, Frizer était très confiant : il accomplirait sans peine sa mission mortelle, et le trafic dans lequel il était associé avec Robert Cecil pourrait continuer sans risques. Puisque Marlowe se débattait pour l'instant avec des vers et des costumes, il ne risquait pas de faire d'autres découvertes susceptibles de mettre en péril leur petite affaire.

Délice supplémentaire, songea Frizer, le dramaturge mourrait avant que son ultime obscénité soit jouée sur scène…

C'est du moins ce qu'il croyait. Son imagination était limitée, et il ne s'apercevait pas que Marlowe faisait exactement la même chose que lui quelques jours plus tôt : il dévalisait une armurerie. La différence était que les armes dont Marlowe se servirait pour battre son nouvel adversaire seraient les accessoires et les costumes laissés par la troupe des Admiral's Men quand ils avaient quitté la ville. Et Frizer n'imaginait pas davantage que Marlowe destinait sa prochaine pièce à une scène autrement plus grande que celle du théâtre d'Hens-lowe.

Greenwich Palace. Crépuscule.

Les injures vociférées en arabe résonnèrent dans le grand hall.

Pris au dépourvu, le garde à l'entrée se demandait comment répondre. Dans le parc du palais grouillait une foule d'invités en costume d'apparat, admirant les explosions des fusées de feu d'artifice au-dessus de leur tête. Les fontaines de marbre ruisselaient d'une eau colorée, des acrobates multipliaient les cabrioles, un jongleur lançait en l'air des torches... Qui donc pouvait avoir envie *d'entrer* ?

La jeune femme, d'une beauté stupéfiante dans sa robe dorée à franges, frappa du pied. D'autres jurons encore plus incompréhensibles jaillirent de sa bouche. D'un geste furieux, elle rejeta son voile en arrière, sur sa couronne sertie de diamants.

À en juger par la splendeur de sa tenue et l'étrangeté de son langage, le garde en déduit qu'il s'agissait d'une riche étrangère. Mais en quoi était-elle déguisée ? Quel genre de reine porte une épée et une armure ? Une armure *rouge* ? Plus important encore, qu'est-ce qu'elle voulait ? À part le Conseil privé, qui interrogeait un écrivaillon du Bankside, le palais était pour ainsi dire vide.

Soudain, d'une autre bordée d'insultes jaillirent deux mots anglais à peine reconnaissables : *chambre* et *servante*.

Ah ! comprit le garde, c'est l'une de nos invitées royales. Il acquiesça et la laissa entrer. Elle traversa le hall d'une démarche impérieuse et gravit les marches du grand escalier.

Quelques minutes plus tard, elle réapparut en compagnie d'une silhouette drapée dans une guimpe blanche, qui avançait à ses côtés d'un pas traînant.

Malgré les démangeaisons occasionnées par le tissu qu'il venait de draper autour de sa tête, Marlowe ne tarda pas à reconnaître Robert Cecil. Lors d'un bal masqué, les visages pouvaient être cachés, mais pas les épaules déformées. Il reconnut aussi le perroquet perché sur l'avant-bras de Cecil. Vêtu de la simple tunique blanche d'un fauconnier maure, il avait noirci les plumes blanches de son oiseau avec de la cendre, qui à présent tachait le tissu de sa manche.

Le minuscule maître-espion était en train de bavarder avec une sirène, vêtue d'un corsage couleur chair et de jupons bouffants de soie bleue. Sa queue, d'un vert aux reflets de pierre précieuse, était attachée à sa taille. Évoluant parmi d'étranges créatures sculptées dans la glace et d'autres, vivantes, entravées par des chaînes, Marlowe guida Helen jusqu'à sa cible. Il observa l'un des lions du roi dévorer un poulet vivant, puis tenta d'apercevoir son souverain.

Les femmes au visage peint en blanc et à la perruque rouge abondaient, mais...

Où se trouvaient tous les courtisans ? Où se trouvait la reine Élisabeth ? Son grand fauteuil était toujours vide. Elle doit observer la scène depuis une fenêtre, pensa Marlowe. Il avait beaucoup entendu parler de son penchant pour la provocation ; elle aimait surprendre ses hôtes et ses sujets. On racontait ainsi qu'elle avait paru devant l'ambassadeur de France avec un corsage largement ouvert, laissant le pauvre homme cramoisi et bafouillant.

À quelques mètres de Cecil, Helen s'arrêta, feignant d'admirer une troupe de danseurs. Elle se rapprocha lentement, tentant de saisir quelques bribes de conversation. De son côté, Marlowe décida qu'une vraie servante devait montrer toute l'étendue de sa servilité. Il alla lui chercher à boire.

Devant le choix des breuvages, il en choisit un qui sentait le vin épicé.

— Vous servez bien votre reine, murmura une voix derrière lui.

Il se tourna vers un homme grand et maigre déguisé en Charon, le passeur des morts de la Grèce antique. Il portait un long manteau noir dont il avait baissé la capuche sur ses yeux, ainsi qu'un masque et des gants de la même couleur sur lesquels étaient peints en blanc un crâne et les os de la main. Une rame complétait son déguisement.

— Je m'y emploie depuis assez longtemps, répondit Marlowe d'une voix de fausset.

Charon lui adressa un clin d'œil.

— Nous le savons.

Stupéfait, Marlowe resta bouche bée.

— Fermez tout de suite cette bouche ! ordonna la reine Élisabeth. Et surtout pas de révérence, maître Marlowe. Vous nous feriez reconnaître.

Le souffle coupé, Marlowe ne parvint à articuler qu'un maigre « comment… ? »

— Sir Francis nous a dit tant de bien de vos… *entreprises* que nous avons eu la curiosité de voir votre visage au théâtre de la Rose.

Retrouvant ses esprits, Marlowe savoura l'ironie du costume choisi par la reine. Ce n'était certes pas elle qui aidait les morts à traverser le *Styx*, mais elle avait envoyé beaucoup de ses sujets dans l'au-delà…

— Nous supposons que c'est l'une de ces fameuses entreprises qui nous vaut votre présence ce soir ?

Marlowe acquiesça.

— En ce cas je vous laisse travailler. Mais dites-moi une chose…

Elle regarda les taches d'encre sur les doigts de l'écrivain.

— Que nous concoctez-vous en ce moment ?

— Un poème sur Héro et Léandre, Votre Majesté.

— Ce nageur trop téméraire et l'idiote qui a plongé pour repêcher son corps ?

— Votre Majesté n'aime pas les amants tragiques ?

— Au contraire. Ce sont les idiots tragiques que nous n'aimons pas. Nager en pleine nuit au plus fort d'une tempête ? Plonger pour retrouver un cadavre et finir fracassée contre des rochers ?

La reine secoua la tête, pleine de dédain.

— Ah, mais ce n'est pas ainsi que s'achève mon poème, Votre Majesté.

— Expliquez-moi ça.

— Neptune autorise Léandre à atteindre la rive.

— Intéressant. Dans ce cas, nous serons heureuse de le voir joué sur scène.

La reine achevait sa phrase lorsqu'une gifle sonore attira son attention. À quelques mètres d'elle, un homme musclé drapé dans une tunique blanche tentait d'embrasser la sirène que Marlowe avait repérée un peu plus tôt. La sirène ne se laissait pas faire.

La reine se tourna à nouveau vers Marlowe.

— Nous avons un couplet qui pourrait figurer dans votre poème, si vous le souhaitez.

— J'en serais très honoré.

Elle se pencha vers Marlowe et murmura :

— Les femmes ne sont conquises ni par force ni par richesse / Mais par des paroles fleuries et enchanteresses.

— Les paroles de Votre Majesté scintillent telles les diamants de votre couronne, belle reine. Elles illumineront ma page.

— Eh bien, Kit Marlowe, j'en suis honorée, dit la reine en abandonnant le « nous » de majesté.

— Tu es devenu sourd ? Tu t'es mis du coton dans les oreilles ? demanda Helen en tirant Marlowe de sa rêverie.

— Quoi ?

— Tu as raison : le bossu. C'est lui.

Marlowe acquiesça. Depuis qu'il avait appris que Cecil avait promis 50 000 livres à Raleigh pour son voyage en Guyane, il avait la certitude qu'il était bien à l'origine du trafic.

— Que fait-on ? demanda Helen.

— Sa maison. C'est lui le traître. Nous devons chercher des preuves pour les présenter à la reine.

Helen eut un mouvement de recul et se défendit :

— Je suis la reine des Amazones et jamais je n'ai…

— Je parle de *l'autre* reine, dit Marlowe en souriant.

Ajustant son masque de guimpe autour de ses yeux, il la suivit jusqu'au fleuve.

25

Le *Dickens Inn* était bondé. Chacun des sièges des trois étages de la véranda en bois était occupé. Des bouquets de fleurs éclatantes débordaient des jardinières.

Cidro Medina était installé à une table en terrasse avec vue sur le fleuve. Sirotant un soda, un panier de pique-nique à ses pieds, il regardait la marina où était amarré un yacht tape-à-l'œil à la coque noire et jaune.

— Hep, moussaillon, vous offrez un verre à une fille seule ?

— J'attends quelqu'un, dit Medina dont les yeux allèrent du visage de la femme à la pointe métallique de ses bottes. Mais...

Ses yeux restèrent fixés sur l'ourlet en fourrure de la mini-jupe.

— Mais quoi ? demanda Kate en riant.

— Seigneur ! s'exclama-t-il en la reconnaissant.

Il tendit la main vers ses cheveux longs et raides, d'un noir strié de reflets écarlates.

— Ils sont vrais ?

— Non. C'est une perruque.

La pupille verte des yeux de Kate avait disparu derrière des lentilles colorées marron, la peau avait foncé – grâce à une lotion autobronzante – et le biceps de son bras droit était orné d'un faux tatouage en forme de fil de fer barbelé. La panoplie, complétée par le soutien-gorge à balconnet le plus miraculeux de chez Victoria's Secret, correspondait à l'un de ses passeports. Elle s'était servie de son vrai passeport pour le vol Rome-Paris, puis avait fait quelques emplettes rapides et réservé une chambre d'hôtel pour la nuit en payant par carte bancaire afin de laisser des traces. Ensuite, elle s'était changée dans les toilettes de l'aéroport Charles-de-Gaulle et s'était envolée pour Londres sous une fausse identité.

— Vous vous rappelez, quand nous nous sommes rencontrés j'ai dit que je travaillais sur une affaire assez tranquille ?

Medina hocha la tête.

— Elle se révèle plus risquée que prévu ?

— Exact.

— Vraiment ? Vous êtes en…

— Avec ce déguisement, tout devrait bien se passer.

— Mais on nous a vus ensemble ces derniers jours. Ceux qui essayent de vous trouver vont sûrement…

— Eh ! Il n'y a rien d'anormal à ce qu'un type comme vous, l'un des célibataires les plus en vue selon le dernier classement de *Hello !*, s'affiche avec une nouvelle fille aujourd'hui.

Il sourit.

— Un point pour vous.

— Cela ne vous dérange pas de m'appeler Vanessa pour la journée ?

Medina se leva et, glissant ses mains autour de la taille de Kate, l'attira à lui.

— Est-ce que Vanessa voit un inconvénient à ce genre de rapprochement ?

— Eh bien, je sais que *moi*, je trouverais d'excellentes raisons pour vous repousser, mais Vanessa ? Elle ne fait pas de manières, elle.

Medina rit, puis l'embrassa. Un baiser tendre, d'abord. Puis plus insistant, plus passionné. Combien de temps dura-t-il ? Kate n'en avait aucune idée.

Leur panier de pique-nique bien rempli, Kate et Medina se mirent en route pour Tower Pier. Ils achetèrent deux tickets, les tendirent au capitaine puis allèrent s'asseoir à la passerelle supérieure du bateau touristique.

— Vous m'avez dit que nous allions préparer un cambriolage ? demanda Medina en prenant les jambes de Kate pour les poser sur ses genoux.

— Humm humm...

— À Greenwich Park ?

— Yep !

— C'est... euh... une propriété royale.

— En effet.

— Surveillée, je suppose, par des agents des forces spéciales royales.

— Où voulez-vous en venir ?

— J'ai du mal à vous imaginer enfreignant la loi. Risquant la prison, en tout cas.

— Je ne suis pas comme ça du tout ! À l'Agence Slade, personne n'enfreint la loi.

— Mais alors...

— En revanche, Vanessa Montero, barmaid de son état, a nettement moins de scrupules. Pour mon employeur, *je* suis sur le chemin du retour. Et c'est tant mieux car si j'étais encore Kate et vous mon client, *ça*...

Elle posa son front contre le sien.

— ... serait un tantinet déplacé.

La voix du capitaine dans les haut-parleurs interrompit leur baiser.

— Bienvenue sur le *Millenium of London*. Nous sommes à environ quatre-vingts kilomètres de la mer du Nord, la Tamise est un fleuve à marées, dont l'amplitude peut atteindre sept mètres...

Le ronronnement du moteur s'accentua et le bateau avança.

— Sur votre gauche, Traitor's Gate, l'un des premiers passages à sens unique de la ville...

Kate se tourna et vit le passage jadis redouté condamné par des pierres recouvertes de mousse.

— Également sur votre gauche, Executioner's Dock, le quai du bourreau. Les pirates et les contrebandiers y étaient attachés et mouraient noyés à marée montante. Le capitaine Kidd fut le dernier à subir ce supplice, en 1701. Juste à côté, vous remarquez un pub à colombages. C'est dans son grenier que Charles Dickens a écrit bon nombre de ses romans...

Kate se blottit entre les bras de Medina et regarda défiler de part et d'autre du bateau une succession de quais et d'entrepôts décrépits d'où émergeait parfois – apparition aussi surprenante qu'une soucoupe volante – une résidence de luxe.

— Et maintenant... Vanessa, allez-vous continuer à me torturer où me direz-vous enfin ce que vous avez imaginé la nuit dernière ?

Kate sourit et le regarda.

— D'accord. Vous vous souvenez de ce rapport d'espionnage entièrement codé en chiffres ? La dernière page du manuscrit ? Je suis désormais certaine qu'elle est au cœur de notre affaire, et que j'avais tout faux concernant les motivations de Dragon de Jade. Il ne veut pas empêcher une information d'exploser au grand jour par crainte de voir ses intérêts menacés, même si l'argent est bien l'enjeu de cette découverte. Dragon de Jade ne veut pas se protéger d'une éventuelle perte d'argent, il veut au contraire profiter d'une manne tombée du ciel.

— Le rapport n'est donc pas un moyen de faire chanter quelqu'un, il aurait une valeur financière en lui-même ?

Kate confirma d'un signe de tête et sortit un papier d'une poche de sa jupe.

— Comme je vous l'ai dit hier, Christopher Marlowe enquêtait sur la Compagnie moscovite en mai 1593 et a découvert que l'un de ses principaux responsables se livrait à un trafic illégal avec un pirate de Barbarie. Eh bien, écoutez ça...

Elle déplia le papier et lut.

— « Reine adorée et puissante, Je dois révéler à Votre Majesté une trahison. Votre bossu... »

Kate regarda Medina.

— Il s'agit de Robert Cecil, l'un des directeurs de la compagnie et un courtisan très en vue. Je reprends : « Votre bossu a volé des armes, qu'il a échangées contre un trésor venu des mers. Si vous ne me croyez pas, croyez ce que vos yeux vous montrent. Enterré près de votre arbre, voyez ce qui a été trouvé dans sa résidence près du fleuve. Et demandez-lui d'où cela provient. Un homme dévoué à votre cause vous rendra bientôt les armes qui vous ont été dérobées... »

— « Votre arbre » ? répéta Medina. Qu'est-ce que ça signifie ?

— À l'époque des Tudor, un Palais royal avait été construit à Greenwich, sur l'emplacement actuel du Royal Naval College. C'était la résidence préférée de la reine Élisabeth. Dans le parc se trouve un chêne, *son* chêne. Ses parents – Henri VIII et Anne Boleyn – aimaient danser tout autour pendant que la jeune Élisabeth se cachait dans une cavité du tronc.

— Cet arbre existe toujours ?

— Hum-hum.

— Et vous pensez que la reine n'a jamais reçu la lettre de Marlowe ? Pas même une copie ? Et que le trésor est toujours enterré à l'endroit qu'il a indiqué ?

— Possible.

— Qu'est-ce qui est arrivé à... euh... quel est son nom, déjà ?

— Phelippes ?

— Oui. Si Marlowe a bien révélé l'emplacement d'un trésor, Phelippes a dû se jeter dessus.

— *Seulement* s'il a été capable de décrypter le message de Marlowe. Et je pense qu'il n'y est pas arrivé. Si c'était le cas, il y aurait certainement eu une enquête pour contrer les accusations portées par Marlowe contre Cecil, or les historiens n'en ont aucune trace. Ce printemps-là, Cecil ne fut pas disgracié, il a même fini par l'emporter sur son rival le comte d'Essex pour accéder à la fonction de secrétaire d'État. Et il est

devenu comte peu après. J'ai donc la conviction que Phelippes n'a jamais lu le dernier rapport de Marlowe. Il est même
possible que *personne* ne l'ait jamais lu.

— Jusqu'à aujourd'hui. Mon dieu… Comment avez-vous
fait ?

— J'avais un *sacré* avantage : Marlowe a composé son code
d'après le poème sur lequel il travaillait à l'époque, et qui n'a
été publié que cinq ans après sa mort. Phelippes n'a probablement jamais su qu'il était en train de l'écrire. Alors que moi,
je l'ai directement trouvé sur Internet.

— Mais vous y avez pensé…

Kate haussa les épaules.

— Coup de chance.

— Ce soi-disant trésor, vous avez une idée de ce que ça
peut être ? Un véritable dragon en jade ?

— Possible. Marlowe fait allusion à des richesses en provenance de l'Est, et les artisans chinois de la dynastie Ming
– qui correspond à son époque – utilisaient beaucoup le jade.
Quant au motif du dragon, il était également très en vogue.

— Pourquoi l'aurait-il enterré ? S'il voulait le rendre à la
reine, pourquoi choisir son parc et non… je ne sais pas… l'un
de ses proches ?

— Sans doute pour garantir sa sécurité. Il avait été arrêté
et, en quelque sorte, libéré sous caution. Il n'était pas pour
autant tiré d'affaire, notamment concernant les accusations
d'athéisme. Et au même moment, il marchait sur les plate-
bandes de deux des hommes les plus puissants du royaume.
Phelippes devait fulminer parce que Marlowe ne lui révélait
pas l'identité du contrebandier et Cecil n'appréciait sûrement
pas beaucoup que Marlowe ait découvert son secret et volé
son trésor. Je suppose que notre espion devait chercher une
solution pour rester en vie au milieu de cet imbroglio.

— Maintenant que vous avez lu le dernier rapport de
Marlowe, vous savez qui l'a assassiné ?

— Je ne peux pas en être totalement certaine, mais j'en ai
une idée plus précise. Je vous ai expliqué que, selon le rapport
de police, trois témoins ont assisté à son meurtre. L'un était

le meilleur espion de Cecil, l'autre travaillait pour le réseau d'Essex et le troisième était un obscur négociant – disons plutôt un arnaqueur.

— Deux espions et un escroc ? Leur parole est sûrement fiable… ironisa Medina.

Kate sourit.

— Ils s'étaient retrouvés dans une salle d'auberge à Deptford, pour passer la journée à manger, fumer et se dégourdir les jambes dans le jardin. Après dîner, Marlowe était étendu sur un banc pendant que les trois autres étaient assis à table – côte à côte, je précise –, occupés à manger et à jouer au backgammon, comme le laisse entendre le rapport d'enquête. Puis, apparemment, une dispute éclate entre Marlowe et l'arnaqueur – un certain Frizer – à propos de l'addition. Marlowe s'empare du couteau glissé dans le ceinturon de Frizer, le frappe à l'arrière du crâne et ce dernier, bien que coincé entre deux hommes, avec les jambes sous la table, se bat avec Marlowe, récupère son arme et lui plante son couteau dans l'œil. Frizer a plaidé la légitime défense et obtenu gain de cause.

— Tout ça ne tient pas debout.

— Vous m'en direz tant ! D'abord, les positions bizarres des protagonistes : qui mange ou joue au backgammon en s'asseyant côte à côte avec ses amis ? Ensuite, le comportement physique… D'après mes lectures, je sais que Marlowe était *vraiment* doué avec une épée et qu'il avait un tempérament sanguin. S'il avait frappé Frizer, et par derrière en plus, il y aurait sûrement eu des dégâts. Or, les blessures de Frizer n'étaient que de simples coupures superficielles. Et s'il s'est vraiment battu dans cette position, ce devait être très inconfortable – surtout encadré par les deux autres, restés assis comme des abrutis paralysés ! Ajoutez à cela que ces types n'étaient pas précisément du genre à se rencontrer pour passer du bon temps entre amis… Non, décidément tout cela ne rime à rien.

— Alors ?

— Je pense qu'ils ont menti en déclarant qu'ils avaient

passé toute la journée ensemble. Comme je vous l'ai dit, ce n'était pas une bande de copains en goguette. À mon avis, le tueur s'en est pris à Marlowe, puis les autres sont arrivés pour je ne sais quelle raison et se sont mis d'accord pour couvrir le meurtre. Quant au *qui* et au *pourquoi*...

— L'espion de Cecil ? proposa Medina. Pour empêcher Marlowe de révéler l'existence du trafic ?

— Joli ! le taquina Kate. Vous m'avez écouté, on dirait ! Effectivement, pour moi c'est l'hypothèse la plus probable : Robert Poley, l'espion de Cecil, est le coupable. Phelippes, qui ne voulait sans doute pas la mort de Marlowe, désirait toutefois que son homme, Nick Skeres, s'empare du dernier rapport de Marlowe. Et les deux espions se sont marchés sur les pieds. Quant à Frizer, il a peut-être surgi pour venir en aide à Marlowe : ils avaient, en effet, un ami en commun.

— Dans ce cas pourquoi cet homme aurait-il accepté de couvrir le meurtre ?

— Les autres ont pu faire pression sur lui... Frizer était le seul à ne pas être un espion, donc sa parole devait paraître plus fiable. Les bagarres mortelles étaient courantes en ces temps-là, mais si le tueur était un espion on aurait pu soupçonner un meurtre politique. Et avec ces trois-là en même temps sur les lieux du crime, les risques de complication étaient trop élevés.

En entendant le capitaine annoncer que le bateau arrivait à la hauteur de Deptford, à droite, et de l'île aux Chiens à gauche, Kate observa attentivement les berges. Elles sont tellement différentes aujourd'hui, pensa-t-elle en voyant les quais et l'enchevêtrement des barres d'immeubles. La couleur dominante était le marron boueux, et la végétation était presque invisible.

Elle montra à Cidro l'île aux Chiens.

— Là, il y avait une grande forêt. C'était alors la cachette idéale pour les fugitifs en tous genres.

En approchant de Greenwich Pier, le capitaine indiqua un escalier à flanc de quai, au sommet duquel sir Walter

Raleigh avait accompli un geste resté fameux : il avait posé son manteau sur une flaque afin que la Reine puisse avancer sans se mouiller.

Quelques minutes plus tard, Kate et Medina débarquèrent à leur tour. En route vers le parc, ils passèrent devant des boutiques de souvenirs, des pubs et les bâtiments du Musée national maritime. Au niveau du portail d'entrée, une grande carte du parc transformait la vaste étendue de verdure semée d'arbres et de plates-bandes fleuries en un grand rectangle délimité par des allées pavées qui le parcouraient en tous sens.

Medina se tourna vers Kate avec un sourire énigmatique.

— Rappelez-moi pourquoi vous voulez commettre un délit ce soir plutôt qu'informer les autorités compétentes de l'existence de ce trésor ?

— Si nous passons par les circuits officiels, l'administration bloquera toute tentative d'exhumation pendant des mois et nous serons mis hors circuit, et donc incapables de découvrir qui est derrière cette affaire.

— Vous devez avoir raison, dit Medina sans être entièrement convaincu. Pourtant, nous devrions quand même …

— Nous trouverons un moyen pour rendre à la Couronne, en tout anonymat, ce que nous allons découvrir. Je suis simplement impatiente de savoir ce que Dragon de Jade recherche avec tant d'acharnement. Si nous trouvons un coffret avec un dragon de jade à l'intérieur...

— Nous aurons notre réponse.

— Tout juste !

Kate indiqua un point sur la carte.

— Retrouvons-nous là, d'accord ? Au chêne de la reine.

Medina acquiesça.

— J'ai juste besoin d'être seule pendant une vingtaine de minutes.

— Entendu. Je vais en profiter pour m'offrir une petite sieste...

Dix minutes plus tard, elle en était à son troisième essai.

Marchant le long d'un chemin à la lisière ouest du parc,

Kate vit une femme d'âge mûr promenant son chien. Arrivant à sa hauteur, Kate caressa l'animal et, avec un grand sourire, dit à la femme :

— Il est adorable.

— Merci.

— Quel parc splendide, n'est-ce pas ? Ce doit être extraordinaire d'habiter ce quartier.

— C'est agréable, admit la femme d'un ton impatient en montrant qu'elle n'était pas le moins du monde impressionnée par l'allure de la jeune inconnue.

— Je suis désolée de vous importuner, c'est la première journée que je passe à Londres, et je n'ai jamais voyagé seule auparavant...

— Il n'y a pas de mal, dit la femme en s'adoucissant.

Admirant le paysage alentour, Kate répéta la phrase qu'elle avait déjà récitée en vain à deux passants :

— J'imagine que les gamins du coin doivent venir jouer ici la nuit, n'est-ce pas ?

— Oh ! non. Dès qu'il fait nuit, la police du parc fait des patrouilles et lâche les chiens...

Du chêne de la reine, il ne restait plus qu'une carcasse pourrissante d'environ trois mètres de long, étendue dans l'herbe et entourée d'une barrière en fer forgé.

À quelques mètres de là, Kate aperçut Medina, lui aussi allongé dans l'herbe. Ses yeux étaient toujours fermés quand elle arriva à sa hauteur.

— Réveillez-vous, Blanche Neige, dit-elle en s'agenouillant près de lui.

Il la prit par les bras et la jucha à califourchon sur lui.

— Comment ça s'est passé ? demanda-t-il.

— Très bien.

Elle se releva.

— Suivez-moi.

Kate lui prit la main et le guida jusqu'à un énorme trou dans le sol, d'une forme curieuse – un ravin géant semblable à une coque de bateau.

— Voilà où nous allons creuser, Cid.

— Toutes les nuits pendant un mois ? demanda-t-il, narquois.

Le ravin était long de plus d'une centaine de mètres.

— La lettre ne donne pas d'indication plus précise ?

— La formulation reste assez vague, mais je pense qu'il n'y a que deux endroits possibles.

— Alors ça paraît faisable.

— Oui. Et maintenant, mangeons un bout et essayons de réfléchir à la marche à suivre…

Capri, Belvédère de Punta Cannone. 14 h 34.

— Où est-elle ? demanda Tolomei en entrant dans la salle de commandes.

— East London, répondit son assistant. À Greenwich.

— Nos hommes partent bientôt ?

— Oui, sir. Dans quelques heures.

26

Allons, monseigneur, sonnez la charge,
Votre sagesse fera de nous des conquérants
Mycetes, in *Tamerlan, partie I* (Marlowe)

Londres, mai 1593. Soir.

L es deux silhouettes se déplaçaient lentement le long
du Strand. L'un des hommes boitait et marchait avec
canne, l'autre ralentissait délibérément le pas.
Le boiteux était vêtu d'une tunique sombre et d'une
casquette plate assortie. Ses épais cheveux étaient gris et sa
longue barbe en broussailles, et il tenait dans la main gauche
une croix de bois peinte en rouge. Son jeune compagnon,
qui avait noué un tablier blanc par-dessus des vêtements très
simples, portait un pot en grès.
Devant le perron de la maison en briques et en rondins dont
le propriétaire était le père de Robert Cecil, Marlowe se servit
de sa canne pour frapper à la porte.
Elle s'ouvrit, et une servante apparut dans l'embrasure.
— Qui êtes-vous ?
— Un docteur, mademoiselle, répondit Marlowe. J'ai reçu
une convocation ce matin.

— Pourquoi ? demanda-t-elle, inquiète.

— Un cas de peste.

Terrifiée, la servante laissa échapper un cri.

— J'apporte cette croix pour la porte, reprit Marlowe, et un apothicaire avec quelques remèdes qui, Dieu vous garde, vous permettront peut-être d'échapper au mal.

— Les cendres d'un homme mort, intervint Helen en montrant le pot en grès. Vous mélangez deux doses avec quatre fois son volume de vin.

La jeune fille disparut à l'intérieur et revint accompagnée d'une autre servante – sa sœur, selon toute vraisemblance – et toutes deux partirent en courant dans la rue.

Helen et Marlowe s'assirent sur les marches du perron et attendirent que la maison se vide.

— On dirait qu'il ne garde aucune trace écrite de son trafic, Kit, déclara Helen en refermant un tiroir.

Leur visite dans le bureau de Cecil, en début de soirée, s'était révélée tout aussi peu fructueuse. Ils avaient aussi fouillé sa chambre dans les moindres recoins et passé presque une heure entière à examiner les documents de son étude.

— Peut-être bien, mais je suis sûr qu'il garde sur lui le dragon de jade que lui a donné ton capitaine.

Helen s'adossa à un mur et hocha la tête.

— À la façon dont il en parle, je serais surprise d'apprendre qu'il l'a vendu. Mais un homme de son rang doit certainement avoir une maison à la campagne. Ce serait le meilleur endroit pour...

— Je parie qu'il préfère garder la statuette à portée de main.

Marlowe regarda derrière une carte du monde encadrée et passa la main sur les panneaux de bois fixés au mur.

— Peut-être que, derrière l'un de ces panneaux...

— Attends, arrête ! intervint Helen, tout excitée. Regarde par terre.

— Elles sont en mauvais état, je sais, dit Marlowe en voyant ses bottes. J'avais l'intention de les faire réparer mais...

— Non ! *Sous* tes bottes.

Marlowe se tenait sur un tapis épais aux couleurs vives. Un mamelouk égyptien, pensa Helen.

— Dans l'entrée, le salon, la chambre, tous les tapis sont posés sur des bancs ou des commodes, remarqua-t-elle, comme s'ils étaient trop précieux pour que l'on marche dessus. Alors que celui-ci...

— Évidemment... murmura Marlowe en s'accroupissant.

Ils roulèrent le tapis, dévoilant trois lattes de plancher plus courtes que celles de la pièce. Helen sortit un couteau de sa cuissarde, le glissa dans un interstice et fit levier : la latte se souleva, laissant apparaître un trou dans lequel était caché un petit coffre en bois.

Juché sur des pieds épais hauts de quelques centimètres, le coffre était orné de motifs floraux gravés sur les côtés. Ils ouvrirent le couvercle en bois poli et découvrirent de petits paquets enveloppés de velours soyeux couleur rouge sang. Marlowe en décacheta un premier : il contenait un éventail en plumes de paon incrusté de saphirs et d'émeraudes. Helen prit un autre paquet et, dépliant le velours, vit une petite boîte en ivoire délicatement ouvragée et un assortiment de couteaux également en ivoire.

Ils trouvèrent encore de la porcelaine turque décorée d'un entrelacs de motifs bleu roi, vert marin et ocre, un plat en or frappé d'un lotus en son centre, un crachoir en émail cloisonné multicolore et, enfin, enveloppé dans plusieurs couches de velours, le dragon de jade vert aux yeux de rubis. Le tout était posé sur un lit de pierres précieuses grosses comme des œufs de rouge-gorge.

— D'infinies richesses dans bien peu de place, commenta Helen.

— Joliment dit, approuva Marlowe avec un sourire, reconnaissant l'un de ses propres vers. Mais comment as-tu...

— J'ai vu ta pièce en février, lors d'un passage à Londres. Deux fois.

Le Juif de Malte avait été donné au théâtre de la Rose l'hiver précédent. Helen était toujours ébahie de ce qu'elle avait découvert ce matin. Marlowe l'avait retrouvée devant le théâ-tre pour prendre des costumes, et elle avait cru qu'ils allaient les voler. Surprise, elle avait vu Marlowe sortir sa propre clé. L'avait-il dérobée ? Était-ce un comédien de la troupe ? Une fois à l'intérieur, elle avait vu avec quelle solennité le proprié-taire des lieux avait accueilli Marlowe et, abasourdie, avait compris : Kit, l'espion avec qui elle venait de passer plusieurs jours, était *ce Kit-là* : l'un des dramaturges les plus appréciés dans tout Londres.

— Ce n'est pas forcément un aveu signé, concéda Marlowe, mais posséder de pareils trésors – alors que les routes du commerce sont assez restreintes – devrait tout au moins soule-ver quelques questions…

Il se leva.

— Nous allons à Greenwich ? demanda Helen.

Il acquiesça.

— Il se fait tard.

— C'est l'heure idéale pour se glisser dans le parc.

— Nous n'allons pas frapper à la porte principale, n'est-ce pas ?

— Il est trop tôt pour révéler quoi que ce soit. Trop de détails restent flous. En attendant, je connais un endroit parfait.

Tandis qu'ils marchaient le long d'Ivy Lane pour atteindre le fleuve, Helen s'efforça d'ignorer le fait qu'elle était en train de tomber amoureuse d'un homme qui posait sur elle des yeux emplis d'amitié.

Deptford Strand. Nuit.

L'épée posée en travers des cuisses, Nick Skeres attendait, assis sur une souche dans la cour face à la maison d'Eleanor Bull. Il était resté des heures à regarder à travers la haie. À en croire Thomas Phelippes, Marlowe devrait arriver avec une preuve de l'implication de sir Robert Cecil dans un crime de trahison. Phelippes avait proposé 20 livres à Skeres en échange de cette preuve. Pour un travail de cinq minutes, c'était une somme impossible à refuser.

Il avait prévu d'approcher Marlowe par derrière au moment où il ouvrirait la porte et de l'assommer d'un coup de poignée d'épée sur le crâne, sans qu'il le voit. Skeres avait autant envie de préserver la vie de Marlowe que leur amitié.

Ingram Frizer, lui, n'avait pas ce genre de scrupules.

De l'autre côté de la ville, dans une pension située au bord du parc de Deptford, Frizer aiguisait le fil de sa lame. Il avait promis à sir Robert Cecil que Marlowe serait mort avant le lever du soleil, et il avait bien l'intention de tenir parole.

27

Londres, rive sud, de nos jours. 16 h 48.

Après avoir débarqué du bateau à Westminster Pier, Kate et Medina n'allèrent pas bien loin.

Trente minutes plus tard, ils avaient enfin traversé la Tamise et se retrouvaient non loin du London Eye. La zone était prise d'assaut par les touristes impatients de monter à bord de la grande roue pour admirer le panorama.

— Je crois que nous avons trouvé nos leurres, dit Kate.

Les trois jeunes filles russes, à qui elle venait de se présenter, avaient une petite vingtaine d'années et aucune ne parlait plus de quelques mots d'anglais.

Kate leur expliqua en russe ce qu'elle leur proposait. Au début, elles semblèrent déroutées mais, quand Kate eut terminé, elles faisaient de grands signes de tête enthousiastes.

Installés dans un café, les trois jeune Russes, Kate et Medina passèrent une dernière fois en revue les détails. Avant qu'elles ne se lèvent pour partir, Medina leur donna une enveloppe à chacune et Kate répéta les conditions : vingt pour cent de la somme maintenant, le reste dans la soirée.

Étant donné l'argent et la nature de leur mission, ni Kate ni Medina ne doutaient qu'elles mèneraient à bien leur mission.

— Je suis affreusement en retard, dit Medina en posant ses mains sur les hanches de Kate. La circulation a l'air calamiteuse et mon rendez-vous est dans un quart d'heure.

— En prenant le métro, « monsieur le Dandy », vous devriez arriver à l'heure.

Ils se trouvaient juste devant l'entrée de la station Westminster.

— Cette ligne va droit à la City.

— Excellent. Je n'y avais pas pensé, reconnut Medina. Qu'est-ce que vous allez faire ?

— Je suis restée debout presque toute la nuit dernière, à déchiffrer des rapports, à changer d'apparence, à voyager... J'ai besoin de dormir.

— Mais vous ne pouvez pas retourner à...

— Il y a un appartement réservé à nos invités dans notre agence de Londres. Et ma chambre du *Connaught* est désormais vide.

La veille, Gemma George, réceptionniste de l'Agence Slade, était allée chercher les affaires de Kate dans sa chambre d'hôtel.

— Mais imaginez que le *Connaught* soit sous surveillance... Vous allez vous faire repérer, les bureaux de l'agence sont pile en face !

— Oui, mais il y a une entrée par l'arrière-cour.

— Vous êtes la bienvenue chez moi.

— Merci, mais votre présence est trop distrayante...

Il attira Kate contre lui.

— ... et c'est pour ça que je préfère ne pas vous voir. Je veux dormir jusqu'à 22 heures. Pour me préparer, vous comprenez.

— Nous allons vraiment passer à l'acte ?

— On commence à pétocher, Cid ?

— Un peu, reconnut Medina. La perspective d'une arrestation est assez inquiétante...

— Pas si vous restez avec moi. Et n'oubliez pas que, pour

autant que les agents de sécurité du parc le sachent, ils ne font que surveiller des arbres et de la terre. Pas un trésor inestimable.

— Bien vu. Vous m'appelez quand vous vous réveillez ?

Kate acquiesça.

— À propos, une fois que cette affaire sera terminée, j'aimerais beaucoup que vous veniez avec moi en vacances. Cela me paraît une bonne idée, surtout avec cet Italien douteux à vos trousses.

— Je suis flattée, répondit-elle. Et j'en serais ravie, seulement mon père... traverse une passe difficile en ce moment. J'ai l'intention d'aller lui rendre visite à Washington.

Elle se rappela que son ami Jack lui avait fait la même proposition, et nota de lui demander s'il accepterait Washington comme destination de voyage. Après tout, pensa Kate, Jack avait vécu chez les Morgan pendant un an lorsqu'il était en école primaire, et son père serait heureux de sentir une atmosphère familiale autour de lui.

— Je comprends, dit Medina. Alors, quand vous reverrai-je ?

— Je reviendrai pour mon travail, de temps en temps. De votre côté, je suis sûre que vous ne rencontrerez aucun problème majeur pour vous trouver une autre partenaire de pique-nique.

Medina secoua lentement la tête.

— C'est une vraie tragédie, gémit-il.

— Quoi ?

Il soupira.

— Je crois qu'à cause de vous, je ne pourrai plus jamais flasher sur de jolies écervelées !

Kate rit.

— Cidro, laissez-moi vous raconter une histoire. Vous vous rappelez que Marlowe s'est servi d'un de ses poèmes pour crypter son dernier rapport ?

— Oui.

— Ce poème, c'était l'histoire de Héro et Léandre.

— Le couple séparé par un fleuve, c'est ça ?

— Oui. Dans le texte classique, on raconte qu'une nuit, alors que Léandre traversait le fleuve pour rejoindre sa bien-aimée, un orage éclata. Une rafale de vent souffla la bougie que Héro avait allumée au sommet de sa tour et Léandre, totalement désorienté, se noya. Les flots portèrent son cadavre jusqu'au pied de la tour. Quand elle le vit, Héro plongea et mourut en s'écrasant sur les rochers.

— J'en déduis que vous n'aimez guère les relations à longue distance ?

Kate posa ses mains sur ses oreilles et grimaça.

— Vanessa ? demanda Medina en riant.

Kate hocha la tête.

— Elle vient de hurler qu'elle préférerait encore manger des araignées vivantes !

— Alors dites-lui de prendre une fourchette et de se tenir prête. C'est peut-être une dure à cuire, mais ma capacité de persuasion fait des miracles.

Autrefois terrains de chasse du roi Henri VIII, regorgeant de cerfs, Saint James Park était désormais ouvert au public et regorgeait de maniaques du bronzage, de nounous poussant des landaus et de fonctionnaires discutant calmement de la marche du pays. C'était l'un des endroits préférés de Kate à Londres. Les saules pleuraient sur des roseaux oscillant doucement au gré du vent, les oies pataugeaient et les parterres de fleurs, quoique impeccablement entretenus, offraient leur géographie irrégulière aux couleurs les plus mal assorties.

En route vers son bureau, Kate laissa un message à Max. Elle lui demandait si ses recherches généalogiques avaient porté leurs fruits – si le véritable Dragon de Jade était enfin sur le point d'être découvert.

L'homme dont Kate cherchait à percer à jour l'identité se préparait, dans sa chambre, en vue de la soirée. Il partirait pour Bangkok avant l'aube, emportant avec lui le trésor appartenant à sa famille.

Comme sa fortune reposait sur des fondations fort peu

légales, il avait récemment fait l'objet d'une surveillance intense. Depuis des années, il avait berné les autorités avec succès, mais à présent, ses comptes bancaires, y compris *offshore*, étaient contrôlés. Il ignorait quel service gouvernemental avait trouvé une brèche dans sa sécurité, mais il savait que ses avoirs seraient bientôt gelés.

Par chance, la semaine précédente, un coup de téléphone stupéfiant doublé d'un heureux hasard lui avait appris la découverte d'un manuscrit contenant très certainement une information qu'il avait passé sa vie entière à rechercher.

Dès cet instant, il avait pris la décision de le voler.

Selon une vieille légende familiale, Christopher Marlowe avait dérobé un coffre rempli de fabuleuses richesses appartenant à sir Robert Cecil en mai 1593 et avait indiqué son emplacement précis dans un rapport écrit peu avant sa mort. Ce rapport était, selon la légende, tombé entre les mains de Thomas Phelippes, qui n'était jamais parvenu à le décrypter.

Le vol en lui-même n'avait pas été une catastrophe pour son ancêtre. Cecil avait reconstitué sa fortune et les activités illicites, auxquelles il s'était livré pour constituer son trésor, n'avaient jamais été dévoilées.

Sa carrière politique avait continué de suivre la même trajectoire impressionnante. La reine Élisabeth avait fini par le nommer secrétaire d'État et Jacques Ier lui avait accordé le titre de comte pour le récompenser d'avoir fait échec à la Conspiration des Poudres [1]. Il avait supplanté tous ses rivaux politiques – et avait même pu assister à la décapitation du traître Essex – mais apparemment, jusqu'à son dernier souffle, Cecil s'était plaint de la disparition de l'un des objets contenus dans le coffre volé : une splendide statuette en jade incrustée de rubis représentant un dragon.

Dragon de Jade lâcha un juron en pensant à son ami Simon Trevor-Jones. Il lui manquait. Mais le temps lui était compté,

---

1- Complot imaginé par un groupe de catholiques anglais, aidés par l'Espagne et peut-être les jésuites, pour tuer le roi protestant Jacques Ier. Trente-six barils de poudres devaient exploser le 5 novembre 1605 dans le parlement de Westminster. Le soldat Guy Fawkes a été arrêté au moment où il s'apprêtait à allumer la mèche...

et il ne connaissait aucun voleur aussi parfait que le Chat pour cette mission. Non qu'il ait eu besoin d'un voleur de ce calibre, mais seul le Chat était capable d'entrer par effraction dans une maison d'un quartier constamment patrouillé par la police sans déclencher d'alarme.

Dragon de Jade s'ébroua, comme pour se débarrasser physiquement de sa sensation de malaise, et retourna vers ses bagages. Simon était bon, pas invincible. Il se serait fait prendre tôt ou tard et, comme il avait apparemment l'intention de se suicider lorsque cela se produirait, sa mort prématurée était inévitable.

Et puis, pensa Dragon de Jade, elle n'avait pas été vaine. Dans quelques heures, il mettrait effectivement la main sur un trésor caché. Et la perte dont son ancêtre avait tant souffert, ne serait plus qu'un mauvais souvenir.

Kate traversait Green Park – un parc *entièrement* vert, à l'exception d'un unique arbre en fleurs et d'une poignée de jonquilles à l'agonie – lorsque Max la rappela.

— Je croule sous le boulot à cause de Slade, mais je pourrai partir à la recherche des descendants de tes types dans quelques heures. Robert Cecil, Ingram Frizer, Robert Poley et Nicholas Skeres, tout le monde figure dans cette liste ?

— Pour le moment. Ça me semble logique de commencer par les principaux protagonistes du meurtre de Marlowe, à l'exception de Phelippes.

— Logique, oui. Ah, je voulais te dire, aussi… le numéro de portable que je n'ai pas réussi à retracer…

— L'appel au Chat, la semaine dernière ?

— Oui. Eh bien, le téléphone n'a été utilisé qu'une seule fois, pour ce seul appel.

— Acheté sous un faux nom ?

— Oui. Et vraisemblablement jeté à la poubelle à l'heure où je te parle.

— C'est bien le style de Dragon de Jade.

— Concernant ce soir, tu crois que vous avez été suivis jusqu'au parc ?

— Non. Je n'ai repéré personne. Si quelqu'un a pris Medina en filature depuis son bureau, il a dû se laisser piéger par mon déguisement et penser que Medina avait rendez-vous avec une nouvelle copine et que la surveillance était inutile.

— Et ce soir, comment comptes-tu procéder ?

— Medina et moi irons en boîte de nuit et nous nous éclipserons par derrière.

— Ça me paraît bien. Même si l'idée de te laisser partir sans couvrir tes arrières...

— Si je me fais prendre, je suis Vanessa, barmaid new-yorkaise munie d'un passeport en règle. Je ne peux tout de même pas demander à un agent du bureau londonien de Slade d'entrer par effraction avec moi sur une propriété royale !

— Tu as raison. C'est pour cela que tu n'es pas censée mettre ta vie en danger sur une affaire privée. Aucun client ne le mérite.

— Max, ce soir je bosse pour moi, pas pour Cidro. J'ai cessé de lui facturer mes services dès mon retour à Londres. L'affaire est pour ainsi dire close. Dès que nous aurons découvert lequel de ces descendants a un tel besoin d'argent qu'il est prêt à risquer une lourde peine de prison ou, mieux encore, lequel a un lien avec Simon Trevor-Jones...

— OK. Mais je veux que tu sois à bord du premier vol pour New York demain matin. Tu te rappelles que j'ai promis à Slade de t'enfermer à double tour dans ton bureau ?

— Pas de problème, dit Kate en montant l'escalier menant à l'appartement de l'agence réservé aux clients.

— Appelle-moi dès que tu auras l'info et je te refais signe dès que je sors du parc.

— Entendu, patron !

Après avoir choisi les vêtements qu'il voulait emporter, Dragon de Jade entra dans son bureau. Il alla à sa table de travail, ouvrit un tiroir fermé à clé et en sortit son pistolet favori, au canon duquel il vissa un silencieux. Mais il ne le glissa pas dans ses bagages : il s'en servirait dès ce soir.

28

Quels sont ces prodiges qui enfièvrent mon âme docile ?
Theridamus, in *Tamerlan, partie I* (Marlowe)

Deptford, mai 1593. Nuit.

Nick Skeres se frappa le front. Pas assez fort. Il recommença. La tête encore embrumée, les paupières encore plus lourdes. Le sommeil s'insinuait en lui.
Et si Phelippes se trompait ? Peut-être Marlowe ne viendrait-il pas chez la veuve Bull cette nuit. Et s'il venait, il dormirait certainement bien après l'aube. Oui, Skeres en avait la conviction, l'aube serait le moment idéal pour s'emparer de la preuve compromettante que Marlowe possédait contre Cecil.
À gauche de la souche sur laquelle il était assis, un épais tapis herbeux l'accueillit : il ferma les yeux et misa sur le soleil pour le réveiller.
Tandis qu'il sombrait dans le sommeil, Skeres était loin de se douter que Marlowe et la preuve se trouvaient dans un bateau à moins de vingt mètres de là, glissant doucement sur la Tamise en direction de Greenwich.

Quand Marlowe arriva chez la veuve Bull, la femme grassouillette l'accueillit et l'accompagna jusqu'à une chambre spartiate mais confortable située au deuxième étage.

Il était seul. Après avoir enterré le coffre de Robert Cecil, Helen et lui s'étaient séparés. Elle partait pour son village natal, les poches pleines de pierres précieuses pour ses parents. Elle ne serait pas revenue avant le matin. Marlowe tapota sa botte gauche : il y avait lui aussi glissé quelques pierres. Tout comme Helen, il méritait une rétribution pour ses efforts. En outre, qui savait combien de temps il devrait encore tenir sans que ses pièces ou ses activités d'espion lui rapportent quelque argent ? Qui savait même s'il reviendrait jamais en Angleterre ?

Il s'assit à la table placée au centre de la chambre et disposa devant lui les pages de son poème. Puis il tira de sa sacoche encre, plume et feuille vierge, et commença à écrire une lettre codée destinée à la reine.

Londres. Nuit.

Thomas Phelippes écrivait, lui aussi.

Penché sur son bureau, il recopiait le message qu'il avait relevé la veille dans la chapelle de London Bridge – celui où Marlowe révélait l'alliance entre un Anglais anonyme et un pirate de Barbarie. Phelippes avait utilisé une flamme de bougie pour révéler en contours bruns les lettres écrites à l'encre sympathique, mais cela ne suffisait pas pour rendre le message lisible car Marlowe avait pris soin de le coder. Comme l'odeur âcre du jus d'oignon serait fort mal venue de figurer dans le recueil secret de Phelippes, ce dernier préférait recopier le message sur une feuille qui occuperait une place de choix dans sa sélection : l'avant-dernière page.

Une fois son travail terminé, il posa sa plume, ferma son encrier et brûla l'original de Marlowe. Puis il réfléchit de nouveau au titre à donner à son manuscrit. Il fallait qu'il l'ait trouvé avant le lever du soleil. Le relieur en avait besoin.

Phelippes parcourut sa liste :

1 - Des Secrets – Miscellanées des œuvres de Sir Francis Walsingham, secrétaire d'État, 1573-1590.

2 - Curiosités & Indiscrétions : contenant un choix de secrets de Sir Francis Walsingham, ainsi que des appendices rattachés à ceux-ci

3 - Catalogue des Secrets les plus intrigants d'Angleterre, contenant un choix de secrets de Sir Francis Walsingham et Thomas Phelippes.

Bon sang. Aucun ne lui convenait.

Phelippes se demanda quand Nick Skeres arriverait, avec l'information qui, il en était sûr, lui donnerait une idée pour son titre. Car la lecture de l'ultime rapport de Kit Marlowe serait, à n'en pas douter, des plus inspirantes.

Deptford. Nuit.

Peu après avoir terminé d'écrire la dernière séquence chiffrée, Marlowe entendit frapper à la porte de la pension. Pendant que la veuve Bull répondait, il rassembla ses papiers et les fourra dans sa sacoche.

Les marches de l'escalier grincèrent. La porte de la chambre voisine s'ouvrit et se referma. D'autres bruits de pas suivirent.

Robert Poley apparut avec une bouteille de vin et deux coupes.

— Le navire de Raleigh appareille à la prochaine marée ! dit-il. Au petit matin, je t'y emmènerai, caché à l'arrière d'une charrette.

Marlowe hocha la tête.

— Alors, Kit, on boit ?

— Qu'est-ce qu'il me reste d'autre à faire ?

— Tu as fini par trouver ce que tu espérais, une preuve que Cecil est impliqué dans une activité de contrebande ? demanda Poley.

Marlowe ne répondit pas. Sa langue et ses lèvres le picotaient, il ne savait pas pourquoi.

— La preuve de la culpabilité de Cecil, insista Poley, tu l'as trouvée oui ou non ?

Contre sa volonté, Marlowe sentit que ses yeux se tournaient vers sa sacoche. Il fit un effort pour fermer les paupières, mais il était trop tard. Que lui arrivait-il ?

— Malheureusement, la situation a changé, reprit Poley d'un ton inquiétant.

Et il sortit une dague de sa manche.

La flamme de la bougie scintilla sur la lame, et Marlowe pensa à son épée posée sur le lit. Pourrait-il extirper ses jambes de sous la table et bondir vers son épée avant que Poley l'atteigne ?

Il tenta de bouger, mais ses membres refusaient d'obéir. Il avait l'impression qu'une couverture tissée de fils d'acier avait recouvert son corps.

Quand la douleur explosa, ce fut atroce. Marlowe sentit un liquide chaud ruisseler sur son visage, et les flammes de l'enfer dévorer son œil droit.

Il entendit un hurlement terrifiant et il se demandait encore si c'est lui qui l'avait poussé lorsque tout devint noir.

29

Londres, Ruislip, de nos jours. 0 h 53.

Sur la piste de Northolt, un aéroport militaire privé réservé aux membres de la famille royale, aux politiciens, aux célébrités et autres personnalités, un Gulfstream G550 venait d'atterrir en provenance de Naples. Quatre hommes à la silhouette imposante en sortirent.

— Nous montons dans l'hélicoptère maintenant, sir, annonça l'un d'eux dans un téléphone portable.

— A-t-elle déjà atteint Greenwich ? demanda Tolomei à l'autre bout du fil.

— Pas encore. Nous y serons juste après elle.

Assis dans leur centre de contrôle, à l'extrémité sud de Greenwich Park, les deux officiers de la Police royale du parc s'interrogèrent du regard. Quels étaient donc ces bruits ? Apparemment, des cris et des éclats de rire de femmes. Des gamines passant en cabriolet décapoté, au retour d'une soirée dans une propriété voisine ?

Ils retournèrent à leur lecture. Ils rentraient à peine d'une patrouille où ils avaient lâché leurs chiens dans trois endroits différents du parc, aussi l'idée d'une intrusion leur semblait-elle peu plausible.

Puis un autre bruit se fit entendre : un plongeon.

Le fleuve ? Ou l'étang près du portail nord ?

Kate et Medina marchaient tranquillement le long de Maze Hill, la route longeant la lisière est de Greenwich Park.

Dès qu'ils virent la voiture de police s'engager dans l'avenue principale du parc, ils se glissèrent par le portail de Maze Hill. Kate l'avait ouvert quelques minutes plus tôt à l'aide du pistolet à crocheter de Simon Trevor-Jones pour faire entrer les trois Russes.

— Vous connaissez la phrase célèbre sur les Grecs qui apportent des offrandes [1] ? demanda Kate en pressant le pas.

— Méfiez-vous des Russes en bikini, murmura Medina.

En moins d'une minute, tous deux atteignirent le fossé en forme de coque de navire. Protégés du clair de lune par les arbres avoisinants, ils descendirent avec précaution les six mètres de pente raide.

— À partir d'ici, déclara Kate en se plaçant à la proue de la coque imaginaire, Marlowe parle de faire « un-deux » pas. Son poème ne contenant ni le mot « trois » ni le mot « douze », je suppose qu'il veut dire l'un ou l'autre. Commençons par trois.

Elle avança de ce qu'elle pensait être trois pas d'homme.

Medina ouvrit le sac et en sortit un détecteur de métaux qu'il passa sur la zone où se trouvait Kate. Rien ne se produisit. Kate avança de neuf pas supplémentaires. Quand le détecteur émit une série de petits bips, ils prirent leur truelle et commencèrent à creuser.

Les policiers du parc royal découvrirent, choqués, que trois jeunes filles en maillot de bain se livraient à une sorte de concours de plongeon dans l'étang.

1- *Timeo Danaos et dona ferentes* : « Je crains les Grecs, même quand ils font des offrandes. » (Paroles du prêtre Laocoon conseillant aux Troyens de ne pas laisser entrer le cheval de bois laissés par les Grecs devant les murailles de Troie. in *L'Énéide*)

— Excusez-moi, mesdemoiselles, mais le parc est fermé depuis plusieurs heures !

Les nageuses ne prêtèrent aucune attention à l'officier.

Il insista.

— Mesdemoiselles, le parc est fermé ! Et il est de toute façon interdit de nager dans l'étang !

Elles s'arrêtèrent, se tournèrent vers lui. Avec de grands sourires, elles se mirent à lui parler russe d'une voix traînante d'ivrognes.

La truelle de Medina heurta quelque chose de solide.

Creusant davantage, il fit peu à peu sortir de terre une surface en bois lisse d'environ 50 x 40 centimètres.

— Mon dieu ! s'exclama-t-il, excité, avant de se pencher par-dessus le trou pour embrasser Kate.

— Cid, on aura le temps pour ça plus tard, dit-elle en riant et en le repoussant.

Elle entreprit de déblayer à la main ce qui restait de terre autour du coffre puis, aidée par Medina, ils l'exhumèrent et le posèrent sur un coin de pelouse éclairé par des rayons de lune perçant à travers les frondaisons.

Kate tapa sur la main de Medina qui s'apprêtait à ouvrir le couvercle.

— On attend un peu, Monsieur-Je-Saute-À-La-Fin-Du-Polar !

Avec un mouchoir, elle nettoya les résidus de terre et vit, gravé sur trois panneaux égaux à l'avant du coffre, une sorte de bouquet de pâquerettes entouré d'un liseré de clématites. Les trois autres côtés étaient décorés de la même façon, chacun orné d'un seul panneau.

— Nous avons terminé ? demanda Medina d'un air narquois.

Kate sourit et hocha la tête.

Il souleva le couvercle, révélant un velours rouge froissé, à moitié en décomposition. Il le délogea du bout des doigts, soulevant un nuage de poussière rouge qui colora le rayon de lune comme du sang dans un tube à essai.

On distinguait à présent un élément vert pâle. Pointu.

— La queue du dragon ? suggéra Kate, le souffle presque coupé.

Medina lui fit signe de vérifier par elle-même.

— Quel gentleman vous faites...

Elle prit l'objet délicatement. Une nappe de cheveux noirs et rouges glissa le long de son visage tandis qu'elle baissait la tête pour écarter un à un les pans de velours.

À cet instant, Medina passa la main dans le creux de son dos pour retirer le Hämmerli 280 à silencieux qu'il cachait sous son sweat-shirt.

30

Oh, si je pouvais sentir son cœur palpiter dans ma main !
Un tueur, in *Le Massacre à Paris* (Marlowe)

Deptford, mai 1593. Nuit.

L'aube allait bientôt poindre.
Ingram Frizer traversait le calme parc de la ville pour rejoindre Deptford Strand. En arrivant près du fleuve, il sentit les parfums suaves des pruniers et des poiriers céder devant la puanteur des égouts et des étals de bouchers et de poissonniers. Il tourna dans une petite rue crasseuse et s'arrêta, le temps d'observer la pension d'Eleanor Bull.

Tout était silencieux.

L'entrée arrière était située dans un jardin clos de murs. Le portail était fermé par une chaîne et un cadenas. Frizer escalada le mur, crocheta la serrure rudimentaire de la porte arrière et se faufila sans un bruit dans la maison.

Une fois à l'intérieur, il tendit l'oreille. Rien. Il monta pas à pas l'escalier.

La première chambre était vide. Un peu plus loin dans le couloir, il poussa la porte de la deuxième salle – vide elle aussi. Dans la troisième, il remarqua les braises encore rougeoyantes dans l'âtre, et un corps étendu sur le lit. Plissant les yeux, il crut reconnaître le gilet que Marlowe portait au théâtre de la Rose. Les boutons d'argent avaient une forme étrange et caractéristique.

Frizer approcha lentement du lit, laissant à ses yeux le temps de s'accoutumer à la semi-pénombre. Il remarqua l'épée de Marlowe sur une table, de l'autre côté de la pièce. *Parfait.* Il dégaina son arme… puis grogna de dégoût.

De toute évidence, quelqu'un avait fait le travail pour lui. L'œil droit de Marlowe pendait près de son oreille et un poignard était fiché dans son orbite. Des gouttelettes de sang avaient séché sur sa peau d'une pâleur surnaturelle, et une large tache assombrissait l'oreiller.

Surpris par un bruit soudain, Frizer se retourna.

Robert Poley fit son entrée dans la chambre.

— Ingram, tu tombes bien, dit-il en dépliant un grand drap blanc. Cecil m'a dit que tu voulais faire passer le meurtre pour un acte de légitime défense ?

Frizer acquiesça.

— Alors autant nous mettre d'accord tout de suite sur une histoire plausible.

Il déposa le drap sur le cadavre, avant de se glisser sur le banc fixé à la table.

— J'ai eu de la chance de le trouver ce soir, mais tu es le seul à pouvoir donner corps à notre histoire. Prends place.

Frizer obéit.

— Le tempérament orageux de Marlowe est connu de tous. En particulier quand il vagabonde dans les vignes de Notre Seigneur. Je pense qu'il serait bon de dire que…

Un grincement se fit entendre à l'étage inférieur. *La porte d'entrée principale*, pensa Poley. *Quelqu'un monte les marches…*

Nick Skeres entra.

Frizer vit que Skeres s'efforçait de comprendre ce que lui et Poley faisaient ensemble dans *cette* chambre, *cette* nuit. Il connaissait bien Skeres. Ils faisaient régulièrement affaire l'un avec l'autre. Skeres travaillait également pour Thomas Phelippes, mais par chance cela ne poserait aucun problème, se dit Frizer. Car lui et Poley avaient empêché Marlowe d'obtenir une soi-disant preuve des agissements illicites de Cecil, quels qu'ils puissent être.

— Je cherche Marlowe. Phelippes veut lui parler. Où est-il ?

Frizer indiqua le lit, la forme impossible à ne pas reconnaître d'un corps humain sous un drap.

— Il refusait de payer son repas. Nous nous sommes querellés. Il m'a menacé avec son poignard.

Skeres secoua la tête, incrédule.

— Tu l'as tué ?

— Je n'avais pas le choix, répondit Frizer.

Poley se leva, prit la sacoche en cuir sur la table et la montra à Skeres.

— Elle appartenait à Marlowe. J'ai vu qu'elle contient un message codé. Peut-être ce que tu cherches ?

Skeres tendit la main, mais Poley recula d'un pas.

— *Si et seulement si* tu reviens à midi et jures au coroner que ce qu'a dit Frizer est vrai.

— Bien sûr, dit Skeres.

En voyant Poley remettre la sacoche au nouvel arrivant, Frizer s'émerveilla de son aptitude à retourner les situations. Quel que soit le contenu du message de Marlowe, Frizer était certain que ce ne pouvait pas être ce que Phelippes cherchait, mais Poley avait convaincu Skeres du contraire. Ainsi, il s'était assuré l'appui d'un nouveau témoin pour renforcer leur thèse. Du grand art.

Après le départ de Skeres, Poley se tourna vers Frizer.

— Cela ne te dérange pas d'aller chercher le coroner royal ? Il vit à Woolwich, à huit kilomètres d'ici.

— Parfait. Je suis venu à cheval.

31

Greenwich, de nos jours. 1 h 04.

Un vert pâle et profond, poli et serein. Des rubis éclatants sertis sous des sourcils hargneux. De minuscules diamants figurant des écailles. La courbe relevée des ailes et de la queue soulignée d'une incrustation d'or.

Le dragon de jade était magnifique.

Percevant un mouvement derrière elle, Kate leva les yeux. Medina était en train de se relever tout en pointant sur elle un pistolet.

— Cid ! Qu'est-ce que… Mon dieu… Pendant tout ce temps, c'était *vous* ?

Il ne répondit pas.

— Dragon de Jade… c'était une illusion, murmura-t-elle en se levant à son tour. Pour créer une fausse impression de danger, d'urgence… Pour m'obliger à décoder le manuscrit sans révéler publiquement son existence.

Medina ôta la sécurité du Hämmerli.

— Ce n'est même pas vous qui avez trouvé le manuscrit, pas vrai ?

Sa voix tremblait.

— C'était… Andrew Rutherford. Le dossier que j'ai trouvé

dans son bureau, ce dossier prouvant qu'il travaillait sur *L'Anatomie* depuis un moment… c'était bien le cas. Mon dieu, vous l'avez tué ! Un vieil homme sans défense, penché sur la plus grande découverte de sa carrière… Comment avez-vous pu ?

— Je préfère me dire que j'ai abrégé ses souffrances. Et si vous n'aviez pas été aussi cachottière concernant la lettre de Marlowe, j'aurais pu éviter de faire *ça*.

Et il pressa la détente.

— Je l'ai ! annonça Max dans l'oreillette du sergent Davies.

Ils le savaient, un aveu direct était la seule façon d'associer Medina à la mort du professeur.

— Elle assure ! apprécia Davies. Vous avez entendu, quand elle a pris sa petite voix qui tremble ? Ma parole…

— J'ai vu, oui. En tout cas, merci pour tout sergent.

— Pareillement.

Au départ, Davies s'était opposé au plan de Kate pour la soirée, expliquant que c'était trop dangereux. Mais elle avait eu raison de sa réticence : voulait-il vraiment laisser Medina s'en tirer ?

Les yeux fixés sur l'étang du portail nord, Davies observait les policiers agacés guidant les trois jolies Russes jusqu'à leur Jeep. Il entendit l'un d'eux dire qu'un interprète devait arriver au poste de contrôle dans une vingtaine de minutes.

Parfait.

Il se releva et partit en courant vers le sud, en direction de Maze Hill.

Medina hésita, surpris.

Il essaya de nouveau.

Rien.

La Jeep des policiers passa en vrombissant, sans s'arrêter. Au fond du ravin, Medina et Kate étaient invisibles. Lorsqu'il pressa la détente pour la troisième fois, elle bondit sur lui et lui balança un coup de genou dans l'aine.

Kate avait retiré les balles de son pistolet une heure plus tôt. Dans l'après-midi, peu de temps après s'être endormie, elle avait reçu un appel de Max. Il avait avancé dans ses recherches généalogiques et découvert que Medina, par sa mère, était un descendant indirect de Robert Cecil. Les pièces restantes du puzzle n'avaient pas été difficiles à assembler.

Plié en deux, Medina serra les bras autour de son ventre en grognant de douleur.

— Ça, c'était pour le Chat, déclara froidement Kate. Le soi-disant ami que vous avez trahi. Et ça, c'est pour Andrew Rutherford…

Elle entrouvrit la fermeture Éclair de son sweat-shirt et Medina vit le micro scotché sur sa poitrine. Il ne dit pas un mot, mais ses yeux lançaient des couteaux.

Kate tourna vivement la tête sur sa gauche, obligeant Medina à suivre son regard – vers rien. Elle pivota sur son talon gauche et le frappa du pied droit à la base du crâne. Il s'écroula, inerte.

— Et *ça*, fils de pute, c'est pour moi !

— Nos amies russes auront droit à un rappel sévère du règlement du parc puis seront renvoyées chez elles, dit le sergent Davies en rejoignant Kate.

— Impeccable…

Pendant ce temps, Max piratait l'un des comptes *offshore* de Medina pour y prélever le solde de la somme promise aux trois jeunes filles.

Au loin, une sirène se déclencha.

— La presse va bientôt arriver, reprit Davies en passant les menottes à Medina.

— Alors c'est le moment pour moi de partir, répondit Kate.

Elle regarda Medina. C'était une sorte de justice céleste, pensa-t-elle : à cause de l'avidité de son descendant, sir Robert verrait finalement sa trahison dévoilée et son trésor rendu à l'État.

— On n'aime pas les flashes des appareils photo ?

— Piéger un client et procéder à son arrestation devant des

journalistes... on peut rêver mieux pour une agence de relations publiques.

— À demain matin, alors. Et au fait : joli boulot.

— Merci.

Kate sortit du ravin. Elle traversait une vaste clairière lorsque deux hommes se matérialisèrent devant elle. Habillés en noir. Les voitures de police étaient encore en route, pensa Kate en entendant approcher les sirènes. Et ces deux-là n'étaient à l'évidence ni des journalistes ni des policiers du parc. Medina avait-il deviné le plan de Kate ? Avait-il lui aussi prévu des renforts ?

— Bonsoir, dit-elle calmement en sortant de son sac son tube de rouge à lèvres.

Elle savait qu'ils n'étaient pas dans son camp, mais ils n'avaient pas besoin de savoir qu'elle le savait.

— Vous devez être les collègues du sergent Davies ? demanda-t-elle en levant le tube vers ses lèvres. Je sais que j'ai à peine trente secondes avant l'arrivée de la presse mais...

Avant même que l'un d'eux ait eu l'idée de sortir son arme, Kate tira tranquillement deux fléchettes anesthésiantes. Presque instantanément, les deux hommes s'effondrèrent.

Derrière elle, une brindille craqua. *Il y en a un troisième...* Elle tenta de calculer à quelle distance il se trouvait. Deux mètres, peut-être ?

Elle recula de deux pas, pivota en levant le pied pour asséner un violent balayage. Elle sentit son talon heurter la tête de l'homme avant même que ses yeux ne le voient s'écrouler dans l'herbe.

Avec un soupir, elle se tourna, prête à repartir – mais, avant qu'elle ait le temps de faire un pas, un bras puissant la plaqua en arrière tandis qu'un tissu humide dégageant une odeur âcre venait se plaquer contre ses narines.

Immédiatement, son esprit s'embruma et ses membres se firent cotonneux. *Un quatrième... merde...* Kate se sentit hissée sur l'épaule de son agresseur, dont elle voyait les jambes aller et venir tandis qu'il l'emmenait – quelque part. Puis tout devint noir.

New York. 20 h 38.

Quelque chose ne tournait pas rond, Max le sentait. Kate aurait dû quitter le parc et l'appeler depuis bonnes dix minutes.

Inquiet, il décida de la localiser, à défaut de savoir comment elle allait. Comme tous les agents de terrain de Slade, Kate avait un traceur électronique greffé dans l'épaule. Max activa le repérage sur son ordinateur et constata que Kate avançait en direction de l'ouest, très rapidement.

D'après sa trajectoire rectiligne, sur un terrain où ne se trouvait aucune route, il comprit qu'elle était dans un hélicoptère.

32

Vile Fortune, à présent je réalise que dans ta roue,
Il est un point auquel les hommes aspirent
Mais d'où ils sont précipités la tête la première. J'ai atteint ce point,
Et comme je ne pouvais aller plus haut,
Pourquoi me lamenter sur ma chute ?
Adieu, belle reine, ne pleurez pas Mortimer
Qui méprise le monde et, tel un voyageur,
S'en va découvrir des terres encore inconnues.
Mortimer, in *Edward II* (Marlowe)

Deptford, mai 1593. Midi.

Six hommes vêtus de noir portaient le cercueil vers l'église Saint-Nicolas. Derrière, des dizaines de personnes en deuil formaient le cortège. Il y avait eu une bagarre, disaient certaines. Il avait tenté de tuer un homme. Querelle d'amoureux, pensaient d'autres. Non, rectifiait-on, c'était une querelle à propos d'un repas à payer.

Robert Poley suivait le cortège à distance. L'enquête s'était déroulée comme il le souhaitait : Ingram Frizer avait trouvé le coroner royal, et Nick Skeres était revenu tout aussi rapidement. Le coroner avait interrogé les trois hommes dans le jardin de la pension, puis avait mesuré les blessures et dressé le plan de la pièce. Ils avaient témoigné devant seize jurés – des hommes de la ville, des propriétaires, des boulangers... Et le verdict était conforme à l'attente de Poley : l'histoire avait été acceptée : Frizer avait bien tué Marlowe dans un acte de légitime défense, pour sauver sa peau.

Rien n'avait été compliqué.

Poley se rappela avec plaisir de quelle façon il s'était joué de Nick Skeres. Il avait examiné à l'avance le contenu de la sacoche de Marlowe. Comprenant que le code numérique du message qu'il avait trouvé était fondé sur un fragment de *Héro et Léandre*, il avait retiré toutes les pages du poème qu'il avait soigneusement glissées dans son gilet. C'était l'unique version, avait dit Marlowe, en conséquence de quoi personne – y compris Phelippes – ne serait en mesure de décoder la lettre qu'il destinait à la reine.

Poley avait juste eu le temps de déchiffrer le début, Frizer et Skeres étant arrivés plus tôt que prévu. Mais il en avait lu assez : « Reine adorée et puissante, je dois révéler à Votre Majesté une trahison. Votre bossu a volé des armes, qu'il a... » Marlowe avait bien découvert le commerce illicite de Cecil, mais personne d'autre n'en apprendrait jamais l'existence...

Sur ce plan, Poley n'avait eu aucun mal à trahir Marlowe. Il n'avait jamais eu l'intention d'aider le poète à mettre en danger sa propre existence. Et quand cette perspective était devenue évidente, Poley avait compris qu'il devait stopper Marlowe. C'était dommage, mais l'éliminer était l'unique moyen. Les intérêts personnels de Poley primaient toute autre considération.

Dans quelques années, il proposerait à un libraire de publier le poème de Marlowe. D'ici là, Phelippes aurait probablement oublié cette histoire et ne tenterait pas de se servir du nouveau texte pour décoder le message.

Après ce que Poley avait fait à Marlowe, c'était la moindre des choses.

Essex trouva sa reine en promenade, le long d'une berge du fleuve, à l'écart. Le vent frais était empli du parfum du chèvrefeuille, des fraises et du sel de mer. Des mouettes criaient dans le ciel, et des oiseaux voletaient et gazouillaient dans les joncs bordant le rivage. La lumière du soleil dansait sur les fleurs semblables à des pierres précieuses serties dans un halo doré.

— Mon aimée, que se passe-t-il ? demanda-t-il, voyant son visage mélancolique.

— C'est Christopher Marlowe. Il est mort.

Essex posa les mains sur ses épaules.

— Il allait nous livrer son tout nouveau poème... reprit-elle d'une voix douce, laissant Essex l'attirer dans ses bras.

Le cortège funèbre atteignit le cimetière, au bord du parc. Les six hommes se préparèrent à déposer le cercueil au fond d'une tombe fraîchement creusée.

Robert Poley se trouvait à proximité d'un trio de poètes.

— C'était le favori de la Muse, se lamentait l'un.

— Une gorge à nulle autre pareille, capable de chants si amoureux... dit un deuxième avec tristesse.

— L'un des esprits les plus fins que Dieu ait jamais mis sur Terre. Une plume aiguisée comme le couteau qui l'a pourfendu.

Quand le prêtre prit la parole, Poley tourna les talons. Enfin, il pouvait rentrer chez lui et se reposer. Son travail était terminé.

33

New York, de nos jours. 23 h 01.

Aucun mouvement, sénateur, dit Max au téléphone avec Donovan Morgan.

Il avait suivi le trajet de Kate de l'aéroport militaire de Northolt jusqu'à l'aéroport international de Naples et, de là, jusqu'à Capri. Elle n'en avait plus bougé.

— Ce qui signifie qu'elle est soit droguée, soit empêchée physiquement.

— Exact.

Max priait pour que Morgan dise vrai, pour que Tolomei ne l'ait pas tuée.

— Slade sera sur place d'un moment à l'autre, sénateur. Je vous rappelle dès qu'il y a du nouveau.

— Merci.

En raccrochant, Max se demanda ce que Slade et Morgan lui cachaient. Pour une raison qu'il ignorait, aucun des deux hommes ne semblait douter que Tolomei voulut garder Kate en vie. Max aurait aimé en être aussi sûr.

Il aurait également aimé être capable d'empêcher toute cette affaire.

Baie de Naples. 5 h 03.

Deux Zodiac gonflables emportant chacun quatre hommes piquèrent vers le sud-ouest, laissant derrière eux la péninsule de Sorrente, sa musique disco et ses néons. Bientôt, le versant nord de Capri apparut devant eux, avec sur la gauche les lumières de la Marina Grande. Ils allaient encore plus à l'ouest.

Quelques minutes plus tard, ils approchèrent de la Grotta Azzurra, la célèbre grotte bleue de Capri. Un Capriote aux cheveux grisonnants les attendait. Il aida les hommes à amarrer leurs canots, puis tous les huit gravirent les marches zigzagantes et branlantes menant au sommet de la falaise.

Répartis en deux groupes, Jeremy Slade et ses hommes prirent deux trajets différents menant à la villa de Luca de Tolomei.

Washington. 23 h 07.

Quand il avait compris, il était trop tard.

Kate parlait de son petit ami, un archéologue, depuis plus de six mois. Il avait un prénom gallois, disait-elle. Rhys. Parce que sa mère avait, comme Donovan Morgan, des origines galloises.

Il n'avait jamais vu sa fille aussi heureuse.

Morgan devait rencontrer Rhys durant Thanksgiving, mais l'amoureux de sa fille avait dû partir brusquement sur un chantier de fouilles, pour des recherches de dernière minute indispensables à son prochain exposé. Un travail sur les anciennes écritures.

À cette même date, un espion américain, nom de code Achéron, avait été envoyé en Jordanie pour neutraliser une cellule terroriste projetant un attentat au gaz neurotoxique dans le métro new-yorkais.

Morgan n'avait pas fait le rapprochement. Il y avait des

milliers de jeunes hommes à Harvard. Cette éventualité n'avait jamais traversé son esprit. L'espion de Slade avait grandi en Égypte, l'archéologue de Kate était gallois.

Puis ce fut l'invitation au Nouvel An : Kate partait le rejoindre au Caire. Morgan n'avait pas compris.

— Je ne t'ai pas dit ? Rhys a un père égyptien. Il a passé toute son enfance là-bas. Il est venu aux États-Unis pour ses études.

Quelles étaient les probabilités… ?

Morgan avait tenté de décourager Kate, lui expliquant qu'elle était bien trop jeune pour s'engager dans une relation sérieuse, mais elle n'avait rien voulu entendre. Lorsqu'il avait fait la connaissance de Rhys, et vu pour la première fois sa fille avec lui, il avait compris. Les fiançailles avaient rapidement suivi. Rhys allait parler à Kate de sa double vie, promettait-il à Morgan, mais ce serait après l'Irak. Après l'opération Hydre. Il voulait éviter à Kate des mois d'angoisse.

C'est Rhys qui avait eu l'idée de l'expédition avec son frère dans l'Himalaya. Il avait besoin d'un alibi pour expliquer qu'il resterait près de deux mois sans pouvoir la contacter. Puis il avait disparu, et Morgan n'avait rien dit, refusant d'ajouter à la détresse de sa fille.

Capri, Belvédère de Punta Cannone. 5 h 09.

Tolomei le regardait.

Plusieurs années auparavant, il avait fait installer des caméras dans toute la maison de Donovan Morgan. Simplement pour jouir de cet instant - voir l'expression familière sur le visage de son ennemi, cette expression qui avait pendant si longtemps été la sienne : un mélange de douleur et d'intense, d'absolue haine de soi.

Jason Avera et Connor Black arrivèrent sur place les premiers.

Habillés à nouveau en touristes, ils montaient les marches

étroites et sinueuses de la Via Castello, passant devant des maisons en stuc blanc et des jardins en espalier plantés de palmiers et de citronniers.

La villa de Tolomei était perchée au sommet d'une route, au bord de la falaise. Un mur de pierre incurvé couvert de lierre et surmonté d'un grillage en acier noir la protégeait sur ses trois côtés

— Patron, murmura Jason dans son micro en apercevant un reflet dans le mur, nous sommes surveillés.

Slade, qui devait désormais se trouver tout près, ne répondit pas. Il s'était attendu à être accueilli par des caméras.

Longeant lentement le mur, Jason reprit :

— Et il y a suffisamment de Semtex dans le coin pour nous pulvériser tous. Je vois un fil de détente, et je suppose qu'il y en a d'autres. Plus quelques détonateurs à l'intérieur, sans doute.

Quelque part au-dessus de la Méditerranée. 5 h 16.

— Un piège ? demanda à Slade Alexis Cruz, directrice générale du Renseignement.

Son jet privé entamait alors sa descente sur l'aéroport de Naples.

— Purement défensif, je dirais. Je pense qu'il veut savourer le spectacle... il n'a pas envie de nous éliminer tous d'un seul coup.

— Sauf s'ils sont déjà morts, et qu'il a juste envie de torturer Donovan le plus longtemps possible.

— Je ne pense pas que Tolomei veuille tuer qui que ce soit.

— Il veut quoi, alors ? Le pardon ? De l'argent ?

— Les deux, qui sait.

— Vous avez carte blanche, vous le savez.

— Parfait. Que les véhicules d'évacuation sanitaire se tiennent prêts. Nous ne serons pas longs.

Kate cligna des yeux et s'éveilla. Elle était sur une chaise près d'une fenêtre, dans une pièce vide. Au-dehors, rien d'autre que le ciel nocturne.

— Du café ? demanda Tolomei en entrant, une tasse fumante à la main.

Encore cotonneuse, Kate hocha la tête, méfiante. Elle reconnut avec agacement qu'il l'avait préparé exactement comme elle aimait. Depuis combien de temps l'observait-il ? L'écoutait-il ?

Ses yeux brûlaient. Elle se rappela qu'elle portait des lentilles colorées, et les retira. Sa perruque était posée sur la table devant elle. Elle posa les lentilles dessus.

— Pas mal, le déguisement, reprit Tolomei. Nous ne vous aurions pas retrouvée si…

— … vous n'aviez pas posé une puce dans mon téléphone portable ?

Il sourit et acquiesça.

— Mes hommes ne pensaient pas qu'ils auraient autant de mal à s'emparer de vous.

Kate haussa les épaules.

— Avez-vous transmis mon message à votre père ?

— Je ne lui ai pas parlé depuis plusieurs jours, mais je pense que vous le savez déjà.

— Je ne peux pas en être sûr à 100 %.

— Donc, c'est maintenant que vous essayez de me tuer ? Ou que vous me dites ce qu'il a fait pour s'emparer du testament de votre femme ?

— Ni l'un ni l'autre. Je ne suis pas un assassin. J'ai tué un seul homme dans ma vie, et vous savez pourquoi. À propos de cette affaire, si vous voulez savoir, j'avais vingt minutes de retard pour aller chercher ma fille le jour où elle a été tuée. J'ai dit à ma femme que j'étais sorti tard du bureau. Mais votre père a découvert que j'avais eu une brève liaison avec une associée – et il a laissé entendre que j'étais au lit avec elle au moment du kidnapping.

— C'était la vérité ?

— Oui, et j'ai honte de l'avouer. Mais qu'un collègue et ami – un homme lui aussi père d'une fille – rende public le secret que je lui avais confié, et s'en serve pour obtenir ma condamnation...

Tolomei secoua la tête, écœuré.

— Vous espériez que le bureau du ministre de la Justice tolère la torture et le meurtre ? De la part d'un agent fédéral ? Qu'il dise, en gros, aux citoyens américains qu'il est normal de faire justice soi-même ?

— Compte tenu des circonstances, oui. Mes propres erreurs m'ont coûté ma fille, mais les révélations de votre père m'ont coûté ma femme. Depuis, j'ai toujours voulu qu'il ressente lui aussi ce même déchirement, cette même amertume pour une erreur qu'il aurait commise... Qu'il vive dans la crainte torturante de la voir révélée au grand jour, et de perdre ce qui lui restait de sa famille.

— Eh bien, bonne chance.

— Merci, mais je n'ai plus besoin de chance.

— Je ne vois pas comment je pourrais croire qu'il a commis un acte équivalent à l'adultère, à la négligence vis-à-vis d'un enfant et au meurtre. Vous savez quel genre d'homme est mon père.

— Certaines choses valent tous les discours, Kate. Suivez-moi.

Max était rivé à son écran d'ordinateur. Enfin, l'écho de la puce implantée sur Kate se mettait en mouvement. Peut-être que quelqu'un la portait, il en avait conscience, mais ce mouvement pouvait aussi signifier qu'elle marchait.

Tolomei conduisit Kate en haut d'un escalier puis dans un grand hall incurvé. Là, il indiqua un porche voûté.

— Il y a trois ans, la CIA a envoyé son meilleur agent en Irak dans le cadre d'une mission visant à destituer Saddam Hussein. Votre père, à l'époque président de la Commission d'enquête du Sénat sur le Renseignement, connaissait l'opération dans ses moindres détails. Cet espion a été capturé par les services d'espionnage iraniens et détenu depuis dans la prison la plus dure de Téhéran. Jamais les États-Unis n'ont essayé de le faire échapper : trop dangereux sur le plan politique, je suppose. Alors les proches de l'agent ont été informés de sa mort, et il fut abandonné par les siens. L'homme qui a pris cette décision est Jeremy Slade, si mes sources ne se sont pas trompées.

— Elles se sont forcément trompées.

— Regardez vous-même.

Kate avança jusqu'au porche, et regarda ce qui ressemblait à la chambre d'une clinique dernier cri. La lumière de l'aube encore faible n'éclairait pas la salle. Les yeux de Kate s'ajustèrent lentement.

À l'autre bout de la chambre, elle vit un homme très maigre étendu sur un lit, raccordé à un goutte-à-goutte. À l'exception de sa poitrine montant et descendant, il était totalement immobile. Sans trop savoir pourquoi, Kate éprouva le besoin impérieux d'approcher.

Elle s'aperçut que les paupières du patient frémissaient. Au bout de quelques secondes, il tourna le visage vers elle.

Elhamdulillah, il est réveillé !

Surina Khan se tenait dans le couloir, de l'autre côté de la chambre. Elle portait un plateau sur lequel étaient posés de nouveaux médicaments, crèmes et poches pour le goutte-à-goutte. De là où elle se tenait, elle voyait son malade en compagnie d'une jeune femme aux cheveux bruns, avec un curieux tatouage.

Ils se regardaient. En silence.

De toute évidence, la femme le reconnaissait. Elle avait légèrement entrouvert la bouche, son visage était livide, son corps comme paralysé. Sa respiration semblait s'être arrêtée.

Au début, le patient de Surina paraissait calme. L'expression de son visage était avenante, bienveillante même, mais avec une certaine vacuité. Puis, imperceptiblement, il pencha la tête et pressa les lèvres.

Alors, un sourire radieux illumina ses traits.

Surina regarda la femme et vit que des larmes roulaient sur

ses joues, s'attardaient sur sa mâchoire avant de s'écraser au sol.

Puis le silence fut rompu. Le patient se mit à parler – un frêle murmure, pour commencer. Il se racla la gorge et réessaya. Les yeux plongés dans ceux de la femme, il parvint à hausser la voix, une voix hésitante mais chaleureuse. Pleine d'espoir.

— Surina ?

Pendant une fraction de seconde, le mot resta suspendu en l'air. Une feuille portée par un souffle de vent.

Puis, un bruit de chute.

La jeune femme à l'étrange tatouage n'avait pas bougé un muscle, mais Surina venait de lâcher son plateau.

34

Ah ! Si cette maudite canaille était encore en vie
Nous pourrions lui faire endurer mille tourments nouveaux.
Epernoun, in *Le Massacre à Paris* (Marlowe)

Londres, mai 1593. Début d'après-midi.

Assis à sa table de travail, Thomas Phelippes regardait avec colère le message codé que Skeres lui avait apporté dans la matinée. Depuis, il avait tenté de le décrypter, sans succès.

— Marlowe, maugréa-t-il, le poignard était bien trop doux pour toi !

Robert Cecil éprouvait le même sentiment.

Il regardait la cachette vide sous le plancher de son bureau. Jamais il n'avait éprouvé une fureur aussi ardente. Quel dommage que Marlowe soit à jamais hors de portée...

S'il avait su ce qui se passait au même moment en aval de la Tamise, sa colère aurait redoublé.

Deptford. Début d'après-midi.

Suivi par trois officiers des douanes, Oliver Fitzwilliam

emprunta le quai privé menant aux navires de la Compagnie moscovite. Kit lui avait demandé de procéder à une inspection juste avant qu'ils ne larguent les amarres car ces embarcations étaient apparemment utilisées dans une opération de contrebande.

La nouvelle de la mort brutale de son ami avait dévasté Fitzwilliam. Il brûlait d'en découdre avec quiconque était impliqué dans son meurtre. Pas un instant, il n'avait cru à cette histoire de dispute à propos d'un repas à payer. À n'en pas douter, son assassin – ou le commanditaire du meurtre – et le responsable du trafic n'étaient qu'un seul et même homme. Malheureusement, Kit était mort avant d'avoir mené à bien son enquête, et le coupable risquait de rester longtemps introuvable. Mais puisque ses moyens de transport seraient bientôt partis, ce gredin mettrait sans doute du temps avant de reprendre ses activités.

— En vertu de l'autorité et des pouvoirs qui me sont conférés par la Couronne, aboya Fitzwilliam, je viens inspecter ces navires, soupçonnés de servir à transporter des articles de contrebande.

Helen attacha le cheval de Kit dans une stalle des étables de Deptford, puis se mit en route vers le fleuve. Apparemment, son ami Robert Poley leur avait aménagé des places à bord de l'un des bateaux privés de sir Walter Raleigh, le *Bonaventure*.

Elle vit une grande agitation sur le quai des marchands. Quatre hommes en uniforme déchargeaient des caisses d'un navire de la Compagnie moscovite. Elle reconnut le plus gros : c'était l'agent des douanes qui lui avait pris ses papiers et son argent. En passant à proximité, elle entendit qu'ils confisquaient des armes volées.

C'est mon capitaine qui va être déçu, pensa Helen. Mais Kit serait ravi. Elle était impatiente de lui annoncer la nouvelle. Ils n'avaient été séparés qu'une seule journée, mais il avait tout de même manqué à la jeune femme.

35

Capri, de nos jours. 5 h 36.

Tolomei ferma derrière lui la porte de la salle de contrôle. Il trouva Kate dans l'entrée, secouée de sanglots silencieux.

En l'apercevant, elle essuya ses larmes d'un revers de manche puis s'approcha de lui et l'agrippa par son col de chemise.

— Vous l'avez gardé ici, sachant ce qu'il avait enduré pendant toutes ces années ? Il a besoin de soins médicaux appropriés ! Il a besoin d'un médecin !

Tolomei regarda calmement le tissu froissé qu'elle tenait dans les mains.

— Et il en a vu un. Trois fois par jour depuis son arrivé à Tunis.

Kate recula.

— Et que dit ce médecin ?

Tolomei lui fit signe de le suivre. Il traversa le hall et sortit dans le jardin. Quoi que bien entretenu, ce lieu dégageait une atmosphère mélancolique entêtante ; les pins et les cyprès jetaient des ombres oblongues, la verdure luxuriante était dense et broussailleuse, et les fleurs se limitaient à une palette de bleus et de violets.

Du jasmin et des aloès sortaient de crevasses dans les murs moussus.

— L'état de Rhys s'améliore de jour en jour, dit Tolomei tandis qu'ils s'éloignaient de la maison.

— Est-ce qu'il...

Sa voix se brisa. Elle reprit :

— Est-ce qu'il souffre ?

— Plus maintenant.

— Est-ce qu'il... retrouvera la mémoire ?

— Il a été drogué sans relâche pendant des années. Ils ne savent pas encore.

— Comment tout cela... est-il arrivé ?

— Il y a trois ans, quelqu'un de Langley [1] a transmis les détails de la mission de Rhys en Irak aux services secrets iraniens. En l'occurrence, à un homme que j'ai fini par bien connaître. Cet ami avait l'intention de fuir l'Iran et pensait qu'avec un espion américain entre les mains, il pourrait négocier une protection auprès de la CIA. Il voulait souscrire une sorte d'assurance-vie, si vous préférez. Voilà quelques semaines, il m'a demandé conseil.

— Mais comment avez-vous fait le rapprochement avec mon père ? Avec moi ?

— J'avais mis en place depuis des années une surveillance étroite de tous vos faits et gestes. Quand j'ai vu le visage de l'espion détenu par mon ami iranien, je l'ai reconnu et... j'ai proposé de l'acheter pour une somme non négligeable.

— Combien ?

Elle était presque certaine de connaître la réponse, mais elle voulait se l'entendre confirmer.

— Onze millions de dollars.

— Je sais que vous ne l'avez fait ni pour Rhys ni pour moi, dit-elle doucement, mais merci.

— Je vous en prie, répondit Tolomei, surpris de la sincérité qui transparaissait dans les paroles de Kate.

Plus surprenant encore, il sentit son cœur s'alléger d'un poids, et il savait que ce n'était pas à cause de la peur qu'éprou-

---

1- Siège de la CIA, non loin de Washington.

vait Donovan Morgan. Le regard de Kate, sa gratitude intense quoique contradictoire, étaient la raison pour laquelle il appartenait au FBI voilà bien des années.

Kate ouvrit le portail du jardin de Tolomei et marcha jusqu'au bout de la Via Castello. Le panorama était spectaculaire. Elle s'appuya à la rambarde et regarda à travers les pins les reflets turquoise de la mer.

Moins d'une minute plus tard, elle entendit un bruit de pas. Elle se retourna, face à Jeremy Slade.

— Il va bien ?

— Il se remet, dit Kate.

— Je le croyais mort. Je pensais qu'il était plus simple pour tous ceux qui l'aimaient de le croire mort. Et il fallait tenir compte du protocole. Un incident avait été signalé dans l'Himalaya, près de l'Everest, alors...

— Et le bras ?

Slade la regarda, stupéfait.

— Vous avez ouvert le cercueil ?

Il ferma les yeux pendant quelques secondes.

— Nous avions besoin de quelque chose pour la veillée funèbre. Ce bras... appartenait à l'un des touristes allemands tués pendant l'attaque. Le frère de Rhys était près de leur campement, et...

— C'était lui qui m'envoyait les cartes postales ?

Slade acquiesça.

— Vous devez savoir une chose : pendant des années, j'ai interrogé tous les transfuges venus d'Iran. Et quand Saddam a vidé les prisons avant la guerre – en gardant seulement les espions –, j'ai envoyé des équipes pour enquêter sur le terrain. Pendant des mois. Pour avoir une certitude. Il ne m'est jamais venu à l'idée que...

— Je peux comprendre votre raisonnement, l'interrompit Kate. Mais si vous n'aviez pas menti, quelqu'un aurait pu chercher dans une direction que vous n'aviez pas explorée.

Slade resta silencieux.

Kate vit son regard, lourd de culpabilité.

— La fuite, la disparition de Rhys… est-ce pour ces raisons que vous avez quitté l'agence ?

Il hocha la tête.

— Depuis combien de temps saviez-vous qu'il était en vie ?

— Votre père a reçu une vidéo il y a cinq jours mais…

— Mon père est au courant *depuis cinq jours* ?

— Nous voulions retrouver Rhys et le ramener sain et sauf à la maison avant de vous en parler. Tolomei vous a envoyée pour négocier ?

— Non.

— Que veut-il ?

— Rien. Il a déjà eu ce qu'il voulait.

— Il ne réclame même pas de pardon ?

— Il n'a aucune intention de redevenir Nick Fontana, ni de rentrer aux États-Unis. Il dit que vous pouvez entrer dans la maison et voir Rhys. L'hélicoptère d'évacuation peut se poser dans le jardin.

— Vous parlez comme si…

— Il a congédié ses gardes hier soir. Et à présent, il est parti.

Avant qu'elle ne quitte le jardin, Tolomei lui avait appris l'existence de l'ascenseur creusé dans la falaise, juste sous de la villa.

— Il n'a pas votre niveau d'entraînement… vous auriez pu le stopper.

— Après ce qu'il a fait pour Rhys ?

Kate secoua la tête.

— De toute façon, il n'a pas l'intention de révéler ce qu'il sait à quiconque.

— Vous lui faites confiance ?

— Oui. Il ne représente pas une menace pour nous tant que vous n'essayez pas de le faire extrader… ou assassiner.

— Vous a-t-il donné les noms d'autres personnes qui sauraient la vérité à propos de Rhys ?

— Hamid Azadi est le seul, mais c'est un transfuge. Il ne s'occupe plus du tout d'espionnage, il ne révélera rien.

Slade ne répondit pas. Il sortit son téléphone de sa poche.

— Nous sommes prêts… Dans son jardin… Non, aucun problème.

À 10 mètres sous le niveau de la mer, un petit sous-marin hydroptère biplace, le *Bionic Dolphin*, fonçait vers le continent. Tolomei était aux commandes.

Naples. 8 h 04.

Le ciel était gris. Une légère brume matinale colorait l'air.

Avec un frisson, Kate vit le brancard poussé sur le tarmac par deux hommes jusqu'à la silhouette blanche et lisse du Gulfstream, le jet privé d'Alexis Cruz. En bas de la passerelle, ils le soulevèrent et chargèrent Rhys à bord.

La jeune infirmière, Surina Khan, les suivit. Elle avait demandé à partir elle aussi et, voyant de quelle façon Rhys réagissait à sa présence, Kate et Slade avaient reconnu que c'était une bonne idée.

Le jet prit de la vitesse et décolla, mettant le cap sur Washington.

Kate tourna les talons et avança jusqu'au terminal principal de l'aéroport.

— Tu dois *tout* me raconter ! s'écria Adriana dès que Kate décrocha le téléphone. Partout, on ne parle plus que de l'arrestation de Medina. Apparemment, cela fait la Une de tous les journaux… Je n'ai pas encore lu les articles, je préfère remonter directement à la source. À moins que tu ne sois pas encore autorisée à m'en parler ?

— Bah, répondit Kate avec tendresse, heureuse de cette distraction, à l'instant où il a pointé son arme sur moi, ses droits à la confidentialité de l'affaire se sont envolés…

— Oh mon dieu ! Tu vas bien ? Je ne savais pas que tu te trouvais à Greenwich Park ! Tout le monde pense qu'il y avait seulement la police.

— Je te raconterai ça. Mais je vais… je vais bien.

— À t'entendre, tu as l'air malade.

— J'ai pris froid, je crois.

— Ça te dirait que l'on se prenne un café ensemble ?

— Génial. Je ne vais pas tarder à embarquer, là. Mon avion atterrit à Londres vers 11 heures.

— Comment ça ? Tu es où, au juste ?

— J'ai dû m'occuper d'un autre… dossier. Je suis à Naples.

— Tu me donnes le numéro de ton vol ? Je viens te chercher.

— Oh, ne t'embête pas avec ça. De toute façon, je dois passer au bureau récupérer des affaires.

— Dans ce cas, rendez-vous à Shepherd Market, sur la place principale. Pour manger un morceau.

— Parfait. Midi et quart ?

36

Je vais, tels les vents furieux avant la tempête.
Guise, in *Le Massacre à Paris* (Marlowe)

Londres, mai 1593. Après-midi.

Il ne pouvait pas attendre plus longtemps. Son recueil devait être relié et dissimulé sans tarder.

Phelippes regarda par la fenêtre. De sombres nuages s'amoncelaient. Il pleuvrait bientôt. Tant mieux.

À l'aide d'une petite dague, il coinça le message codé de Marlowe dans la semelle de sa botte gauche. Puis il glissa l'original, tellement agaçant, à sa place, à la fin de la pile de documents entassés dans son coffret en étain. Phelippes détestait l'idée de tout faire relier avant de s'assurer que la dernière page contenait bien la preuve de l'association renégate de Cecil avec le pirate de Barbarie, mais il n'avait pas le choix.

Dès que Cecil découvrirait que Phelippes détenait une information aussi compromettante, il enverrait des hommes fouiller ses appartements. Des hommes qui ne renonceraient pas tant que la dernière fissure n'aurait pas été explorée et toute surface sondée pour y trouver une cachette. Dans ce cas, non seulement Phelippes perdrait l'arme qui devait lui permettre de renverser Cecil, mais son arsenal de secrets, si péniblement constitué, lui serait arraché des mains. Il devait empêcher que cela se produise.

Et il fallait trouver un titre, maintenant.

Phelippes prit sur son bureau une feuille de papier et dévissa son flacon de jus de citron. Le citron était une denrée hors de prix, mais le manuscrit le valait bien.

Il relut une nouvelle fois la feuille avec des titres possibles, puis la brûla à la flamme d'une bougie. Aucun ne lui plaisait.

Peut-être étaient-ils trop longs ?

À cause de ce gredin de Marlowe, voilà qu'il devait se dépêcher alors qu'il aurait aimé avoir tout le temps de réfléchir à ce dernier détail. La mort de l'espion avait-elle été rapide ? se demanda Phelippes. Un couteau planté dans l'œil ôtait-il instantanément la vie ? Ou Marlowe a-t-il eu le temps de se réjouir, persuadé d'emporter son secret dans sa tombe ?

Brusquement, un titre s'imposa. Plus court que les autres. Plus tranchant, également. Comme un coup de poignard. *L'Anatomie des Secrets.*

Phelippes traça les trois mots d'une plume trempée dans le jus de citron. Puis il ouvrit son flacon d'encre, prit une autre plume et écrivit quelques lignes de nulles tout autour du titre invisible. Quand la page fut sèche, seules les nulles apparaissaient. Satisfait, Phelippes posa la page-titre au sommet de la pile, glissa ensuite sa boîte dans un grand sac.

Son relieur l'attendait.

De retour dans son étude, Phelippes se précipita sur la sacoche en cuir de Marlowe. Il y avait fait une autre découverte intéressante, quelque chose qui pourrait atténuer sa frustration. C'était un poème écrit par Walter Raleigh à propos de son amour pour la reine.

Long de plusieurs milliers de vers, le poème avait manifestement nécessité beaucoup d'efforts. C'était à coup sûr l'original, pensa Phelippes, car beaucoup de mots avaient été biffés et remplacés.

— Eh bien... il va lui manquer...

Après avoir allumé un feu dans sa cheminée, il jeta une à une dans les flammes les pages du poème.

Malgré l'extraordinaire popularité des œuvres de Raleigh et de Marlowe, Phelippes était convaincu que son *Anatomie* était la seule création valable issue de cette affaire. Les mots, les pages écrites par les deux hommes seraient bientôt oubliés. Tout comme Marlowe, pensa-t-il en se rappelant que le poète espion était enterré le jour même.

Phelippes n'avait aucun moyen de deviner que, bien des siècles plus tard, des universitaires spécialistes de la Renaissance se lamenteraient sur la perte du poème de Raleigh et la mort prématurée de Marlowe, alors que rares seraient ceux qui connaîtraient son nom à lui…

Quand il eut terminé, Phelippes se coucha dans son lit et ferma les yeux. Cela ne devrait plus tarder, maintenant. Avant la tombée de la nuit, vraisemblablement.

Il y eut un violent martèlement à la porte. Puis un autre.

Phelippes avait barricadé l'entrée mais… Dans un craquement effroyable, la porte céda. Les hommes de Cecil arrivaient.

Phelippes était seul. S'il avait changé ses habitudes et fait appel à des gardes pour le protéger, Cecil aurait forcément su qu'il avait effectivement quelque chose à cacher.

— Où est-il ? demanda une grande brute.

— Je n'ai aucune idée de ce dont vous parlez, répondit Phelippes en s'efforçant de paraître tomber des nues.

Ils étaient trois, qui se mirent à fouiller partout, sans préambule. Ils feuilletèrent les livres, lacérèrent la paillasse de Phelippes, inspectèrent tous les coins et recoins.

Quatre heures plus tard, ils arrêtèrent enfin.

— Déshabille-toi !

Phelippes ne résista pas. Il déboutonna son gilet et retira sa chemise. L'un des hommes fouilla ses poches et déchira la doublure de son pourpoint. Pendant ce temps, les deux autres ricanaient devant son maigre corps.

Puis Phelippes s'assit pour retirer ses bottes. Aussitôt des mains les palpèrent et inspectèrent les semelles, dans l'espoir qu'un papier aurait pu y être glissé.

L'homme qui vérifiait les bottes grogna : ses mains étaient couvertes de boue.

— Quel porc tu fais, marmonna-t-il.

Phelippes haussa les épaules. Il avait une bonne raison de n'avoir pas nettoyé ses chaussures.

37

Paris, de nos jours. 11 h 34.

Jeremy Slade pointait un pistolet automatique équipé d'un silencieux sur un homme au visage entouré de bandages.

— Tu perds ton temps, dit l'homme. Hamid Azadi est déjà mort. Tout ce que je veux, c'est mener une vie paisible au bord de la mer.

— Tu crois vraiment que je vais te faire confiance ?

— Non. C'est *moi* qui vais te faire confiance : mon nouveau nom est Cyril Dardennes. J'ai hérité de ma grand-mère française une petite fortune et je pars m'installer à Key West. J'en rêve depuis des années.

— Tu ne mérites pas de rêver, Azadi. Tu as volé trois ans de sa vie à un homme que j'aime comme un frère. Et je ne parle même pas de toutes les vies innocentes qu'il aurait pu sauver s'il avait été opérationnel pendant ces trois années.

— Je suis désolé que ton ami ait perdu tout ce temps. Mais n'oublie pas que, sans mon intervention, les Irakiens l'auraient certainement capturé et exécuté.

— Au contraire. Il aurait pu empêcher une guerre.

Avec un déclic, Slade arma le chien de son pistolet.

— Tes contacts dans mon ancien pays sont minimes. Un

jour, tu auras besoin de moi. En tout cas, tu voudras savoir quel agent de la CIA m'a transmis les informations.

Slade plissa les yeux. Il pensait que le traître était resté anonyme.

— Tu connais son nom ?

Azadi hocha la tête.

— Et je te le dirai... un jour où tu ne me menaceras pas avec ton arme.

Quelques secondes plus tard, Slade sortit de la chambre. Sans avoir tiré.

Londres, Mayfair. 11 h 45.

Quand elle eut fini de coiffer ses cheveux mouillés, Kate sortit de sa valise sa trousse de maquillage. Elle n'était pas encore prête à parler de ce qui s'était passé à Capri et ne voulait pas qu'Adriana remarque ses yeux gonflés ou les traces rouges sur ses joues. Elle dévissa un flacon de fond de teint et, du bout de l'index, tapota un peu de poudre sur les zones à masquer, avant de souligner ses yeux d'un trait de crayon brun foncé et ses paupières d'une ombre cuivrée. Elle termina par les lèvres, et inspecta le résultat dans la glace. Seule la rougeur dans ses yeux trahissait le tumulte de son cœur. Elle enfila des grandes lunettes de soleil en écaille, attrapa son sac à dos et sortit.

Shepherd Market n'était pas trop loin des bureaux de l'Agence Slade. En quelques minutes, Kate traversa Curzon Street et arriva au marché en prenant une allée couverte de larges dalles de pierre. Cette enclave piétonne pittoresque était toute bourdonnante de vie. De la place principale, Kate repéra Adriana, assise à la terrasse d'un bistrot, sous un auvent de la même couleur rouge vif que les tables.

— Merci de m'avoir donné rendez-vous ici, dit-elle en se penchant pour embrasser Adriana.

— C'est que je *meurs* d'envie d'entendre ce qui s'est passé la nuit dernière...

Kate se glissa sur la chaise en osier face à son amie.

— Je meurs de faim. On commande d'abord ?

— Oui.

— Tu prends quoi ?

— Hmmm... un café et une omelette tomate-feta.

— Ça m'a l'air bien, dit Kate qui n'était pas d'humeur à examiner le menu. Je prends la même chose.

Adriana croisa le regard du serveur. Une fois qu'il eut pris la commande, elle se tourna vers Kate.

— Et maintenant, parlons de Cidro. Je t'avoue que je n'y comprends plus rien. Les gens parlent d'un coffre au trésor, ce qui semble assez excitant – qui n'en voudrait pas ? – mais que Cidro risque la prison... alors qu'il touche un salaire de P.-D.G. ?

— En fait, ce n'est pas exactement ce qu'on croit. Son côté « roi Midas » qui transforme tout ce qu'il touche en or ? Un de ses amis, qui travaillait dans un cabinet de comptabilité haut de gamme, lui indiquait les sociétés en situation périlleuse pour qu'il puisse vendre leurs actions en spéculant sur leur dégringolade. Quand cet ami s'est fait virer, la fortune de Cidro en a pris un coup. S'il a tenu le choc, c'est en faisant circuler de fausses rumeurs concernant les sociétés en question. Les services de surveillance des opérations boursières l'ont à l'œil, et il est à deux doigts de la ruine. Il n'y a pas si longtemps, il a vendu à la baisse des actions de sociétés qui ont fini, contre toute attente, par grimper en flèche. Résultat : il va devoir débourser énormément d'argent.

— Mon dieu, j'ignorais.

— Moi aussi. Il est très doué pour sauver les apparences et jouer au type riche, blasé et insouciant... C'est toujours comme ça que je l'ai vu.

— Comment as-tu deviné que c'était lui, le méchant ?

— Je savais que... le méchant, comme tu dis, avait connaissance de certaines informations historiques dont les universitaires n'avaient même pas idée. Alors j'ai supposé que notre méchant devait partager une sorte de secret de famille mentionné dans des documents strictement privés, ou transmis de génération en génération. Max a cherché tous les descendants des Élisabéthains susceptibles d'avoir eu accès à ces informations et…

— … Cidro était dans la liste.

— Tout juste.

Le serveur leur apporta leur café.

— Quand as-tu découvert la vérité ? demanda Adriana en versant du lait dans les deux tasses. Je veux dire, que Cidro était coupable ?

— Hier soir. Quelques heures avant d'entrer avec lui par effraction dans Greenwich Park.

— Il s'en est fallu d'un cheveu, pas vrai ?

— J'ai eu de la chance. Max n'avait même pas l'intention de boucler ses recherches hier. Passer en revue les descendants de Cecil et des trois témoins du meurtre de Marlowe, essayer de les rattacher à notre affaire… nous pensions que cela prendrait des jours, des semaines même car il y avait peu de chance pour que l'ensemble des registres généalogiques soit informatisé. Mais Max avait une heure devant lui et il a décidé de commencer avec le premier aristocrate, Robert Cecil. Il savait qu'il trouverait sans problème son arbre généalogique sur Internet. Il n'a trouvé aucun descendant direct ayant de graves problèmes financiers ou un lien quelconque avec le Chat – le voleur employé par notre mystérieux « méchant ». Mais quand il s'est intéressé aux descendants indirects de Cecil, alors Max est tombé sur le nom de Cidro.

— C'est tout ? C'est comme ça que tu as su ?

— Dès que Max s'est penché sur la santé financière de Cidro – l'enquête de la SFO [1], le fait que Cidro liquide ses avoirs et place les recettes sur des comptes *offshore*…

Le serveur apporta les plats.

— Mais ton rôle à *toi,* là-dedans ? Pourquoi Cidro avait-il besoin de tes services ?

— Pour trouver le coffret, il lui fallait une personne capable

---

1- Serious Fraud Office : l'équivalent anglo-saxon de la COB (Commission des opérations de bourse).

de décoder le manuscrit qu'il prétendait avoir trouvé dans la City.

— Prétendait ?

— Il a vendu ses bureaux il y a quelque temps, mais c'est là qu'il dit avoir trouvé le manuscrit. En fait, le manuscrit a réellement été découvert à proximité, à Leadenhall Market… Cidro avait fait le pari – assez astucieux – qu'en me donnant des scènes de crime à explorer et des centaines de rapports à décrypter, je ne prendrais pas le temps de m'occuper de détails qui ne feraient pas progresser suffisamment vite l'affaire – comme, par exemple, inspecter l'endroit où le manuscrit avait soi-disant été découvert.

— Mais alors qui l'a *vraiment* trouvé ?

— Un professeur d'histoire de Christ Church. Le Dr Andrew Rutherford.

C'est ce qu'avait supposé Kate dès les révélations de Max, la veille au soir. Pour en avoir le cœur net, elle avait téléphoné à Hugh Synclair, l'inspecteur d'Oxford. Elle imaginait que si Rutherford avait effectivement découvert le manuscrit, il y ferait référence dans son testament. Et elle avait vu juste. Dans son testament, le professeur racontait dans quelles circonstances il avait trouvé le manuscrit, un mois plus tôt, et il demandait pardon à ses collègues de ne pas avoir aussitôt rendu sa découverte publique. C'était mal, il en avait conscience, mais la perspective de consacrer les derniers mois de sa vie à décrypter seul un tel manuscrit l'avait emporté sur la déontologie.

C'était un étudiant qui, disait-il, l'avait mis sur la voie de la découverte. Quinze ans plus tôt, l'un de ses élèves lui avait parlé d'une mystérieuse lettre que Christopher Marlowe avait écrite juste avant de mourir et qui avait atterri entre les mains de Thomas Phelippes. L'étudiant avait ajouté que si un jour cette lettre refaisait surface, elle risquait de provoquer une terrible catastrophe dans sa famille.

Kate savait que cet étudiant anonyme était Cidro Medina, et que la menace pesant sur sa famille n'était qu'une ruse visant à alerter le professeur à chaque découverte d'un nouveau document datant de l'ère élisabéthaine

Bien que ce ne soit pas son domaine d'expertise, Rutherford se passionnait pour l'espionnage au temps de la reine Élisabeth. Les informations de son élève l'intriguaient au plus haut point et il n'avait eu de cesse de trouver la lettre de Marlowe. Pendant plus de dix ans, il avait écumé toutes les archives du Royaume-Uni et s'était tenu informé du déroulement de tous les chantiers de construction aux abords de Leadenhall Market. Il savait que Thomas Phelippes adorait tout ce qui entourait l'espionnage, en particulier les codes secrets et les cachettes.

Il n'était donc pas impossible qu'il ait dissimulé quelque chose dans sa maison.

Un mois plus tôt, des ouvriers avaient commencé à renforcer les fondations de l'un des bâtiments historiques du quartier. Par un pur hasard, ils étaient tombés sur le coffret en étain de Thomas Phelippes. Rutherford ayant fini, au fil des ans, par sympathiser avec la plupart d'entre eux, ils lui avaient remis l'objet dès qu'il avait été déterré.

— Rutherford a invité Cidro à dîner la semaine dernière. C'est sans doute à cette occasion que le professeur lui a appris la découverte du manuscrit. Un peu plus tard dans la soirée, Medina est retourné voir le professeur et l'a tué pour s'en emparer.

— Medina, un assassin… Difficile à imaginer. Il était si séduisant…

— Tu peux me croire, j'ai testé pour toi.

Kate ouvrit la poche extérieure de son sac à dos et le pencha vers Adriana pour lui montrer ce qu'elle contenait : le pistolet à crocheter de Simon Trevor-Jones.

— Quand nous aurons fini notre déjeuner, je t'emmènerai chez lui et je te montrerai comment on se sert de ce genre d'outil.

Kate conduisit Adriana jusqu'au bureau de Medina. Elle souleva les lattes de plancher dissimulant le coffre-fort et tourna le cadran.

— Tu connais la combinaison ?

— C'est nous qui l'avons installé, répondit Kate en ouvrant la porte.

Elle prit le coffret de Phelippes et le glissa dans son sac à dos.

— Tu sais, murmura Adriana, je pourrais y prendre goût...

— À entrer dans des endroits où tu n'es pas censée te trouver ?

— Hmm-hmm... J'ai déjà enfreint la loi, mais ça c'est une première. À propos, j'y pense... Ce fameux voleur dont tout le monde parlait, le Chat, lui et Cidro étaient amis ?

— Oui.

— Alors pourquoi Cidro lui a demandé d'entrer ici par effraction ? Dans sa propre maison ?

— Cela faisait partie de son plan : il voulait me faire croire à l'existence d'un voleur pour me forcer à déchiffrer le manuscrit rapidement et discrètement, persuadée que je le protégeais en traquant un dangereux manipulateur.

— Mais... le Chat est mort. Si c'était l'intention de Cidro, comment a-t-il pu convaincre son ami de foncer tête baissée dans le piège ?

Kate indiqua d'un geste les murs autour d'elles.

— Rien de personnel, tu vois ? Pas de photos d'amis, pas de photos de famille... Rien de marquant. C'est une location à court terme. À mon avis, le Chat n'avait aucune idée du fait que Cidro venait d'emménager ici. Et je suis sûre que Cidro ne l'a jamais averti de la présence d'un gardien !

— Tu penses qu'il savait que son ami se suiciderait s'il se retrouvait coincé ?

— Non. En fait, il a dû être le premier surpris. Hier soir, j'ai appelé le gardien qui surveillait la maison pendant le cambriolage. Un jeune type, novice dans le métier. Il m'a dit que Cidro prétendait recevoir des menaces de mort, et qu'il l'avait prévenu que des hommes armés pouvaient se montrer à tout moment. Cidro avait besoin de le rendre suffisamment nerveux pour qu'il ait le réflexe de tirer car, si le voleur avait survécu, il aurait compris qu'il avait été piégé et le petit jeu de Cidro se serait terminé trop tôt.

— C'était risqué, tout de même. Après tout, le gardien aurait surtout cherché à se protéger, pas à tuer l'intrus, n'est-ce pas ?

— Oui. Mais tout le plan dans son ensemble était risqué... C'est ça qui excite Cidro : prendre des risques énormes pour rafler une mise énorme.

— Je suis heureuse que tu n'aies pas cédé à ses avances.

Kate resta silencieuse.

Adriana lui jeta un coup d'œil et remarqua son expression douloureuse.

— Oh mon dieu. Que s'est-il passé ?

Kate consulta sa montre et, sur le ton de la plaisanterie, s'exclama :

— Oh ! Déjà ! J'ai rendez-vous avec quelqu'un à 14 heures ! Il faut que je file...

— Ça, tu n'y penses même pas ! déclara Adriana d'une voix sévère.

Kate haussa les épaules d'un air faussement contrit, et elles se dirigèrent vers la cage d'escalier.

— Où se déroule ce prétendu rendez-vous ?

— Au siège du New Scotland Yard. J'y retrouve le policier avec qui j'ai travaillé et nous allons déposer le manuscrit et le coffret au British Museum.

— Tu as tout le temps... C'est au sud de Saint James Park, n'est-ce pas ?

— Oui.

— Je t'accompagne, dit Adriana en ouvrant la porte d'entrée de la maison.

— Un peu de compagnie, cela ne se refuse pas.

Kate verrouilla la porte et elles se mirent en route pour le parc.

— Eh bien ?

— Oh, trois fois rien, vraiment. Je ne suis pas tombée amoureuse de lui ni rien de ce genre, mais j'ai cru qu'il était sincère et que son intérêt pour son manuscrit n'était rien d'autre que ce qu'il prétendait, c'est-à-dire une curiosité un peu dilettante. Et puis, tu sais… ça m'a amusé, de flirter un peu.

— De toute façon, tu n'avais aucune raison de le soupçonner. Est-ce qu'il n'avait pas déjà été client de ton agence ?

— Si.

— Autrement dit, ils avaient déjà vérifié son profil et tu étais tout à fait en droit de croire ce qu'il racontait.

— Hmm-hmm… C'est juste très humiliant de voir tes propres pièges se retourner contre toi. Je n'avais pas une seconde imaginé qu'il me draguait aussi ouvertement dans un seul but : brouiller mon jugement. Dire que j'ai fait la même chose à des gens pendant des années dans le cadre de mon travail !

— Peut-être t'a-t-il semblé sincère parce qu'il était *vraiment* sincère. Je parie qu'il t'aimait, mais juste comme une…

— Ana, il a essayé de me tirer dessus !

— L'enfoiré ! Comment as-tu…

— J'avais pris la peine de retirer les balles de son chargeur, dit Kate en souriant. Hier soir, nous avions prévu de sortir d'abord dans un club, puis de nous éclipser discrètement par la porte de derrière, au cas où quelqu'un nous aurait suivis. J'avais bien pensé qu'il serait armé, mais qu'il n'aurait pas son arme sur lui dans le club de peur que je m'en aperçoive. Quand il a commandé à boire, j'ai fait mine d'aller aux toilettes, mais en fait je suis sortie et me suis précipitée à sa voiture. Et j'ai trouvé le pistolet planqué sous son siège.

— Cela n'aurait pas été plus logique pour lui d'aller dans le parc avant toi, ou d'envoyer quelqu'un ?

— Sans m'en rendre compte, je l'en ai empêché. Il a bien essayé de me faire dire l'emplacement exact de la cachette – d'une façon si discrète que je ne m'en suis même pas rendu compte – mais les termes employés par Marlowe dans sa lettre étaient trop vagues et je n'avais pas envie de me lancer dans des explications à ce moment-là.

Kate soupira. L'heure de la confession avait sonné.

— Crois-le si tu veux, Ana, mais je suis sortie avec un homme qui n'aurait eu aucun scrupule à me tuer.

— *Enfin !*

— Pardon ?

— Je te connais depuis presque dix ans, et c'est la première fois que tu me racontes une anecdote sexuelle que je ne peux *pas* surpasser…

Londres, New Scotland Yard. 14 h 26.

— Je suis sous le choc. Sous le choc, vraiment, déclara lady Halifax en rangeant sa bague dans son sac à main.

Le sergent Davies étant en retard, Kate avait inspecté la bague puis téléphoné à lady Halifax pour qu'elle vienne la chercher. Une fois signés tous les formulaires, elles quittèrent le siège de Scotland Yard.

— Voir le ravissant ami de Simon aux informations, ce matin, m'a rappelé bien des choses. Je les voyais ensemble de temps en temps. Ils s'entendaient comme larrons en foire – des voleurs plus que des larrons, apparemment. En tout cas, je ne les aurais jamais cru capables de se trahir l'un l'autre. Surtout si brutalement.

— Je sais, reconnut Kate.

— Je suis désolée de n'avoir pas pu vous aider. Mais impossible de me rappeler son nom ! Et mon amie Ella ne s'en souvenait pas non plus…

— Oh, ne vous inquiétez pas.

— Je ne m'inquiète pas. Il est parfaitement clair que vous vous êtes très bien débrouillée sans moi.

— Merci.

Kate héla un taxi et aida lady Halifax à prendre place.

— La prochaine fois que vous viendrez à Londres, j'espère que vous m'appellerez, pour un petit tennis ?

Kate sourit et acquiesça.

— Mais je vous en prie, ma chère… sans vous offenser : prenez quelques leçons avant.

38

Sont-ce là vos secrets, que nul homme ne doit connaître ?
Guise, in *Le Massacre à Paris* (Marlowe)

Londres, mai 1593. Fin d'après-midi.

Phelippes savait qu'il était suivi. Pendant des heures, il avait marché lentement, prenant soin de rester toujours visible de l'homme à ses trousses. Sans le mettre en difficulté – Phelippes voulait qu'il reste détendu.

Il avait bavardé dans le cimetière de Saint Paul, puis s'était promené jusqu'à Cheapside, en profitant pour faire quelques achats. Il avait discuté avec tous les marchands : comment allait son épouse ? Et son fils ? Quand il avait atteint le Royal Exchange, son poursuivant avait les paupières lourdes et étouffait des bâillements.

Au centre de la cour, Phelippes s'arrêta, comme pour vérifier les paquets qu'il portait. Au passage, il repéra l'homme attendant près de l'entrée principale. Soulagé, Phelippes reprit sa marche. Son relieur était à l'autre extrémité de la cour, à quelques mètres d'une sortie dérobée. Phelippes examina les bijoux à la devanture de la joaillerie voisine. Se sachant toujours espionné, il prit une petite montre suspendue à une chaînette, la tint devant son gilet et se regarda dans un miroir. Comme s'il était mécontent du résultat, il secoua la tête et s'intéressa à un présentoir d'épingles à chapeau. Le joaillier s'occupait d'un autre client et, dès qu'ils lui tournèrent le dos, Phelippes se faufila par la sortie de derrière et tourna à gauche, vers la tente fermée où officiait son relieur.

— J'en ai besoin maintenant ! annonça-t-il à l'homme en lui donnant plusieurs shillings.

— Je viens tout juste de commencer les ornements. J'aurai fini toute la reliure dans quelques heures.

— Je vous laisse une minute ! répondit Phelippes avec emportement.

Son poursuivant devait déjà être à sa recherche, se frayant un chemin dans la foule.

— Vous ne pouvez pas repasser dans la matinée ?

Phelippes secoua la tête.

— Un homme est à mes trousses.

À contrecœur, l'homme se pencha derrière son comptoir et en sortit un paquet enveloppé de tissu. Phelippes le prit : il contenait le manuscrit relié en cuir noir, presque terminé.

— Je ne lui dirai rien.

Phelippes rangea le document dans son coffret en étain et sortit de la tente. Se servant de la foule comme d'un écran, il marcha, en s'abaissant, jusqu'à un porche, puis se releva et se mit à courir. Il n'habitait qu'à deux pâtés de maisons de là.

Il supposait qu'un autre homme de Cecil l'attendait dans sa chambre, c'est pourquoi il ne comptait pas s'y rendre tout de suite : il crocheta la porte d'une des chambres du rez-de-chaussée, vide. C'était celle d'une vieille femme qui, à cette heure de la journée, dînait dans une auberge du quartier.

Phelippes alla devant la cheminée et s'agenouilla. À l'aide d'un couteau, il souleva une large dalle de pierre. Il y a quelques mois de cela, il avait creusé une cavité à 1,50 mètre de profondeur. Il y déposa le coffret, puis se redressa et alla récupérer un sac rempli de terre qu'il avait caché sous le lit. Il en vida le contenu sur le coffret, puis replaça la dalle.

Avant de partir, il vérifia la semelle de sa botte gauche. Le message codé de Marlowe s'y trouvait toujours, bien protégé par la couche de boue sèche. *Parfait.*

Bientôt, il l'aurait décrypté. Il n'avait jamais échoué.

Chislehurst, Kent. Crépuscule.

Tom Walsingham était assis dans son verger, à l'ombre d'un poirier. La journée était magnifique. Le ciel était dégagé, l'air encore tiède, et partout les oiseaux faisaient entendre leur chant.

Pourtant, Tom était en colère. Son ami le plus proche était mort, et toute cette beauté lui paraissait une insulte. Une raillerie. Le monde entier devait partager sa tristesse – y compris les alouettes.

Quand il entendit un bruit de sabots, il ne se leva pas pour accueillir le visiteur. Il ne voulait parler à personne. Par chance, le nouvel arrivant ne s'attarda pas : au bout de quelques minutes, Tom entendit le cheval partir au galop.

— Sir !

Son page approchait.

— Quoi que ce soit, cela peut attendre.

— Sir, l'homme a dit que c'était urgent.

Réticent, Tom prit le message et lut aussitôt le nom en bas de page. « Gabriel ». Il ne connaissait pas de Gabriel. C'était sans doute une erreur. Il voulut le rendre à son page, mais le garçon était reparti.

Tom lut l'unique paragraphe, qui confirma ce qu'il pensait : il y était question d'un sujet banal, qui ne le concernait pas du tout. « Mon ami, je t'écris pour te recommander une excellente cire que j'ai achetée chez un marchand de Canterbury. Elle est très résistante. Hier, je l'ai laissée dans une pièce très chaude et elle n'a pas fondu. Dînons bientôt ensemble, veux-tu ? Je t'en dirai davantage. »

— De la cire reste de la cire... Pourquoi diable quelqu'un recommanderait... oh-oh. Oh !

C'était un message codé. Tom était à la fois stupéfait et

ravi. La clé se trouvait dans le prologue du *Faust* de Marlowe, lorsque le chœur annonce la mort tragique du mage en le comparant à Icare : « Ses ailes de cire le hissèrent au-dessus des mortels, mais les Cieux les firent fondre, précipitant sa chute. »

En d'autres termes, Poley annonçait à Tom que Marlowe – né à Canterbury et surnommé Icare – n'était pas vraiment mort. Poley, dans le rôle de l'archange Gabriel – qui apporte aux élus les messages secrets de Dieu – avait réussi à tromper tout le monde.

— Rob, la peste soit de tes ruses ! Si tu étais devant moi je t'embrasserais !

Londres. Nuit.

Poley s'éveilla en sueur.

Il venait de voir Ingram Frizer poignarder Kit. *Mon dieu, j'ai échoué !* Il sentit son cœur s'arrêter. Puis le cauchemar se dissipa, et la réalité s'imposa à son esprit. Frizer ne s'était *pas* penché pour toucher le corps de Kit, il n'avait pas senti la chaleur de sa peau ni compris qu'on s'était joué de lui. Il s'était juste détourné, écœuré par cette vision sinistre.

C'est sur cette réaction qu'avait escompté Poley.

Certes, il s'en voulait d'avoir énucléé Marlowe, mais il n'avait pas de regret. Il savait bien que Cecil apprendrait tôt où tard que son ami logeait chez Eleonor Bull, aussi était-il impératif que Marlowe soit déclaré mort dans la soirée. Vivant, il ne parviendrait jamais à quitter l'Angleterre – les hommes de Cecil étaient vigilants. Dieu merci, Nelly avait accepté de l'aider.

Le plan de Poley reposait sur un point crucial : la blessure de Marlowe devait paraître tellement effroyable, tellement mortelle, que Frizer n'aurait même pas l'idée de vérifier la froideur du corps ou l'absence de souffle sur ses lèvres. À eux seuls, le maquillage blanc et le poignard de théâtre à lame rétractable planté dans une orbite vide n'auraient pas suffi.

Après tout, Frizer aurait pu flairer la supercherie. Dans ce cas, il aurait *vraiment* porté un coup fatal à Marlowe et Cecil, à n'en pas douter, aurait tenu parole et fait jeter Poley dans une salle de tortures.

L'œil pendant sur la joue droite de Marlowe avait empêché ce scénario.

Dès que Frizer et Skeres furent partis, Poley et Nelly Bull étaient descendus au jardin chercher, sous les sacs de détritus entassés dans un chariot, le cadavre qu'ils y avaient caché.

Trouver un cadavre frais dans les rues de Londres ne présentait aucune difficulté : les victimes de la peste se comptaient chaque jour par dizaines. Mais en trouver un sans stigmates trop visibles s'était révélé une tâche plus compliquée. Dès qu'il avait compris à quel point Cecil était déterminé à faire assassiner Marlowe, Poley avait passé la nuit à chercher, jusqu'à ce qu'il entende parler d'un homme de l'âge et de la corpulence du poète, qui venait de succomber d'une crise d'épilepsie. C'était l'idéal.

Poley et Nelly avaient installé le cadavre dans le lit de Marlowe et transporté leur ami, puissamment drogué par Poley, dans le chariot. Ensuite, il avait fallu poignarder le cadavre dans l'œil droit et déverser du sang de cochon dans l'orbite.

Quand Skeres et Frizer étaient revenus pour mener l'enquête, Poley n'avait eu aucune difficulté à empêcher les deux hommes de regarder sous les draps. Il avait demandé au coroner s'il pouvait recueillir leurs témoignages dans le jardin pour échapper à l'odeur qui empestait la chambre. Skeres et Frizer avaient appuyé sa demande.

Pensant à Thomas Phelippes, Poley se sentait satisfait de lui-même. Cette fois, il avait battu son éternel rival, tout en parvenant à contrecarrer les plans mortels de son propre employeur, Robert Cecil, sans nul doute le prochain secrétaire d'État d'Angleterre. C'était un triomphe absolu. Sa plus grande victoire à ce jour.

Le seul regret de Poley, c'était que personne n'en saurait jamais rien.

39

Londres, Westminster, de nos jours. 14 h 48.

Il était en vie. C'était un espion. Et il ne se souvenait pas d'elle.

Kate était adossée à un pilier en béton, face à l'enseigne pivotante de New Scotland Yard. Une lourde pluie s'était mise à tomber, et des rigoles d'eau dégoulinaient de ses baleines de parapluie. Le ciel s'était assombri, et Kate ne voyait plus rien au-delà de trente mètres. *Au propre comme au figuré,* pensa-t-elle.

Une sonnerie se fit entendre. Son portable. C'était son père. Elle ne décrocha pas. Qu'est-ce qu'il pouvait dire, désormais, qui ferait oublier à Kate tout ce qu'il lui avait caché ?

Une voiture blindée sortit du parking, et Kate aperçut au volant le sergent Davies. Elle coupa son téléphone et s'avança vers lui.

40

Que tente à présent ce fou de Léandre ?
Héro et Léandre (Marlowe)

Mer Méditerranée. Juin 1593.

Par une chaude et venteuse après-midi, un canot fut mis à l'eau à tribord du *Bonaventure*. Un jeune mousse nommé Hal assistait à la manœuvre, perplexe. Le navire n'était qu'à une demi-lieue de la côte de Barbarie, royaume de pirates si cruels qu'à leur seule évocation tout marin anglais, qu'il l'admette ou non, sentait ses genoux s'entrechoquer.

En heurtant les flots, le canot rebondit, faillit chavirer. Les deux hommes à bord stabilisèrent l'embarcation puis se mirent à ramer. Droit dans la gueule du loup. Avaient-ils perdu la raison ? Hal aurait voulu poser des questions, mais le capitaine avait interdit à ses marins de parler entre eux de cet épisode. Et l'ordre venait de leur chef à tous, sir Walter Raleigh : quiconque hasarderait la moindre parole se verrait aussitôt jeter par-dessus bord.

Debout sur la passerelle arrière, Hal regarda le petit canot s'éloigner, jusqu'à ce que la tête de ses deux passagers atteigne la taille d'un grain de sable. Lorsqu'ils parvinrent à cette frontière floue où l'océan rejoint le ciel, il secoua la tête – incrédule tout autant que déçu. Il avait apprécié leur compagnie. Le plus petit, Lee Andressen, était un bretteur émérite, et Hal avait pris plaisir à ses leçons d'escrime, mais c'est surtout l'autre, avec son bandeau sur l'œil, qui lui manquerait. Ne lui avait-il pas sauvé la vie ? Une vieille superstition veut qu'un marin sachant nager porte malheur. Aussi, lorsqu'une baume avait heurté Hal à la tête deux jours plus tôt, le catapultant dans les vagues, il était sûr que sa dernière heure avait sonné. Gesticulant dans l'eau, à bout de forces, il avait sombré lorsque, soudain, un bras avait enserré sa poitrine, le tirant vers la surface.

Une fois sur le pont, sain et sauf, Hal avait demandé son nom à son sauveur. Sans doute à cause de la mer glacée, ou du choc après avoir frôlé la mort, le bougre semblait ne pas s'en souvenir. Il avait ouvert la bouche, prêt à répondre, puis s'était figé, le regard perdu. Aucun mot n'était sorti de ses lèvres. Alors, Hal avait parlé pour lui :

— Avec ou sans nom, je sais une chose, par dieu : tu es un héros, assurément. Un héros.

— Tu ne crois pas si bien dire, avait répondu le marin en jetant un coup d'œil à son ami, Lee Andressen.

Et soudain, devant un Hal stupéfait, le jeune homme avait éclaté de rire.

41

Londres, Bloomsbury, de nos jours. 15 h 23.

Le dragon trônait sur le bureau.

— Voilà qui est inhabituel, commenta le conservateur en examinant la statuette à l'aide d'une petite loupe attachée à son cou. La forme des diamants, le filet d'or incrusté… Je n'ai jamais rien vu de pareil.

— Époque Ming, selon vous ? demanda Kate.

L'homme chauve et maigre leva les yeux vers elle.

— Les Chinois ne décoraient pour ainsi dire jamais le jade. Surtout avec des pierres précieuses. Non, cela remonte peut-être à l'empire Moughal… De toute façon, mon estimation prendra du temps et…

La sonnerie du téléphone l'interrompit.

— Vous permettez ?

Kate et le sergent Davies hochèrent la tête. Le conservateur décrocha son téléphone.

Après avoir écouté la voix à l'autre bout du fil, il hocha la tête à son tour et, d'une voix où perçait un frisson d'excitation :

— Très intriguée, dites-vous ? Oh, oui. C'est ravissant.

Brusquement, sa bouche resta grande ouverte.

— Elle désire *quoi* ? bégaya-t-il, des gouttes de sueur perlant sur son front. Quand ça ? *Aujourd'hui* ?

La limousine blindée s'arrêta en douceur devant les grilles dorées. Deux hommes sanglés dans un costume impeccable s'approchèrent et échangèrent quelques mots avec le chauffeur. Deux minutes plus tard, le lourd portail s'ouvrit et la limousine entra dans la cour de Buckingham Palace.

Sur la banquette arrière, Kate conversait avec le sergent Davies.

— D'accord, ce n'est pas la même, dit la jeune femme, mais la lettre et le coffret vont *enfin* revenir à une reine Élisabeth...

— Mieux vaut tard que jamais, n'est-ce pas ?

Lorsque j'ai commencé à écrire *Le Manuscrit du Maître-Espion*, je n'avais pas prévu que Marlowe échappe finalement au meurtre de Deptford. Toutes ces spéculations autour d'un simulacre de mort étaient le domaine réservé des défenseurs de la théorie « Marlowe et Shakespeare ne font qu'un ». Mais après qu'un ancien professeur de littérature de la Renaissance m'eut donné son opinion concernant le poème de Marlowe *Héro et Léandre* (telle qu'évoquée au chapitre 23), j'ai eu envie de changer de direction.

Beaucoup de gens considèrent que ce poème est un fragment, le prélude d'une fable tragique que Marlowe n'eut jamais le temps d'achever, peut-être parce qu'il y travaillait juste avant sa mort. Mon professeur, pour sa part, estimait que Marlowe avait délibérément laissé la vie sauve à ses deux héros, préférant jouer avec les conventions formelles de la tragédie. Ainsi, prenant le contre-pied moqueur du destin tragique auquel le lecteur sait voués Héro et Léandre, Marlowe a-t-il choisi de clore son poème avant la nuit fatale de la tempête.

Au début, la possibilité que Marlowe ait eu recours à ce stratagème littéraire m'a intriguée. Pourtant, je n'étais pas encore prête à avoir la même audace vis-à-vis de mon personnage. Je n'avais pas envie de terminer mon récit de la vie de Marlowe avant la nuit du 30 mai 1593, car je souhaitais dramatiser les événements de cette mystérieuse nuit.

Quelque temps plus tard, relisant *Héro et Léandre*, je m'aperçus que Marlowe aurait pu terminer encore autrement son poème tout en préservant ses héros. Au lieu de l'arrêter avant la tempête, il aurait pu la décrire de façon spectaculaire mais en modifier la conclusion : Léandre échappe de peu à la noyade et parvient à atteindre la rive opposée.

Dans la version classique, Léandre traverse, pendant tout un été, l'Hellespont de nuit pour rejoindre Héro. Mais un soir, une tempête se déchaîne et il se noie. Le poème de Marlowe n'évoque qu'une seule traversée, mais on peut sans doute le lire comme une version plus dense du mythe. Marlowe dépeint la tempête, et la citation en épigraphe du chapitre 40, « Que tente à présent ce fou de Léandre ? », se situe lorsque Léandre se tient au bord de « l'Hellespont en furie » et contemple, impatient, la tour où l'attend Héro. Il plonge, commence à nager et manque se noyer – « les flots déchaînés l'enserrent / Et l'entraînent dans les profondeurs » qu'il atteint « presque mort ». C'est alors que Neptune le hisse vers la surface, « Repoussant les vagues audacieuses avec son trident » et « Promet que plus jamais la mer ne lui fera de mal ». Cette tempête, je la vois bien comme celle qui cause la mort de Léandre dans la version classique du poème. Le personnage de Léandre échappe donc à son destin tragique.

Envisager le poème de cette façon m'a donné envie d'utiliser la même technique avec mon personnage de Marlowe – dépeindre la scène de sa mort fatale, puis la survie de ce personnage tragique. Le fait que ce soit une divinité, Neptune, qui laisse la vie sauve à Léandre m'a également donné l'idée de recourir à une forme détournée de « deus ex machina » à la fin de mon histoire. La tireuse de tarot avait prédit, dans le premier chapitre : « Sans l'intervention d'un ange, tu ne verras pas la prochaine lune. » Cet ange, c'est Robert Poley (« Gabriel »), grâce à qui Marlowe échappe au meurtre commandité par Cecil.

Ma décision d'achever l'histoire de Marlowe par sa fausse mort et sa fuite en mer m'a été aussi inspirée par son œuvre. Dans sa *Tragique Histoire du docteur Faust*, peu avant que les démons n'arrivent pour emmener le mage en enfer, Faust rêve d'échapper à sa damnation en disparaissant dans l'océan : « Ô, mon âme, change-toi en minuscules gouttelettes d'eau / Et, te mêlant à l'océan, disparais à jamais ! » Dans *Edward II*, face à sa mort imminente, Mortimer se voit comme « un voyageur » qui « méprise le monde et [...] s'en va découvrir des terres encore inconnues. »

Si le dénouement du récit élisabéthain du *Manuscrit du Maître-Espion* doit davantage à la poésie de Marlowe qu'à la vérité historique, le reste du roman s'inscrit autant que possible dans la réalité et dépeint les événements connus du dernier mois de la vie du dramaturge.

Un poème signé « Tamerlan » menaçant de mort les immigrants londonien a bien été placardé au mur d'une église hollandaise sur Broad Street, le soir du 5 mai 1593. Une commission spéciale constituée de cinq hommes – dont l'un était, en fait, Thomas Phelippes – a bien été chargée de démasquer l'auteur anonyme. Les membres de la commission ont rapporté avoir découvert dans l'appartement de Thomas Kyd un texte hérétique, dont l'auteur, selon Kyd, était Marlowe. Kyd fut arrêté et jeté en prison le 11 ou 12 mai 1593 et fut torturé.

Un mandat d'arrêt fut lancé contre Marlowe le 18 mai et ce dernier fut présenté aux représentants du gouvernement deux jours plus tard. Un espion nommé Richard Baines rédigea un compte-rendu intitulé *Rapport sur les opinions blâmables du sieur Christopher Marlowe et ses propos blasphématoires concernant la religion et les œuvres de Dieu*, transmis au Conseil privé le 27 mai. Et, selon le rapport du coroner, Marlowe mourut d'un coup de poignard le 30 mai, l'enquête et l'inhumation ayant lieu deux jours plus tard, le 1ᵉʳ juin.

Pour des raisons de logique, j'ai procédé à une compression temporelle, de sorte que les vingt-six derniers jours de la vie de Marlowe semblent tenir en une seule semaine.

On sait très peu de choses sur la carrière d'espion de Marlowe. Une lettre du Conseil privé adressée en 1587 à l'Université de Cambridge afin d'empêcher son expulsion et de faire taire les rumeurs l'accusant d'être un traître catholique constitue à vrai dire la seule preuve tangible de son activité dans les services secrets. La lettre en elle-même n'existe plus, mais les minutes du Conseil privé décrivent son contenu en détail. Marlowe, disait la lettre, n'avait aucune intention de basculer dans le camp catholique ; il avait au contraire « servi sans faillir Sa Majesté, & mérite d'être récompensé pour son fidèle dévouement ». Le Conseil ajoutait que cette récompense pouvait prendre la forme d'un diplôme car « Sa Majesté ne goûte pas que quiconque employé, comme lui, dans des activités touchant à l'intérêt du pays, soit calomnié par ceux qui ignorent tout des affaires dont il s'est occupé ».

Comme nul ne peut dire de quelles affaires Marlowe s'est effectivement occupé, je me suis reposée sur les spéculations d'historiens spécialistes de la Renaissance pour décrire ses différentes missions d'espionnage.

Par exemple, des rapports de police montrent que Marlowe fut arrêté aux Pays-Bas au début de l'année 1592 pour avoir fabriqué de la fausse monnaie. Pour Charles Nicholl, cet incident cache une opération des services secrets, comme il l'explique dans son article « "At Middleborough" : Some Reflections on Marlowe's Visit to the Low Countries in 1592 » ainsi que dans *The Reckoning*, le magnifique essai qu'il a consacré au meurtre de Marlowe.

L'enquête sur la Compagnie moscovite est une pure invention de ma part, tout comme l'idée que sir Robert Cecil, un de ses responsables, ait utilisé les navires de la compagnie pour livrer des armes à un pirate de Barbarie. Mais je n'ai pas choisi ces éléments narratifs par hasard. Il est prouvé que Marlowe était au courant du trafic d'armes entre la Compagnie moscovite et Ivan le Terrible, et le directeur général du bureau londonien de la compagnie était un certain Anthony Marlowe, selon toutes probabilités cousin éloigné de Christopher. Il était de notoriété publique que les hommes de la compagnie se livraient à toutes sortes de trafics, et il est fort possible que Cecil y ait parfois joué un rôle.

Si *L'Anatomie des Secrets* est également une invention romanesque, les dossiers de Francis Walsingham ont bel et bien disparu après sa mort en 1590, et n'ont jamais été retrouvés. On soupçonne Thomas Phelippes de les avoir dérobés. Quant au contenu du manuscrit, je me suis amusée à imaginer des solutions à des mystères jamais résolus de l'ère élisabéthaine Le seul élément véridique figurant dans *L'Anatomie* concerne l'enquête pour actes de sodomie, dont Anthony Bacon a fait l'objet en France.

À propos de l'utilisation d'un télescope par Thomas Hariot en 1593, j'avoue avoir pris quelques libertés : on ignore quand il fabriqua sa première « lunette à perspective », mais il y a peu de chances pour que ce soit cette année-là. On attribue généralement la découverte du télescope à des opticiens hollandais au début du XVIIe siècle, et cette découverte fut aussitôt amplement divulguée. Toutefois, Hariot a publié très peu de communications au sujet de ses innombrables recherches scientifiques, et puisqu'il était à la fois un expert en optique et un intellectuel comparable à Galilée, il est possible qu'il ait fabriqué un télescope en 1593. Possible, quoique fort improbable : garder secrète une invention aussi considérable aurait été extrêmement compliqué.

Tout au long des chapitres historiques, je me suis efforcée à la plus grande authenticité dans les détails. Ainsi, les commentaires entendus par Robert Poley aux funérailles de Marlowe sont tirés de poèmes d'hommage écrits peu après sa mort. Poley reçut un diamant en cadeau d'Anthony Babington, l'un des jeunes conspirateurs catholiques qu'il envoya à la potence lorsqu'il travaillait comme agent provocateur dans les années 1580. Le patron de Poley, Robert Cecil, vivait entouré d'oiseaux exotiques rapportés d'Orient, et il était effectivement l'un des principaux mécènes finançant l'expédition de Walter Raleigh en Guyane. La majeure partie des 60 000 livres que Raleigh parvint finalement à réunir provenait de ses propres coffres. Le personnage du Puritain sermonnant Marlowe au chapitre 22 m'a été inspiré par les nombreux pamphlets de l'époque mettant en garde les lecteurs contre les méfaits de la curiosité intellectuelle, le plus souvent illustrés par l'image de la chute d'Icare. Enfin, quoique Thomas Hariot ait laissé derrière lui peu de documents, certains éléments attestent qu'il a pratiqué de nombreuses expériences pour étudier l'origine des arcs-en-ciel.

Pour conclure, j'aimerais dire quelques mots sur le véritable Christopher Marlowe. Les mystères entourant la vie et la mort de ce personnage controversé ont fait débat depuis plus de quatre siècles.

La plupart des témoignages historiques sur son caractère, son comportement et ses croyances proviennent d'indicateurs payés pour chaque information, de rivaux littéraires et d'aveux soutirés à un homme par la torture. Comme Kate l'explique à Medina au chapitre 25, le rapport établi par le coroner royal à propos des circonstances de la mort de Marlowe est un document extrêmement discutable, décrivant un scénario très peu plausible. Si excitants soient-ils, les faits sont eux aussi sujets à plusieurs interprétations. Son activité d'espion ne signifie pas nécessairement que Marlowe était un patriote ; ses seules motivations peuvent très bien avoir été l'argent et l'aventure ; s'il a été accusé d'athéisme, on ignore quelles étaient ses véritables croyances religieuses car, la plupart du temps, ce genre d'accusation n'était qu'une arme politique visant à discréditer un ennemi. À l'évidence, ses pièces de théâtre révèlent un fort scepticisme religieux et un dédain profond pour toutes les formes de traditions. La violence, la cruauté et la sauvagerie de leurs scènes ont souvent donné de Marlowe l'image d'un être malveillant et sans pitié. C'est oublier que le théâtre élisabéthain est marqué par une surenchère dans la provoca-tion et le besoin de choquer ou de captiver un public blasé à une époque sanglante. Marlowe avait besoin de susciter la curiosité des mécènes tout en évitant la censure, et peut-être aussi de soigner sa stature de dissident politique. Vouloir dénicher le véritable Marlowe dans son œuvre théâ-trale est une entreprise risquée.

Beaucoup d'experts de la Renaissance estiment que Marlowe était ce que l'on appellerait aujourd'hui un homosexuel – un terme et un concept qui n'existaient pas à l'époque. Bien qu'il soit difficile de se prononcer définitivement sur la question en se basant sur les thèmes et images homo érotiques qui jalonnent ses poèmes et ses pièces, j'aurais tendance à croire qu'il aimait les personnes des deux sexes, avec peut-être une préférence pour les hommes. Dans *Héro et Léandre*, par exemple, c'est un Neptune « vigoureux » qui provoque la noyade presque mortelle de Léandre. S'il l'entraîne dans les profondeurs, c'est parce qu'il voit dans le superbe garçon Ganymède, l'immortel amant de Jupiter ; il le ramène à la surface lorsqu'il comprend que Léandre est un humain sur le point de mourir.

J'ai décidé de ne pas évoquer la sexualité de Marlowe dans ce livre car je voulais mettre l'accent sur son activité d'espion et son œuvre littéraire dans les derniers jours de sa vie. Les lecteurs se rappelleront simplement qu'au chapitre 12, « mon » Marlowe éprouve de la déception en appre-nant que Lee Andressen est en réalité une jeune femme…

L'homme Marlowe étant – peut-être à jamais – une énigme, il n'est pas étonnant que sa vie et sa mort aient suscité des interprétations littéraires aussi variées. Et ce n'est sans doute pas près de s'arrêter. Laquelle de ces interprétations s'approche le plus de la vérité ? Nous ne le saurons jamais.

Plusieurs documents ont été découverts au cours du XXᵉ siècle, qui ont permis de compléter la biographie trouble et fragmentaire de Marlowe. D'autres resurgiront peut-être un jour. Malgré tout, il est fort probable que ce qui s'est passé, la nuit du 30 mai 1593, dans cette pension de Deptford, reste à jamais un mystère...

Remerciements

Avant tout, je veux remercier mon agent littéraire – et amie très chère – Joanna Pulcini, ainsi que Greer Hendricks, mon merveilleux éditeur, qui ont cru à ce roman avant que la plus grande partie du texte soit écrite. Leur regard, leur enthousiasme contagieux et leur soutien infaillible ont permis à ce livre de voir le jour. Ma profonde reconnaissance va à toute l'équipe d'Atria Books, qui a défendu ce livre avec conviction, patience et élégance, et notamment Judith Curr, qui l'a aimé dès le début. Merci mille fois à Suzanne O'Neill ainsi qu'aux formidables membres de l'équipe artistique et éditoriale.

Les remarquables suggestions éditoriales de Liza Nelligan, Michele Tempesta, Ken Salikof et Nina Bjornsson m'ont été extrêmement profitables. Merci à Jack Devine, agent de la CIA pendant 32 ans, mentor personnel et ami ô combien admiré, pour ses encouragements et ses conseils. Merci aussi à mes parents, à ma sœur, et à tous mes amis qui ont commenté chacune des étapes de mon travail, en particulier Christian D'Andrea et Priya Parmar. Que Sarah McGrath, dont les remarques pertinentes m'ont été si utiles, soit également remerciée.

Merci pour leurs efforts à Linda Michaels et Teresa Cavanaugh, de Linda Michaels Limited, à Lynn Goldberg et Brooke Fitzsmmons, de Goldberg McDuffie Communications, à Matthew Snyder de Creative Arts Agency et à Linda Chester, Gary Jaffe et Kelly Smith.

Toute ma gratitude aux membres des départements d'Histoire des Sciences et d'Anglais de l'université de Harvard, notamment au brillant Stephen Greenblatt, auteur de mon essai préféré sur Marlowe, dont la théorie sur *Héro et Léandre* a inspiré la fin de mon roman. Merci aussi à John Parker pour avoir si généreusement répondu à mes questions et m'avoir enrichie de sa sagesse apparemment sans limites, ainsi qu'à Anne Harrington, James Engell, Katharine Park, John Guillory et Steven Ozment pour leur gentillesse et leur soutien intellectuel.

Les commentaires de Kate sur Copernic, Galilée et Giordano Bruno doivent beaucoup à la lecture des ouvrages passionnants de Steven Harris, remarquable historien des sciences.

Et pardon d'avance à toutes les personnes que j'aurais oubliées...